Walter Gropius. Das Jenaer Theater

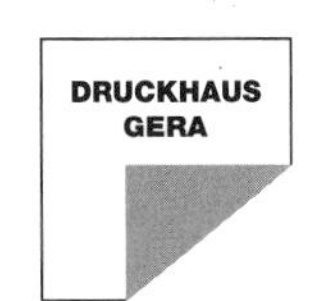

Minerva.
Jenaer Schriften zur Kunstgeschichte
Band 15

herausgegeben

von

Franz-Joachim Verspohl

in Zusammenarbeit mit

Karl-Michael Platen

Ulrich Müller

Walter Gropius. Das Jenaer Theater

Lehrstuhl für Kunstgeschichte mit Kustodie
Verlag der Buchhandlung Walther König
Jena · Köln 2006

Dank

Die Publikation wäre nicht zustande gekommen ohne die Unterstützung der Leiterin des Bauaktenarchivs der Stadt Jena, Frau Fügener, sowie ihrer Mitarbeiterin Frau Voigt, des Carl Zeiss-Archivs, der Leiterin des Stadtarchivs Jena, Frau Mann, und der Kustodin des Stadtmuseums Jena, Frau Hellmann. Dank schulde ich den Mitarbeitern des Bauhaus-Archivs Berlin, insbesondere Frau Hartmann und Frau Eckhardt, Jennifer Hughes von den Harvard University Art Museums, Letje Lips vom Nederlands Architecturinstituut, Rotterdam, Torun Herlöfsson vom Arkitekturmuseet Stockholm, nicht weniger dem Architekturmuseum der Technischen Universität München und seinem Direktor, Prof. Dr. Winfried Nerdinger, sowie dem Thüringischen Hauptstaatsarchiv Weimar und seinem Direktor, Prof. Dr. Volker Wahl. Außerdem habe ich Frank Döbert, Jena, Dr. Dirk Scheper, Berlin, Raman C. Schlemmer, Oggebbio, und Dr. Wolfgang Wimmer, Jena, zu danken. Franz-Joachim Verspohl und Karl-Michael Platen, die Herausgeber der Schriftenreihe „Minerva", haben die Publikation tatkräftig gefördert. Nicht zuletzt gilt mein Dank dem Collegium Budapest, Institute for Advanced Study, wo ich als Fellow des akademischen Jahres 2005 / 06 das Manuskript dieser Publikation fertigstellen konnte. Die spezifische Verbindung von wissenschaftlichem Fachdiskurs und interdisziplinärem Austausch setzt einen Gedankenflug frei, wie man ihn nur selten an einem Ort findet. Den einzigartigen Freiraum der Institution zu wahren, ist vor allem dem Rektor des Collegium Budapest, Imre Kondor, zu danken.

Budapest, im März 2006

Inhalt

Vorwort

Das Jenaer Theater von Walter Gropius kann als ein Meilenstein der modernen Architektur gelten. Trotz seiner Bedeutung ist das Bauwerk heute nur noch wenigen Historikern und Experten bekannt. In Anbetracht der Tatsache, daß das Zuschauerhaus des Jenaer Theaters 1987 abgerissen wurde, um an seiner Stelle einen Neubau zu errichten, droht das Gründungswerk des Neuen Bauens in Thüringen aus dem öffentlichen Bewußtsein zu verschwinden. Durch die politische Wende 1989 und die damit einhergehenden Veränderungen blieb der ins Auge gefaßte Plan, ein größeres und moderneres Bauwerk zu errichten, Idee. Ob der ausgearbeitete Entwurf den Jenaer Verhältnissen gerecht geworden wäre, wird auf immer eine offene Frage bleiben. Entscheidend ist, daß dort, wo sich einst das Zuschauerhaus erhob, bis heute eine architektonische und städtebauliche Lücke klafft, die früher oder später nach einer angemessenen Lösung verlangt. Dies um so mehr, als der Rumpf des Bühnenhauses, mit großem Aufwand 2000 / 01 saniert, das ungelöste Problem der künftigen Gestaltung tagtäglich vor Augen führt. Schon aus diesem Grund scheint es geboten, die Geschichte des Jenaer Theaters zu erzählen, seine bauliche Konzeption darzustellen, seine künstlerische Form zu würdigen, nicht zuletzt mit der Absicht, architektonische Kriterien aufzuzeigen, die bei einer Diskussion über das Areal und seine künftige Bebauung als Maßstab dienen können.

Wenn die Publikation den Entschluß fördern sollte, das Theater von Walter Gropius zu rekonstruieren, was aufgrund der umfangreichen Pläne und Materialien durchaus im Bereich des Möglichen liegt, so würde Jena und Thüringen ein architektonisches Juwel zurückgewinnen, das seines gleichen sucht. Gerade das kleine Format des Theaters hat – wie kaum ein zweites Haus dieses Typs – auch unter den gewandelten Bedingungen öffentlicher Kommunikation und unter Berücksichtigung neuer, zeitgemäßer Betriebsformen hervorragende Chancen, in der Zukunft bestehen zu können. Denn das Theater lebt heute, da Internet, TV, Video und DVD allgegenwärtig sind, von der unmittelbaren Präsenz der Akteure, von der Nähe des Publikums zum Bühnengeschehen und nicht zuletzt von der freiwilligen Form des Gemeinschaftserlebnisses. Das sind Besonderheiten, die sich durch kein anderes künstlerisches und künstliches Medium erfahren lassen.

Hinter den Mauern des Gasthauses „Zum goldenen Engel" führte das Jenaer Theater, obwohl berühmt und international beachtet, ein verborgenes Dasein. Weder an städtebaulich markanter Stelle noch an einem prominenten Platz sollte es erstehen, sondern in nächster Nachbarschaft zu Friedrich Schillers Gartenhaus, umgeben von Universitätsinstituten, Gärten und Wohnhäusern. Der Besucher mußte zunächst, wollte er den Eingang des Theaters erreichen, den langgestreckten Hof des „Goldenen Engel" durchschreiten. Vorbei an zweigeschossigen, teils mit Satteldächern, teils mit Walmdächern eingedeckten Bauten (Abb. 1, Abb. 2), die seit 1699 über den Mauern des ehemaligen Karmelitenklosters entstanden waren, ließ das gewachsene Ensemble den Besucher schwerlich einen Gründungsbau der Moderne erwarten. Um so überraschter dürften sich die Zeitgenossen gezeigt haben, wenn sie in den Garten eintraten und sich plötzlich mit einem aus weißen Kuben zusammengesetzten Bauwerk konfrontiert sahen (Abb. 3). Die erste Begegnung mit der Architektur von Walter Gropius dürfte sie gleichermaßen irritiert wie erstaunt haben. Denn im Garten des „Goldenen Engel" war innerhalb eines Jahres ein bauliches Kunstwerk entstanden, das die Architektur auf ein neues Niveau hob.

Dem Besucher bot sich das Theater, wenn er den Zugang an der östlichen Grundstücksgrenze nahm, in spannungsgeladener Übereckperspektive dar. Durch die extreme Schrägsicht auf das Gebäude konnte der Eindruck entstehen, der Architekt habe ihm wirkmächtige Asymmetrien eingeschrieben, obwohl die Massen spiegelbildlich organisiert sind. Das Wechselspiel der Gegensätze potenziert sich um die blendend weißen Wandflächen und die verschatteten Partien der Eingänge und der zurückgesetzten Fenster. Auch der Kontrast von scharfkantig gefaßtem Kubus und quaderförmigen Baukörpern, deren Ecken Gropius abgewinkelt hat, treibt weitere Gegensätze hervor, die zur Verlebendigung des Bauwerks beitragen. Die Ansicht des Theaters bezwingt nicht nur durch die Vergegenwärtigung grundlegender architektonischer Ausdrucksmittel, sondern erlaubt überdies, vom Außenbau auf den Innenbau zu schließen. Denn die baulichen Volumina markieren zugleich die funktionalen Einheiten des Theaters.

Auf einem zweistufigen Podest erhebt sich ein mächtiger Baukörper, an den sich Quader mit abgewinkelten Kanten anfügen, von denen sich nur schwer sagen läßt, ob sie dieselbe Höhe erreichen. Die Bestimmung der Höhe bereitet deshalb Schwierigkeiten, weil die angelagerten Volumina unterschiedliche Tiefe aufweisen und jeweils mit individuellem Abstand an der Ecke des Kubus ansetzen. Die erzeugte Spannung hat Gropius dadurch gemildert, daß er die Einheiten mit einer freischwebenden Kragplatte verbunden hat. Scharfkantig springt sie hervor und markiert unübersehbar, daß der durch sie umschriebene Raum, ein negatives Volumen, zum Aktivposten der modernen Architektur geworden ist (Abb. 4). Die Quader scheinen nicht nur in der Höhe unterschieden, sondern erhalten auch durch diverse Fensterformen jeweils ein eigenes Gepräge. Zeichnet sich der außerhalb des Podests angeordnete Baukörper durch dreiteilige liegende Fenster in asymmetrischer Verteilung aus, so ist in der Mitte der Fassade eine Nische aus dem zurückweichenden Sockel entwickelt, die fünf Fenstertüren zusammenfaßt (Abb. 5). Das gleiche gilt analog für die vier Eingänge des Theaters (Abb. 6, Abb. 7). Auf diesem Wege erreichte Gropius, die Fassadenelemente zu verklammern, um dem Eindruck entgegenzusteuern, sie seien appliziert oder führten ein Eigenleben innerhalb der Flächen. Das wird nicht einmal dem Regenfallrohr gestattet, das zwar sichtbar in Erscheinung tritt, aber eben in die Wand gelegt ist und allenfalls dazu beitragen darf, die Volumina der Architektur zu verdeutlichen (Abb. 3). So ist es denn nur noch ein kleiner Schritt, sich in das Innere des Theaters hineinzudenken: Den großen, scharfkantigen Kubus als Zuschauerhaus zu erkennen, den mit liegenden Fenstern geöffneten Quader als Treppenhaus zu begreifen und in dem vordrängenden Baukörper, den Gropius zwischen den auskragenden Schutzdächern der Portale eingespannt hat, das Foyer des Theaters zu erblicken.

Durch Windfänge gelangt der Besucher in das Foyer (Abb. 8), das durch die fünf Fenstertüren in der Front Licht von Norden erhält. Im Anschluß an die raumhohen Wandöffnungen ist in der rechten Ecke des gestreckten Raums die Kasse untergebracht, der auf der anderen Seite das Buffet mit gleichem Zuschnitt entspricht. Zwei mächtige Pfeiler beherrschen und gliedern den Raum und verleihen ihm den Charakter einer Halle, die sowohl dem Aufenthalt, aber auch der Verteilung der Besucher innerhalb des Hauses dient. In der Verlängerung der Raumachse öffnen sich zu beiden Seiten die Treppenhäuser (Abb. 9, Abb. 10), die den Besucher in das obere Foyer und zum Balkon des Theatersaals führen. Im Erdgeschoß setzt sich das Foyer in seitlichen Wandelgängen fort, wo der Architekt die Garderoben und Toiletten zu einem durchlaufenden Riegel zusammenfaßte (Abb. 11, Abb. 12). Alle funktional geforderten Einrichtungen sind an die Außenwand des Theaters gelegt, so daß ein kontinuierlicher Wandelgang entstand, der sich um den Theatersaal legte und das gemächliche Gehen ebenso gestattete wie das zügige Verlassen des Hauses. Sitzgelegenheiten waren lediglich in Verbindung mit den Pfeilern vorgesehen (Abb. 8), denen Gropius die Schwere auszutreiben suchte, indem er in der Kapitellzone Lichtkästen aus Mattglas und im unteren Bereich des Pfeilers freischwebende Bänke anbrachte. Fünf doppelflügelige Türen in unterschiedlicher Form führen vom umlaufenden Wandelgang in den Theatersaal (Abb. 13), zwei auf jeder Längsseite und eine in der nördlichen Stirnwand, so daß der Ein- und Auslaß auch im Notfall reibungslos vonstatten gehen konnte.

Der Saal besticht durch seinen geometrisch-kubischen Charakter, der vor allem durch die Deckenkonstruktion in Verbindung mit den stützenden Konsolen zustande kommt (Abb. 14, Abb. 15). Von der Wand springen auf der Höhe der Balkonbrüstung horizontal gelagerte Quader ab, auf die sich vertikal gerichtete Blöcke stützen, die ihrerseits der Decke als unmittelbare Auflager zu dienen scheinen. An ihnen sind hängende Lichtkästen befestigt, die den Auflagern zusätzliche Plastizität verleihen und den Eindruck erzeugen, als handele es sich hier um ein ins Gigantische gesteigertes Konsolgesims. Dafür spricht auch, daß Gropius die einzelnen Elemente mit einem umlaufenden breiten Band zusammenfaßte und die Volumina als optisches Widerlager zu der in drei Stufen sich verjüngenden Decke gestaltete. Auf diesem Wege ließ sich die Wucht der Decke zur eben gehaltenen Wand vermitteln. Daß die Konsolen nicht alleine die auftretenden Kräfte ableiten können, machen die stählernen Zuganker deutlich, die auf der untersten Stufe der Decke ansetzen und die Konstruktion insgesamt aussteifen. In den Konsolfries hat Gropius die Oberlichter des Theatersaals integriert, so daß sich ein Wechselspiel aus vorspringenden Lichtkästen und zurückweichenden Fensterluken ergibt (Abb. 16). Der Struktur ist ein Paradoxon eingeschrieben, weil gerade an der Stelle, wo aus statischen Gründen die größte Stabilität und Solidität gefordert ist, das flüchtigste aller Elemente, das Licht, einbricht, und zwar im Wechsel aus natürlicher und künstlicher Quelle. Dabei spielen die Beleuchtungseffekte nicht die entscheidende Rolle, wohl aber die Idee, den Bereich der tragenden Gebälkzone auszuhöhlen und in eine Art Lichtgaden zu verwandeln. Diese antiklassische Haltung, die die Logik von Stützen und Lasten unterminiert, sollte der amerikanische Architekt Frank Lloyd Wright forcieren und mit dem Bau des Johnson Wax Administration Building in den dreißiger Jahren des 20. Jahrhunderts auf die Spitze treiben. Im Jenaer Theater klingt sie bereits an.

Vor der Bühne und oberhalb des Balkons hat Gropius die Decke stärker zurückgesetzt und auf stützende Konsolen vollständig verzichtet (Abb. 17, Abb. 18). Hätte er die architektonische Ordnung bis zur Bühnenwand geführt oder über den Balkon gezogen, hätte sie fraglos den Raum dominiert. Das Publikum im Rang hätte sich bedrängt gefühlt, dem Bühnenportal fehlte der notwendige freie Umraum. Um zu vermeiden, daß sich die Architektur in den Vordergrund spielte, drängte Gropius zuallererst die Decke zurück. Den Ordnungswechsel in der Gebälkzone markierte er auf der Wand, indem er sie, wie schon die Decke, zurückweichen ließ. Die Schnittstellen überspielte er mit den Konsolen. Das Friesband aber ließ er kontinuierlich über die Wände laufen und in das Bühnenportal greifen, um die Nahtstelle von Zuschauer- und Bühnenhaus möglichst als fließende Übergangszone erscheinen zu lassen. Die farbige Fassung der Bühnenportallaibung garantierte, daß der Betrachter die Zugehörigkeit der Elemente nachvollziehen konnte. Bei geschlossenem Vorhang wurde das Auge zwar auf die architektonische Ordnung des Saals zurückverwiesen. Die Balance der verschiedenen Kompartimente aber garantierte, das Spiel der Formen auch bei einem Perspektivenwechsel überschauen zu können, selbst dann noch, wenn der Besucher auf dem Balkon Platz genommen hatte (Abb. 19).

Bei der Ausbildung des Balkons leitete den Architekten der Gedanke, ihm einen schwebenden Charakter zu verleihen. Dafür spricht, daß er ihn zwischen zwei vertikalen, in der Tiefe des Raums ansetzenden Wandscheiben einspannte, die von der Decke herabzuhängen scheinen (Abb. 20). Daß ihnen von unten stützende Wandvorlagen entgegenkommen (Abb. 15), schmälert nicht im mindesten die Kühnheit der hängenden Konstruktion. Aus der seitlichen Begrenzung der Wandstücke drängt der Balkon in den Raum vor, dessen Gewicht ein stützender Bügel aufnimmt. Der Balken des Auflagers legt sich als schmaler Streifen vor die Mitte der Brüstung und tritt durch seine dunkle Farbgebung wie eine Aussparung in Erscheinung. Mit den Möglichkeiten der Farbe wird ein positives Volumen in ein negatives umgedeutet, das der Konstruktion auch mit optischen Mitteln Gewicht nehmen soll. Ganz ähnlich verhält es sich beim Handlauf der Brüstung, der sich, mit heller Farbe gefaßt, als schwebende Horizontale ausgibt.

Vorgeschichte

Bei der Eröffnung des Theaters von Walter Gropius am 24. September 1922 ergriffen sowohl Oberbürgermeister Theodor Fuchs als auch der Rektor der Jenaer Universität das Wort. Während der Rektor der Alma mater, der Philosoph Kurt Bauch, den Gedanken des Festes ausführte, nutzte Fuchs die Gelegenheit, auf die Geschichte des Jenaer Theaters zurückzublicken.[1] Vor den geladenen Gästen aus Stadt und Land bekannte der Oberbürgermeister, daß er über viele Jahre die Idee verfolgt habe, ein repräsentatives Theater in Jena zu errichten. Zunächst hätte er sich, so ließ er das Publikum wissen, lediglich einen kompletten Neubau vorstellen können. Der Umbau des alten Jenaer Theaters im Garten des „Goldenen Engel", wie ihn Walter Gropius nun zum Abschluß gebracht habe, sei bis in die jüngste Vergangenheit, obwohl wiederholt in Erwägung gezogen, nicht mehrheitsfähig gewesen. Die wirtschaftliche Not nach dem 1. Weltkrieg hätte schließlich keine andere Lösung zugelassen, als die Umgestaltung des Altbaus in Angriff zu nehmen.

Wie zahlreiche deutsche Städte seit Anfang des Jahrhunderts verfolgte auch Fuchs ursprünglich den Plan, ein Theater zu erbauen, das als sichtbares Zeichen kultureller Hoheit nach innen und außen verstanden werden konnte. Das Selbstverständnis Jenas, beflügelt durch die Universität als bedeutendem geistigen Zentrum in Vergangenheit und Gegenwart, verlangte um so mehr nach einem entsprechenden Ausdruck. Auch die aufstrebende Industrie stärkte das städtische Selbstbewußtsein, es in kultureller Hinsicht den benachbarten Residenzstädten gleichzutun, denen die höfischen Theater innerhalb ihrer Mauern offenstanden. Darüber hinaus spielten Überlegungen im Hinblick auf die Attraktivität der Stadt eine Rolle. Denn man wünschte, gehobene Schichten anzuziehen, und hoffte darauf, daß sie sich in der Stadt niederlassen würden, wenn Jena über ein eigenes Theater verfügte. Aus diesen sehr unterschiedlichen Gründen speiste sich das Interesse an einem Neubau, der in künstlerischer und technischer Hinsicht den zeitgenössischen Anforderungen genügen konnte. Um an den Erfahrungen anderer Städte bei den Planungen zu partizipieren, auch das ließ Fuchs die Öffentlichkeit wissen, begab er sich auf die Suche nach geeigneten Modellen, die der Stadt als Vorbild dienten konnten. Dabei lassen sich zwei leitende Gesichtspunkte ausmachen, zum einen die Frage der Finanzierung, zum anderen die Frage der Form.

Der Wunsch vieler Städte, ein Theater ihr eigen zu nennen, machte nicht nur eine solide Finanzplanung über Jahrzehnte notwendig, sondern erforderte häufig das uneigennützige Engagement ihrer Bürger. Auch der Umbau des Jenaer Theaters ist auf das engste mit Fragen der verfügbaren Mittel verknüpft. Die Aspekte der Form aber, die sich um das städtische Bauvorhaben rankten, gewährt Einblick in konzeptuelle Erwägungen, die in der Tat auf ein Streben nach kultureller Eigenständigkeit deuten. Damit sind Fragen der Architektur berührt, die im folgenden in den Vordergrund rücken, weil sie die maßgeblichen Leitbilder erkennen lassen.

Variables Proszenium

Obwohl sich Thüringen durch eine dichte Theaterlandschaft auszeichnet, hat sich das Interesse der Gemeinde nicht auf die Theaterbauten der benachbarten Städte gerichtet. Die höfischen Theater der Residenzen konnten trotz ihres Formenreichtums keinen Vorbildcharakter für Jena erlangen.[2] Die Aufmerksamkeit des Oberbürgermeisters konzentrierte sich vielmehr auf die städtischen Theater innerhalb Deutschlands, die wenige Jahre zuvor entstanden waren und offenbar als die geeigneteren Vorbilder betrachtet wurden. Das ist insofern erstaunlich, als beispielsweise der Neubau des Weimarer Hofthea-

---

[1] Anonym, „Die Weihe des Hauses". Zur Wiedereröffnung des Stadttheaters in Jena, in: Jenaische Zeitung vom 26. 9. 1922.
[2] Herbert Alfred Frenzel, Thüringische Schloßtheater. Beiträge zur Typologie des Spielortes vom 16. bis zum 19. Jahrhundert, Berlin 1965.

ters, nach Plänen von Max Littmann zwischen 1906 und 1908 errichtet, eine moderne Verbindung von Bühnen- und Zuschauerhaus in Form eines variablen Proszeniums erhalten hatte, das als wegweisende Lösung eines lange erkannten Problems Beachtung verdiente.[3]

Mit der Gestaltung des Proszeniums suchte Littmann nach einer flexiblen Form für die architektonische Nahtstelle von Bühne und Saal, um den unterschiedlichen Anforderungen des Musiktheaters und des Schauspiels Rechnung zu tragen. Denn der Orchestergraben vor der Bühne, bei Opernaufführungen für unverzichtbar erachtet, um den Zusammenklang von Instrumenten und Gesang zu gewährleisten, hatte sich beim Sprechtheater als Hindernis erwiesen (Abb. 21). Das Orchester hielt die Schauspieler auf Abstand zum Publikum, und dadurch mußte der Eindruck entstehen, daß das dargebotene Stück grundsätzlich einer anderen Realitätssphäre angehörte. Die Entrückung des szenischen Geschehens auf der Guckkastenbühne als traditionelle Darstellungsform entsprach nicht mehr den Intentionen des modernen Dramas, das statt der Distanz die Nähe zum Publikum suchte. Daher lag es nahe, das Orchester so zu behandeln, daß es im Bedarfsfalle statt eines Grabens eine Brücke bilden konnte (Abb. 22). Mit diesen Überlegungen setzte Max Littmann, einer der führenden Spezialisten im Theaterbau, an und entwickelte für Weimar den Plan, das Proszenium als verhältnismäßig schmalen Schalltrichter auszubilden. Das Orchester sollte sich lediglich im Übergangsbereich von äußerem und innerem Bühnenrahmen öffnen. Seine Dimensionierung erlaubte es, den Graben für Schauspielaufführungen mit einer Art Deckel zu schließen und das Bühnenniveau durch einige Stufen zum Parkett des Zuschauerraums zu vermitteln, so daß ein fließender Übergang zwischen den Sphären entstand.

Durch den Entwurf fielen jedoch die exklusiven Proszeniumslogen weg, die der Architekt als „bisher unzertrennbar mit dem Begriffe eines Hoftheaters" betrachtete.[4] Diese Sichtweise ist nicht ganz von der Hand zu weisen, aber doch unvollständig. Denn sie läßt außer acht, daß die Einrichtung der Proszeniumslogen an die Bauform des höfischen Rangtheaters gebunden ist, das auch Littmann seinem Entwurf für Weimar zugrundelegte. Um den Fortfall der Proszeniumslogen zu kompensieren, ordnete er neben der Staatsloge in der Längsachse des Zuschauerhauses eine zweite Loge für seinen fürstlichen Auftraggeber über einer der bühnennahen Saaltüren an, damit er das Spiel aus der Nähe verfolgen konnte (Abb. 23). Daß beide dem Herrscherhaus vorbehaltenen Logen auf der Ebene des ersten Ranges lagen, gründet in der Tradition des Bautyps und reflektiert zugleich die hierarchische Ordnung der ständisch verfaßten Gesellschaft. Vor diesem Hintergrund mag erklärlich werden, daß das Rangtheater als architektonische Form nicht überall Zustimmung fand, gerade dann auf Vorbehalte stoßen konnte, wenn ein städtisches Gemeinwesen daran dachte, den Bau eines neuen Theaters in Angriff zu nehmen. Trotz der erkennbaren Reserve gegenüber der höfischen Form bietet das Rangtheater unübersehbare Vorteile. Denn es kann verhältnismäßig viele Zuschauer aufnehmen, ohne daß der Architekt gezwungen wäre, das Zuschauerhaus übermäßig zu strecken, was sich nachteilig auf die Akustik mit zunehmender Entfernung von der Bühne auswirken mußte.

So stehen sich zwei nur schwer trennbare Aspekte bei einem Rangtheater gegenüber: zum einen die Tradition einer genuin höfischen Bauform, die den Bürgern zwar erhaben, aber auch fragwürdig schien, zum anderen die Belange der Kapazität im Verhältnis zur akustischen und optischen Qualität des Baus. Diese rivalisierenden Gesichtspunkte bildeten für zahlreiche Städte den Ausgangspunkt ihrer Überlegungen im Hinblick auf eine städtische Bühne, die auch in das Blickfeld des Jenaer Oberbürgermeisters traten. In seiner Eröffnungsrede berichtete Fuchs, daß er sich eigens nach Osnabrück und Heilbronn begeben habe, um deren Theater in Augenschein zu nehmen. Allerdings sollte er die Öffentlichkeit über den Erkenntnisgewinn seiner Reisen im unklaren lassen. Dennoch läßt sich aus verschiedenen überlieferten Notizen erschließen, was ihn in dem einen und anderen Fall hauptsächlich interessierte.

[3] Max Littmann (Hg.), Das Grossherzogliche Hoftheater in Weimar. Denkschrift zur Feier seiner Eröffnung, München 1908, S. 21f.
[4] Ebda. S. 22.

Zunächst fällt auf, daß die Dimensionierung der Theater in Osnabrück und Heilbronn den Jenaer Verhältnissen entgegenkam. Das Osnabrücker Stadttheater faßte bei seiner Einweihung im September 1909 exakt 800 Zuschauer, von denen 351 im Parkett Platz fanden, während der erste und zweite Rang 449 Besucher aufnehmen konnten (Abb. 24). In den Eingaben zum Bauprogramm hatten die Initiatoren zunächst einen Neubau für 700 bis 800 Zuschauer vorgeschlagen.[5] Daß man die Architektur schließlich auf das kalkulierte Maximum brachte, läßt den Wunsch nach einem Theater erkennen, das auch in Zukunft den Ansprüchen einer prosperierenden Mittelstadt genügen konnte (Abb. 25). Ganz ähnlich verhielt es sich in Heilbronn, wo die Kommune, obwohl von den Dimensionen eher als eine Kleinstadt zu bezeichnen, ein Theater mit 650 Sitzplätzen errichtete. Das Parkett bot 300 Zuschauern Platz, die Ränge und Logen verfügten über 348 Sitzplätze, ferner über 200 Stehplätze. Die Tatsache, daß das Weimarer Hoftheater von Max Littmann 1051 Besucher faßte, macht schlaglichtartig deutlich, daß Jena offenbar ein Theater vorschwebte, das sich hinsichtlich seiner Kapazität und Form an vergleichbaren Stadttheatern orientierte.[6] Die Auslegung der von Fuchs inspizierten Bauten entsprach überdies der alten Jenaer Spielstätte mit rund 700 Sitzplätzen. Diese Koinzidenz führte ihm einmal mehr die Dringlichkeit vor Augen, den zu großen Teilen hölzernen Bau im Garten des „Goldenen Engel" zu ersetzen.[7] Denn die verheerenden Theaterbrände in der Vergangenheit, zuletzt in Wien 1881, hatten zahlreiche Opfer gefordert, weshalb die bauwilligen Städte ihre Pläne zugunsten sicherer Theater forcierten.

Im Falle von Osnabrück dürfte über die Frage des Zuschnitts hinaus von Interesse gewesen sein, daß städtebauliche Belange sich geradezu aufdrängten, die gleichermaßen im Blickfeld des Oberbürgermeisters von Jena lagen. Schon die Zeitgenossen bemerkten, daß der Osnabrücker Dom mit seinen wuchtig romanischen, scharf gerissenen Volumina den dominierenden Bezugspunkt des Theaters bildete.[8] Denn das in nächster Nähe gelegene, von Stadtbaumeister Friedrich Lehmann entworfene Theater stach ähnlich auffällig aus seinem baulichen Umfeld hervor wie die Kathedrale. Das hat zum einen mit seiner exponierten Stellung zu tun, zum anderen mit der Sichtbarmachung der architektonischen Einheiten wie Bühnen- und Zuschauerhaus, Foyer und seitlichen Treppenhäusern. Obwohl der Architekt mit den künstlerischen Mitteln des Jugendstils die Bauglieder untereinander durch kurvige Formen verflüssigte, fällt der volumetrische Charakter der Monumente über den innerstädtischen Platz hinweg ins Auge. Die architektonische Korrespondenz gründet überdies im Baumaterial des lokalen braun-gelblichen Sandsteins und der kupferoxyd-grünen Dächer, die im Bereich der Hauptfassade des Theaters den bestimmenden Farbkontrast des Domes aufnahmen.

Daß den städtebaulichen Belangen dieselbe Relevanz zukam wie den architektonischen Fragen, geht aus den Beobachtungen hervor, die Fuchs in einem internen Papier über das Theater in Freiburg festhielt. Es heißt dort: „Das Stadttheater in Freiburg (Breisgau) ist in den Jahren 1906 – 1910 von Architekt [Heinrich] Seeling erbaut. ... [Es] ist im modernen Barock ausserordentlich prunkvoll hergerichtet und ist offenbar selbst für eine so reiche Stadt wie Freiburg, die besonders sehr wertvolle grosse Waldungen besitzt, viel zu kostspielig. ... Die Platzlage des Theaters gegenüber der Universität ist eine städ-

---

[5] Astrid Ballerstein, Das Stadttheater in Osnabrück. Ein Bauwerk des Jugendstils, MS, Osnabrück 1980, S. 26, S. 88 – 90.

[6] Der Architekt Oscar Rhode bemerkte zu dem Problem: „Erst im Jahre 1873 [sic] hat Jena ein ständiges Theatergebäude erhalten, das, welches noch heute vorhanden ist. Jena war damals ein kleines Städtchen von nicht viel mehr als 10 000 Einwohnern und hat erst in den letzten Jahren das benachbarte Weimar weit überflügelt. Dazu stehen aber das grosstädtische Haus Weimars und unsere Baracke in schreiendem Missverhältnis." Oscar Rhode, Vom Umbau des Stadttheaterhauses, MS, in: Hans Erdmann, Stadttheater Jena. Grundlegende Gedanken über den künstlerischen Aufbau einer der Stadt angemessenen Bühne, mit Beiträgen von Paul Gebauer, Fritz Lück und Oscar Rhode, MS, Jena [1920], Stadtarchiv Jena, Akte B IV h, Nr. 6, S. 32 – 36, S. 32.

[7] In einem Brief vom 1. 2. 1917 schrieb Oberbürgermeister Fuchs, „dass die jetzigen Theaterzustände in Jena ... auch mit Rücksicht auf die mangelhaften feuerpolizeilichen Einrichtungen des jetzigen Theaters, die kaum zu verbessern sind, dringend einer Umgestaltung bedürfen." Brief des Gemeindevorstandes der Stadt Jena an die Firma Carl Zeiss vom 1. 2. 1917, Carl Zeiss-Archiv, Akte III / 2466, o. P. Vgl. Anonym, Ueber die Feuersicherheit des Theaters, in: Hallische Zeitung vom 6. 7. 1887.

[8] Astrid Ballerstein, Das Stadttheater in Osnabrück. Ein Bauwerk des Jugendstils, a. a. O., S. 57.

tebaulich sehr hervorragende."[9] Es überrascht kaum, daß das Zusammenspiel prominenter öffentlicher Bauten die Aufmerksamkeit eines Reisenden auf sich zog, der nach verwertbaren Anregungen suchte. Dies um so weniger, wenn die Beispiele die eigenen Verhältnisse reflektierten, wie im Falle der Universität, deren Hauptgebäude Theodor Fischer auf dem Gelände des alten Jenaer Schlosses zwischen 1905 und 1908 erbaut hatte.

Fischer entwarf auch das Heilbronner Theater, das in Fuchs einen Bewunderer fand, da die Belange der Form, der Kapazität, der städtebaulichen Einbindung und des Finanzvolumens auf überzeugende Weise vom Architekten gelöst schienen. Das städtische Theater, seit 1902 in der Planung und Anfang 1909 bis Sommer 1911 in einem zweiten Anlauf entworfen, konnte schließlich am 30. September 1913 eingeweiht werden. Theodor Fischer verfolgte von Anfang an die Idee eines Bürgertheaters, das sich von der höfischen Form des Rangtheaters abwendete. Noch in der Publikation über die von ihm entworfenen öffentlichen Bauten aus dem Jahre 1922 heißt es rückblickend: „Schon bei dem Vorentwurf vom Jahre 1902 war es die Absicht des Architekten, von dem Schema des ‚Hoftheaters' abzuweichen; es sollte ein richtiges Bürger- und Stadttheater, und zwar ein Theater der alten Stadt Heilbronn entstehen."[10] Mit der abschließenden Bemerkung dürfte er auf seine Entwurfsgepflogenheit anspielen, daß er immer darauf bedacht war, die lokalen Bautraditionen aufzunehmen und charakteristische, sprachfähige Formen seinen Plänen anzuverwandeln, worin die Forschung eine seiner besonderen Qualitäten erkannt hat. Auf diesem Wege suchte er jene Formen, „die das Erscheinungsbild einer Stadt oder einer Region seit Jahrhunderten geprägt und sich im Bewußtsein von Generationen als Identität mit dem Ort niedergeschlagen haben[,] ... auch [durch] große neue Bauaufgaben in Überlieferung und kulturelles Gedächtnis einzubinden."[11]

Die Spezifik des Vorgehens zeigt sich etwa bei der Gestaltung der Hauptfassade des Theaters, dessen Zwerchgiebel über dem ausschwingenden Mittelbau das Heilbronner Käthchen- und das Rathaus der Stadt vergegenwärtigt (Abb. 26). Der geschweifte Giebel vermittelt zwischen den markant in Erscheinung tretenden Baugliedern des Theaters, indem das hochaufragende Bühnenhaus an den vorderen Bauriegel zurückgebunden wird. Durch diesen Kunstgriff gelingt es, die funktionalen Einheiten für sich wirken zu lassen, ohne daß sie optisch auseinanderfallen. Daß die durchlaufende Seitenwand daran nicht unerheblichen Anteil hat, zeigt einmal mehr das Bemühen, den Bau aus dem Wechselspiel von abgrenzender und vermittelnder Form verständlich zu machen.

Die am Außenbau gewonnene Einsicht läßt sich am Grundriß überprüfen (Abb. 27). Foyer, Zuschauer- und Bühnenhaus grenzen sich deutlich gegeneinander ab, auch wenn der Architekt sie der Großform eines Rechtecks eingeschrieben hat. Der Übergang vom Saal zur Bühne kann besonderes Interesse beanspruchen, zeigt sich doch an dieser Nahtstelle, daß Fischer ungeachtet der ursprünglichen Idee eines Bürgertheaters auf die höfisch apostrophierte Form des Proszeniums mit entsprechenden Logen rekurrierte (Abb. 28). Der fotografische Blick in den Saal zeigt, daß der Architekt im ersten Rang ausnahmslos Logen einrichtete, während er im zweiten Rang auf entsprechende Unterteilungen verzichtete (Abb. 29). Zieht man ein Resümee, so bezwingt der Zuschauerraum weniger durch seine Konzeption, als vielmehr durch die fließende Form des Ovals und die Beschaffenheit seiner mit Holzpaneelen bedeckten, glatten Wandflächen.[12] Der Jenaer Oberbürgermeister bemerkte über das Bauwerk von Theodor Fischer:

---

[9] Oberbürgermeister Fuchs, Notizen über das Freiburger Stadttheater, Stadtarchiv Jena, Akte B IV h, Nr. 16, o. P.

[10] Theodor Fischer, Öffentliche Bauten, Leipzig 1922, S. 265.

[11] Winfried Nerdinger, Theodor Fischer. Architekt und Städtebauer 1862 – 1938, Ausst.-Kat. der Architektursammlung der Technischen Universität München und des Münchner Stadtmuseums in Verbindung mit dem Württembergischen Kunstverein, Berlin 1988, S. 76; vgl. auch S. 202 – 204.

[12] Fritz Schumacher kommentierte die Praxis Fischers: „Die Tendenz zur *Fugenlosigkeit* zeigt sich zuerst im Innenraum. Während van de Velde das Furnieren des Holzes noch verachtet, setzt es sich nicht nur Hand in Hand mit der wachsenden Freude an edlen Hölzern siegreich durch, sondern führt zur selbständigen Sperrholzplatte, die jeder Biegung und Schwingung der Fläche auch ohne hölzerne Unterlage zu folgen erlaubt. Sie gibt für Theater- und Konzertsäle akustisch und formal wertvolle neue Möglichkeiten, die unter anderen von Theodor Fischer in seinem Heilbronner Theater und von William Müller in Reinhardts ‚Kammerspielen' früh ausgenutzt sind." Fritz Schumacher, Strömungen in deutscher Baukunst seit 1800, Braunschweig, Wiesbaden 1982, S.134.

„Sehr beachtlich ist das Heilbronner Theater, das sich im Gegensatz zum Freiburger ... in seinen inneren Einrichtungen von dem üblichen Barockschema vollkommen freihält. Die Ausstattung in Heilbronn ist die eines einfachen Saales. Die Decke und Seitenteile sind in gebeiztem Holz hergestellt. Nach Angabe des Bauinspektors Scherer hat sich dieses eigenartige Verfahren sehr gut bewährt und hat der Stadt grösste Kosten gespart. ... Bei der Unterredung mit dem Oberbürgermeister von Heilbronn bemerkte dieser, dass man mit dem Architekten Fischer ausserordentlich zufrieden sei und dass er sich in bewundernswerter Weise in die spezielle Aufgabe des Theaterbaues eingearbeitet habe."[13] Angesichts der Wertschätzung des Architekten schien es lediglich eine Frage von Zeit, bis Fischer den Auftrag erhielt, ein Theater für Jena zu entwerfen, und zwar um so mehr, als er bereits mit dem Hauptgebäude der Universität ein bedeutendes Werk in der Saalestadt geschaffen hatte. Zunächst aber sollten die städtischen Behörden ein bauliches Intermezzo geben, das auf die Umgestaltung des Theaters im Garten des „Goldenen Engel" zielte, bevor Fischer seiner Einbildungskraft freien Lauf lassen konnte.

Bauliches Intermezzo

Seit dem Frühjahr 1911 arbeitete das Stadtbauamt mehrere Vorschläge zur Umgestaltung des alten Jenaer Theaters aus. Um sich geeigneter Vergleichsmaßstäbe zu vergewissern, forderte die Behörde Pläne des Theaters in Görlitz an, die vom März 1911 datieren. Der Rat der Stadt hatte im Juni 1910 entschieden, den 1850 – 1851 errichteten Bau am Demianiplatz umzugestalten, um den Auflagen der Feuerpolizei und den gestiegenen Ansprüchen des Publikums zu genügen.[14] Die Arbeiten wurden am 1. Mai 1911 aufgenommen und innerhalb von fünf Monaten abgeschlossen, so daß das Theater mit Beginn der Spielzeit 1911 / 12 eröffnet werden konnte. Görlitz weckte insofern das Interesse der Stadt Jena, als das Theater mit 620 Sitzplätzen eine vergleichbare Größe hatte, gerade in technischer Hinsicht modernisiert wurde und überdies Einblick in die Räume für die Schauspieler, Bühnenarbeiter, Requisiten usw. gewährte, an denen es in Jena vor allem fehlte. Darüber hinaus haben sich in den Archiven der Stadt die Bauzeichnungen des Theaters von Minden erhalten, die man allem Anschein nach im Dezember 1911 erbeten hatte.[15] Sie zeigen ein Theater, das wie schon im Falle von Osnabrück in städtischer Regie entstand und ursprünglich 700 Zuschauer faßte. Während man in Görlitz mit den Besonderheiten eines Umbaus zu tun hatte, konnten die Mindener Architekten das Theater, zwischen September 1906 und Oktober 1908 errichtet, ohne Rücksicht auf vorhandene Bausubstanz planen. Das Raumprogramm konnten sie den individuellen Bedürfnissen und die technischen Anlagen den gebotenen Auflagen und Standards anpassen, was wiederum in Jena auf besonderes Interesse stieß. Daß es sich in beiden Fällen um Rangtheater handelte, macht einmal mehr deutlich, welche Verbreitung der Bautyp fand.

Vor diesem Hintergrund entstanden unter der Federführung des Jenaer Stadtbaudirektors Oskar Bandtlow zuerst im April 1911, dann im Dezember 1911, des weiteren im Februar 1912 und schließlich im Februar 1914 Konvolute von Plänen, die Auf- und Grundrisse, Schnitte und perspektivische Darstellungen einschließen.[16] Die Projekte unterscheiden sich durch ihren jeweiligen Planungsstand, nicht aber in ihrem historistischen Stilgebaren. Die städtischen Behörden waren der Überzeugung, daß ein öffentliches Gebäude, das Anspruch auf Repräsentativität erhob, nicht ohne hoheitsvolle, geschichtlich legiti-

---

[13] Oberbürgermeister Fuchs, Notizen über das Theater in Heilbronn, Stadtarchiv Jena, Akte B IV h, Nr. 16, Bl. 166 – 168.

[14] Sebastian Ripprich (Red.), 1851 – 1991. 140 Jahre Theater Görlitz, Görlitz 1991, S. 8 – 17; Vereinigung der Landesdenkmalpfleger in der Bundesrepublik Deutschland (Hg.), Historische Theaterbauten. Ein Katalog, Teil 2: Östliche Bundesländer, Erfurt 1994, S. 108f.

[15] Am 22. März 1906 stimmten die Stadtverordneten Mindens den Plänen von Stadtbaumeister Kersten und Regierungsbaumeister Kanold für das Theater zu. Im September 1906 erfolgte der erste Spatenstich, der Bau wurde am 1. Oktober 1908 seiner Bestimmung übergeben. Die Pläne im Bauaktenarchiv der Stadt Jena sind auf den 1. Dezember 1911 datiert. Vgl. Stadttheater Minden (Hg.), Minden – Über 200 Jahre Theatergeschichte, MS, Minden o. J., S. 3f; Vereinigung der Landesdenkmalpfleger in der Bundesrepublik Deutschland (Hg.), Historische Theaterbauten. Ein Katalog, Teil 1: Westliche Bundesländer, Hannover 1991, S. 95.

[16] Das Material im Bauaktenarchiv der Stadt Jena ist zu umfangreich, als daß es hier vorgestellt und beschrieben werden könnte, zumal es den Rahmen dieser Publikation sprengen würde.

mierte Bauformen auskam. Diese eklektische Haltung, die in den Entwürfen zum Ausdruck kommt, hat ihre Wurzeln im 19. Jahrhundert und erlangt für den Zusammenhang nur insoweit Bedeutung, als sie den Jenaer Stadtbaudirektor mehr und mehr auf Distanz zu Walter Gropius brachte. Nicht ohne Einfluß dürfte gewesen sein, daß er sich über Jahre mit dem Entwurf des Jenaer Theaters beschäftigt hatte, ohne die Ausführung eines Projekts erreichen zu können. Vielmehr mußte er akzeptieren, daß die Stadt Theodor Fischer einen Planungsauftrag erteilte, und zwar zu einem Zeitpunkt, als der Ausbruch des 1. Weltkriegs die Hoffnungen auf die Realisierbarkeit des Vorhabens bereits gedämpft haben mußte.

Fischers Bürgertheater

In den ersten Monaten des Jahres 1915 arbeitete der Architekt an den Plänen für Jena. Nachdem er verschiedene Bauplätze in Betracht gezogen hatte, fiel die Entscheidung schließlich auf ein Gelände im Kreuzungsbereich von Fürstengraben und Philosophenweg, in nächster Nachbarschaft zum Pulverturm, dem nordwestlichen Gelenk der ehemaligen Stadtbefestigung. Man verständigte sich darauf, das Areal von vorhandener Bebauung, soweit erforderlich, freizuräumen und den Fürstengraben einzubeziehen (Abb. 30). Der Plan mag aus heutiger Sicht in Anbetracht des hohen Verkehrsaufkommens auf der Straße nach Weimar phantastisch anmuten. Die erhaltenen Zeichnungen aber lassen keinen Zweifel an der Absicht erkennen, das Theater in den gewachsenen Organismus der Stadt zu implantieren. Auf diesem Wege hätte der Architekt eine Brücke zum Universitätsgebäude geschlagen, das er im nordöstlichen Winkel des mittelalterlichen Stadtgevierts errichtet hatte. Die Universität und das Theater, von einer Hand entworfen und ausgeführt, hätten über den Fürstengraben hinweg ein sprechendes Ensemble geschaffen, das die alten Grenzen der Stadt mit zeitgenössischer Architektur interpretierte. Die Hauptfassade des neuen Theaters hätte nicht nach Osten, zur Universität geblickt, sondern nach Süden, quasi stadteinwärts und dem Vorgängerbau in Köhlers Garten die Stirn geboten. Vehementer hätte der Bruch mit der Tradition schwerlich ausfallen können. Die Entscheidung, das Theater im Schnittpunkt von Fürstengraben und Philosophenweg zu errichten, wird erst verständlich, wenn man sie als einen gewollten Neuanfang, als souveränen Gründungsakt der Jenaer Bürgerschaft begreift.

Wie der Grundriß des Untergeschosses zeigt, schlug Fischer der Stadt eine ungewöhnliche Lösung vor. Um den Fürstengraben nicht durch die Stellung des Baukörpers abzuriegeln, sah der Entwurf eine Durchfahrt in Ost-Westrichtung vor, die auf der einen Seite den Zugang zum Theater, auf der anderen zum Theatercafé bahnte. Den Besucherstrom nahm eine geräumige Kassenhalle auf, in deren Ecken der Architekt die separaten Treppenhäuser, die zu den Logen und zur Galerie führten, ansiedelte. Die Plätze im Parkett erreichte das Publikum, indem es in die anschließende Mittelhalle trat, wo zu beiden Seiten Garderoben lagen, die Fischer den verschiedenen Sitzreihen im Parkett zuordnete. Jede Zeile verfügte über einen eigenen Aufgang, der, an die Außenmauern gelegt, im Notfall als Fluchtweg diente. Treppen prägten auch den Charakter des relativ schmalen Wandelgangs, der sich um den Saal legte (Abb. 31). Die Stufenfolgen wurden insofern notwendig, als das Parkett verhältnismäßig steil anstieg, um auf allen Plätzen gute Sichtverhältnisse zu garantieren. Echte Proszeniumslogen im Bereich des Orchesters kennt der Entwurf ebensowenig wie einen durch Logen gegliederten Rang, der sich über die Längsseiten des Zuschauerhauses gezogen hätte. Nur in die Rückwand des keilförmig geschnittenen Saals hat Fischer einige Logen eingelassen, die auf den Zwischenbereich von Parkett und Galerie, wie der Schnitt zeigt (Abb. 32), beschränkt blieben. Die Pläne machen deutlich, daß der Architekt keine Ränge installiert sehen wollte, sondern eine Galerie, die nur geringfügig weniger Zuschauer als das Parkett gefaßt haben dürfte. Offensichtlich verfolgte er mit dem Entwurf die Idee eines Bürgertheaters, wie es ihm bereits für Heilbronn vorschwebte. Bei der Konzeption des Innenraums stand Fischer möglicherweise, wie noch zu zeigen sein wird, das alte Jenaer Theater vor Augen. Der eiserne Balkon in Köhlers Gartentheater könnte die Galerie jedenfalls angeregt haben, eine Lösung, die sowohl auf die lokalen Besonderheiten reagierte, als auch einen gangbaren Weg wies, den Typus des Rangtheaters zu überwinden.

Blick man auf die Fassadenentwürfe, so fällt zunächst auf, daß die hoheitsgebietende Tempelfront (Abb. 33) mit dem Grundriß des Erdgeschosses konvergiert (Abb. 30), wie etwa die parallel zur Fassade geführte, doppelläufige Treppe erkennen läßt. Dagegen entspricht der zweite Fassadenentwurf (Abb. 34) dem Grundriß des Parketts (Abb. 31) und dem Schnitt durch das geplante Bauwerk (Abb. 32). Die dreiachsige Tempelfront, deren Giebeldreieck Fischer reichen Figurenschmuck zudachte, kann sicherlich ohne Umwege den Gedanken eines Musentempels evozieren. Aber der gewählte Modus scheint ohne Verankerung in der Stadt und ihre Dimensionen zu sprengen, wie die angedeutete Randbebauung der Zeichnung immerhin erahnen läßt. Dieser Erkenntnis scheint der zweite Entwurf geschuldet, der zwar nicht die Sprachmächtigkeit des ersten besitzt, dafür aber ungleich graziler ausfällt und das größere Imaginationspotential im Hinblick auf die Bestimmung des Bauwerks hat. Die architektonischen Formen des Theaters scheinen aus dem Vorrat der Umgebung zu schöpfen, etwa bei der Betonung des Sockelgeschosses, den rustizierten Ecken als auch bei den Turm- und Fensterformen. Die Sonderstellung des Theaters innerhalb der Stadt betonten die dreiachsigen Loggen in beiden Geschossen, die der Fassade starke Licht- und Schattenwirkungen verliehen hätten.

Die Entwürfe Fischers scheinen die Zustimmung des Jenaer Oberbürgermeisters gefunden zu haben, und offenbar dachte er daran, sie so bald wie möglich auszuführen. Schon am 1. Februar 1917 wandte sich Fuchs mit einem Brief an die Carl Zeiss-Stiftung und fragte, ob die Stadt nach dem Krieg mit der Unterstützung ihrer Theaterbaupläne rechnen könne. In Anbetracht der Dringlichkeit seines Anliegens erlegte er sich nicht die geringste Zurückhaltung auf, sofern er abschließend bemerkte: „Die Bürgerschaft würde jedenfalls eine, wenn auch nur bedingte Zusage in dieser Richtung mit ausserordentlicher Freude und mit grösstem Danke begrüßen; sehe sie darin doch ein Zeichen, dass die ausserordentlichen Gewinne der Jenaer Kriegsindustrie während der Kriegszeit zu einem bescheidenen Teile wenigstens auch zur Verbesserung des hiesigen Kunstinstituts und damit zu einer Weiterentwicklung unseres städtischen Gemeinwesens nach dem Kriege beitragen würden."[17] Die Stiftung hielt das Ansinnen für „äusserst unzeitgemäss" und antwortete mit Schreiben vom 12. März, „dass angesichts der Fülle von socialen Aufgaben, die nach dem Kriege an die Carl Zeiss-Stiftung herantreten werden, von dieser Seite keine Aussicht besteht, einen Theaterneubau im Laufe der nächsten Jahre fördern zu helfen."[18] Die abweisende Antwort sollte das rastlose Engagement des Jenaer Oberbürgermeisters für ein städtisches Theater nur aufschieben, nicht aber aufheben. Dafür maß Fuchs der Kunst, gerade vor dem Hintergrund der Weltkriegserfahrung, einen viel zu hohen Wert bei, als daß er sich von seinen Plänen hätte abbringen lassen. Darüber hinaus sah er sich in der Verantwortung für das alte Köhlersche Theater, dessen baulicher Zustand immer wieder Anlaß zu Klagen gab.

Köhlers Gartentheater

Am 11. Juni 1872 stellte Wilhelm Giese im Auftrag des Jenaer Braumeisters Carl Köhler den Bauantrag für ein Sommertheater, das im Garten des Wirtshauses „Zum goldenen Engel" entstehen sollte.[19] Seinem an die Stadt gerichteten Schreiben gab er zwei Zeichnungen bei, einen Lageplan (Abb. 35) und eine Bauzeichnung, die Umfang und Konstruktion des Vorhabens darstellten. Der Situationsplan macht deutlich, daß dem geplanten Sommertheater ein großer Teil des Gartens weichen mußte, der aus einem Baumquartier und einem Parterre bestand, dem Charakter nach ein Bauerngarten für Obst, Gemüse und Blumen. Offenbar hatte der Unternehmer das Theater so bemessen und angeordnet, daß es im vorderen Bereich ein älteres Nebengebäude schluckte, dessen Fundament man möglicherweise für den Neubau zu nutzen beabsichtigte. Die vorgesehene Fachwerkbauweise (Abb. 36) stellt ohne Frage die

[17] Brief des Gemeindevorstandes der Stadt Jena an die Firma Carl Zeiss vom 1. 2. 1917, Carl Zeiss-Archiv, Akte III / 2466, o. P.
[18] Brief der Carl Zeiss-Stiftung an den Gemeindevorstand der Stadt Jena vom 12. 3. 1917, ebda., o. P.
[19] Bauantrag für ein Sommertheater vom 11. 6. 1872, Bauaktenarchiv der Stadt Jena, Schillergäßchen 1, Akte Theater 1872 – 1946, Bl. 1.

einfachste Lösung der in Betracht kommenden Möglichkeiten dar, und sie scheint für den Zweck des Gebäudes gerade auszureichen, das Musik- und Theatervorstellungen, aber auch öffentlichen Versammlungen und privaten Gesellschaften dienen sollte. Die Bühne des Gartentheaters lag um mehrere Stufen über dem Fußbodenniveau des Saals, wie der Schnitt und der unvollständig erhaltene Grundriß (Abb. 37, Abb. 38) übereinstimmend zeigen. Bei dem Theatersaal handelte es sich um einen schlichten rechteckigen Raum mit offenem Dachstuhl, an den sich auf der Südseite ein etwas breiter bemessenes Bühnenhaus anschloß, errichtet über einfachen Streifen- und Punktfundamenten. Rechts und links der Bühne lagen zwei beheizbare Räume, ein Gesellschaftszimmer und die Künstlergarderobe, deren Ausstattung im übrigen karg ausfiel. Die in den Grundriß eingezeichneten Türen auf den Längsseiten des Saals, die direkt ins Freie führten, könnten die Vermutung nahelegen, daß der Bau ohne Vestibül oder Entree auskam. Wahrscheinlich aber verfügte der Saalbau wenigstens über einen Vorraum, der Platz für eine Garderobe bot.

Den Bauerlaubnisschein stellte die Stadt am 17. Juni aus, und nach sechs Wochen konnte bereits, wie die „Jenaische Zeitung" am 31. Juli 1872 meldete, das Richtfest begangen werden.[20] Mitte August wurde die erste Änderung der Baupläne beantragt, da dem Bauherrn das Bühnenhaus unzureichend erschien. Er wünschte eine Erhöhung und plädierte für eine Art Schnürboden, damit der „Vorhang und Hintergrund nicht gerollt, sondern nur gezogen werden".[21] Der Bauunternehmer fertigte die entsprechenden Zeichnungen für das Bühnenhaus an, das er um zwei Drittel seiner bisherigen Höhe aufstockte (Abb. 39, Abb. 40). Am 30. September 1872 beantragte Giese eine zweite Bauänderung, dieses Mal eine Ausdehnung des Bühnenhauses nach Süden,[22] um ein Magazin, einen Aufenthaltsraum und Toiletten einzurichten (Abb. 41, Abb. 42). Die Eckdaten der Baugeschichte machen deutlich, daß man offenbar mit großer Eile vorging, ohne eine klare Vorstellung von den notwendigen Räumen und ihrem Zuschnitt zu haben. Das Bauamt stimmte den Ergänzungsplänen zu, und am 14. Oktober 1872 eröffnete das Köhlersche Theater mit der Gesangsposse „Auf eigenen Füßen".[23] Zu diesem Zeitpunkt waren die Bauarbeiten im wesentlichen abgeschlossen, die behördliche Abnahme des Sommertheaters sollte jedoch erst im folgenden Jahr stattfinden.[24] Die schlichte Gestalt des mit einem flachen Satteldach eingedeckten Bauwerks überliefert eine Lithographie von Max Hunger, die detailgetreu die Maßgaben der Pläne ins Bild setzt (Abb. 43). Die Grafik läßt darüber hinaus erkennen, daß der Saal des Gartentheaters eine Reihe Oberlichter erhalten hatte, die Walter Gropius bei seiner Umgestaltung in die Deckenkonstruktion einbinden sollte. Zudem wird deutlich, daß Köhler eine Veranda mit Balkon am Kopf des Baus errichten ließ, die ihn zum Garten hin vermittelte.

Das Köhlersche Theater existierte in dieser Form bis zum Sommer 1886. Dann entschloß sich der Besitzer, den Fachwerkbau umzugestalten und ihm eine repräsentative Fassade vorzublenden, die den Erwartungen des Publikums entgegenkam. Köhler hatte realisiert, daß der schmucklose Baukörper die Besucher auf Dauer nicht anziehen würde, da es ihm an jeder architektonischen Qualität fehlte, die sich mit der Idee eines Theaters verband. Um Abhilfe zu schaffen, beauftragte er den Jenaer Maurermeister Hermann Weber, einen Umgestaltungsplan zu erarbeiten (Abb. 45), den er in Verbindung mit dem Bauantrag am 7. Juli 1886 beim Stadtbauamt einreichte.[25] Der Entwurf sah vor, den hölzernen Bau im vorderen Bereich zu ummanteln, gerade die Partien architektonisch aufzuwerten, die im Blickfeld der Besu-

[20] Bauerlaubnisschein für das Sommertheater vom 17. 6. 1872, ebda., Bl. 2; Anonym, Lokales [Richtfest des Theaters in Köhlers Garten beim Engel], in: Jenaische Zeitung vom 31. 7. 1872.

[21] Antrag auf Änderung der Bühne des Sommertheaters vom 12. 8. 1872, Bauaktenarchiv der Stadt Jena, Schillergäßchen 1, Akte Theater 1872 – 1946, Bl. 5.

[22] Antrag zum Anbau eines Magazins auf der Südseite des Theaters vom 30. 9. 1872, ebda., Bl. 8.

[23] Lokales [Das neue Theater in Köhlers Garten], in: Jenaische Zeitung vom 8. 10. 1872 und Werbeanzeige des Theaters, in: Jenaische Zeitung vom 14. 10. 1872.

[24] Aktennotiz vom 19. 10. 1873, daß die Pläne und Risse gemäß Bauantrag ausgeführt wurden. Bauaktenarchiv der Stadt Jena, Schillergäßchen 1, Akte Theater 1872 – 1946, Bl. 2v.

[25] Antrag zu einem Erweiterungsbau des Theaters vom 7. 7. 1886, ebda., Bl. 11. Zur Kritik des Bauwerks, vor allem im Hinblick auf seine Feuersicherheit, vgl. Anonym, Ueber die Feuersicherheit des Theaters, in: Hallische Zeitung vom 6. 7. 1887.

cher lagen. Daher galt zunächst der Fassade das Hauptaugenmerk, deren Abmessungen sicherstellen sollten, daß selbst die Aufbauten des Bühnenhauses hinter ihr verschwanden. Ein Reflex dieses Anliegens scheint in der Lithographie aus der Werkstatt von Max Hunger auf (Abb. 44), der das Theater nach Abschluß der Bauarbeiten in strenger Frontalität darstellte, als ob es sich dabei um eine Schauwand ohne Tiefendimension handelte.

Bei der Gestaltung der Front rekurrierte der Baumeister auf die Sprachmittel der klassischen Architektur, um einen der Funktion des Bauwerks für angemessen befundenen Stil zu vergegenwärtigen (Abb. 46). Sieben Fensterachsen gliedern die zweigeschossige Fassade, die in dem bekrönenden Giebel des Mittelrisalits kulminiert. Seine Höhe gewinnt er durch ein eingeschobenes Halbgeschoß, das die Horizontalgliederung der Fassade durchbricht und dafür sorgt, daß der Giebel deutlich über das Dach hinausragt. Das gilt nicht für die Seitenrisalite, denen vor allem die Aufgabe zukommt, die Fassaden nach außen abschließen und ein optisches Widerlager zum dominierenden Mittelrisalit zu bilden. Gemeinsam ist ihnen, daß sie jeweils eines der drei Rundbogenportale aufnehmen, die der Architekt zwischen Quaderrustika eingespannt hat. Sie soll den Ecken, mithin dem Bau insgesamt, einen monumentalen Anstrich geben und dazu beitragen, einen Ausgleich zwischen horizontalen und vertikalen Elementen der Fassade herbeizuführen. Das Wechselspiel der Richtungen findet in der über die Wandfelder gezogenen toskanischen Ordnung bildhaften Ausdruck. Pilaster stützen die Rundbogen der Portale, gliedern die Wandflächen zwischen den Risaliten und tragen die jeweiligen Architrave des Gebälks, das seinerseits die architektonischen Einheiten in der Horizontalen zusammenfaßt, die Geschosse gegeneinander absetzt und die Eigenständigkeit einzelner Glieder betont. Das Kräftespiel von Horizontale und Vertikale entwickelt sich nicht aus der Struktur der Wand, sondern ist ihr aufgelegt, als Dekoration appliziert, was die Wertschätzung des Publikums nicht beeinträchtigte, weil die Formen im Verständnis der Zeitgenossen eine bedeutende historische Epoche repräsentierten.

Die dem Fachwerkbau vorgeblendete zweigeschossige Fassade eröffnete die Möglichkeit, einen Balkon im Inneren des Saals einzubauen, der etwa 180 Zuschauern Platz bot (Abb. 47). Das Vorhaben machte jedoch die Anlage von Treppenhäusern notwendig, die der Architekt in den Eckrisaliten unterbrachte, so daß der Balkon die gesamte Breite des Saals überspannen konnte. Ein Traggerüst aus Eisen für die Zwischendecke, das sich im Saal lediglich durch zwei schlanke gußeiserne Säulen bemerkbar machte (Abb. 48), verlieh dem Balkon Stabilität und verhinderte, daß der Raumzusammenhang im Erdgeschoß gestört wurde. Neben dem Einbau des Balkons, der Theodor Fischer zum Entwurf der Galerie inspiriert haben könnte, sah der Plan vor, im Zuge der Umbaumaßnahmen zusätzliche Räume einzurichten (Abb. 49). Sie legten sich um den Saal und dürften dem Aufenthalt der Besucher vor den Vorstellungen und während der Pausen gedient haben. Das Bühnenhaus wurde von den Umgestaltungen nicht tangiert, wenngleich der Grundriß deutlich macht, daß die Bühne gegenüber den ersten Bauplänen verbreitert worden ist, während die angrenzenden Garderoben schrumpften. Im übrigen aber finden sich dieselben Räume wieder, die Köhler als letzte Baumaßnahme im Oktober 1872 an den Kernbau anfügen ließ.

Der Entwurf des Jenaer Maurermeisters Hermann Weber wurde im folgenden ausgeführt, lediglich in kleinen Details wich man von seinem Plan ab. Allerdings ließ Köhler eine entscheidende Veränderung vornehmen, indem er in das Zwischengeschoß des Mittelrisalits zwei ovale Nischen einarbeiten ließ, die Büsten von Johann Wolfgang Goethe und Friedrich Schiller aufnahmen (Abb. 50, Abb. 51). Bei der Wahl der Dichter hatte der Genius loci Regie geführt und sie bewirkte, daß die Fassade sprachfähig wurde. Bis zu diesem Zeitpunkt verhielt sie sich neutral oder unbestimmt gegenüber der Funktion des Bauwerks, bei dem man darauf verzichtet hatte, die Masken der Komödie und Tragödie im Sinne kanonischer Ikonographie zu integrieren, um seine Bedeutung anzuzeigen. Durch die Dichterbüsten aber teilte sich die Bestimmung des Bauwerks unmißverständlich mit, ohne weiterer Ergänzungen zu bedürfen.

Am 3. Mai 1900 beschloß der Rat der Stadt Jena einstimmig, den Gasthof „Zum goldenen Engel" zu einem Preis von 250 000 Mark zu erwerben.[26] Ein entsprechender Kaufvertrag wurde am 15. Mai unterzeichnet, und die Stadt verpflichtete sich, die von Köhler zur Umgestaltung des Hauses 1886 aufgenommene Hypothek in Höhe von 8500 Mark, die sich zum Zeitpunkt des Erwerbs noch auf 7250 Mark belief, zu den bisherigen Konditionen zu übernehmen.[27] Damit ging das Theater in den Besitz der Stadt über, die es bis 1921 an mehrere Intendanten mit der Auflage verpachtete, das Haus in Einvernehmen mit dem städtischen Eigentümer privatwirtschaftlich zu betreiben. Bei dieser Organisationsform zeigte sich immer wieder ein grundlegendes Problem, daß die künstlerischen Intentionen der Betreiber mit den Erwartungen des Publikums nicht zusammenkamen. Das finanzielle Risiko hatte der Pächter zu tragen, und häufig genug sah er sich gezwungen, seine künstlerische Position zu überdenken oder sogar aufzugeben.[28] Daran sollte sich im wesentlichen nichts ändern, bis die Stadt 1921 Ernst Hardt, dem Generalintendanten des Deutschen Nationaltheaters in Weimar, das Haus antrug. Im Zuge der Vereinigung beider Bühnen sollte er mit tatkräftiger Unterstützung von Oberbürgermeister Fuchs durchsetzen, daß der lange gehegte Wunsch eines Theater in Jena Realität wurde.

[26] Beschluß des Gemeinderats der Stadt Jena zum Ankauf des Gasthofs zum Engel vom 3. 5. 1900, Stadtarchiv Jena, Akte B III a, Nr. 127, Bl. 19, 20.

[27] Kaufvertrag zwischen der Stadt Jena und Braumeister Carl Köhler vom 15. 5. 1900, ebda., Bl. 21, 22.

[28] Ein grelles Licht auf die Wirklichkeit des Jenaer Theateralltags wirft der Fall Alfred Horsten, der im April 1921 in einer Publikumsbeschimpfung kulminierte und schließlich in einem Eklat mit der Stadt endete. Vgl. Stadtarchiv Jena, Akte B IV h, Nr. 8, Bl. 39ff.

Der Jenaer Theaterdezernent Waldemar Döpel nahm im Februar 1921 Vorgespräche mit dem Generalintendanten des Nationaltheaters in Weimar auf, um die Möglichkeiten der Vereinigung beider Bühnen zu erkunden.[29] Die Idee, schon des längeren im Raum, fand die Zustimmung der städtischen Theaterkommission, da der Konkurs des Jenaer Theaters unabwendbar schien. Mit seinem Anliegen lief Döpel offene Türen ein, denn auch Ernst Hardt, der Generalintendant des Weimarer Hauses, hatte schon früher an eine Kooperation mit Jena gedacht.[30] Bei den ersten Verhandlungen konnte dahingehend Einigung erzielt werden, daß das Nationaltheater während einer 36-wöchigen Spielzeit bis zu 72 Vorstellungen übernehmen würde. Im Jenaer Stadttheater sollten kleinere Formate wie Kammerspiele und Spielopern aufgeführt werden, große Opern und großes Schauspiel dagegen im Volkshaus. Hardt drängte bei den Gesprächen darauf, daß „das Innere des Stadttheaters ... stilvoll hergerichtet" werde und deshalb wünschte er „mit Herrn Prof. Gropius, dem Leiter des Bauhauses Weimar, eine Ortsbesichtigung unter Zuziehung der gesamten städt. Behörden".[31] Von Anfang an benannte Hardt gegenüber der Stadt Jena Walter Gropius als Architekten, der für die Umgestaltung des Theaters verantwortlich zeichnen sollte. Auch der Vorvertrag vom 4. März 1921 ließ keinen Zweifel daran, „daß die Innenräume des Stadttheaters nach Vorschlägen der Generalintendanz, beziehungsweise deren Sachverständigen, in bescheidener Weise, aber nach künstlerischen Grundsätzen umgestaltet werden".[32] Der förmliche Vertrag vom 20. April 1921 regelte schließlich über die bisherigen Vereinbarungen hinaus, daß für die ins Auge gefaßten Arbeiten ein Betrag von 100 000 Mark zur Verfügung stand, „wozu in erster Linie das Vermögen des Theatervereins und der Rest aus den Mitteln des städtischen Theaterbaufonds verwendet werden sollen".[33]

Mit der Unterzeichnung des Vertrags war die rechtliche Grundlage geschaffen, daß Gropius die Entwurfsarbeiten aufnahm. Mit Schreiben vom 15. Mai 1921 ließ Ernst Hardt die Stadt wissen, daß er den Leiter des Bauhauses beauftragt habe, „die Umgestaltungspläne für das Jenaer Stadttheater auszuarbeiten und zur Ausführung zu überreichen."[34] Möglicherweise hatte Hardt den Architekten zu diesem Zeitpunkt mündlich über den Auftrag unterrichtet. Vor dem 19. Juni 1921 sollte ihn jedoch keine schriftliche Nachricht erreichen, daß die Umgestaltung des Jenaer Theaters nun in seinen Händen lag. Der Architekt, hocherfreut über die Möglichkeit, in wirtschaftlich schwieriger Zeit bauen zu können, antwortete mit Schreiben vom 22. Juni, daß er mit der Entwurfsarbeit bereits begonnen habe, und er fügte hinzu: „Ich habe sofort an den Stadtbaudirektor Bandthner [sic] in Jena geschrieben und die Kompetenzfrage geklärt. Ich hoffe, daß ich mit ihm gut auseinanderkommen werde. Ich bin dabei, das Modell aufzubauen und werde Ende des Monats der Stadtbauverwaltung Jena für die ersten Zimmerarbeiten, auf die sie sehr drängt, schon Unterlagen geben können. Sollte die Stadt die Umgänge vor den Garderoberäumen haben wollen, so ist die von Ihnen vertraulich genannte Summe von 200 000.– M sehr knapp; diese Umgänge werden die Hälfte davon verschlingen."[35]

---

[29] Protokoll der Vorgespräche mit dem Generalintendanten des Deutschen Nationaltheaters in Weimar vom 12. 2. 1921, Stadtarchiv Jena, Akte B IV h, Nr. 23, Bl. 1, 2.
[30] Anonym, Freie Volksbühne Jena, in: Jenaer Volksblatt vom 18. 10. 1921.
[31] Protokoll der Vorgespräche mit dem Generalintendanten des Deutschen Nationaltheaters in Weimar vom 12. 2. 1921, Stadtarchiv Jena, Akte B IV h, Nr. 23, Bl. 2.
[32] Vorvertrag zwischen der Generalintendanz des Deutschen Nationaltheaters in Weimar und der Stadtgemeinde Jena vom 4. 3. 1921, ebda., Bl. 7.
[33] Vertrag zwischen der Generalintendanz des Deutschen Nationaltheaters in Weimar und der Stadtgemeinde Jena vom 20. 4. 1921, ebda., Bl. 53 – 56, Bl. 54.
[34] Brief Ernst Hardts an Theaterdezernent Döpel vom 15. 5. 1921, ebda., Bl. 59.
[35] Brief Walter Gropius' an Ernst Hardt vom 22. 6. 1921, in: Jochen Meyer, Tilla Goetz-Hardt (Hg.), Briefe an Ernst Hardt. Eine Auswahl aus den Jahren 1898 – 1947, Marbach 1975, S. 111f.

Im Vorfeld hatte sich Hardt mit der Stadt Jena dahingehend geeinigt, daß die Verantwortung für das Innere des Theaters bei Gropius lag, während das Bauamt für alle Fragen des Außenbaus, die konstruktive Seite der Arbeiten und die finanzielle Abwicklung zuständig blieb.[36] Damit schienen Konflikte zwischen den Parteien insofern vorgezeichnet, als die städtischen Behörden den künstlerischen Entscheidungen des Architekten durchaus Grenzen setzen konnten, etwa unter Hinweis auf fehlende Mittel, über die Gropius im einzelnen nicht im Bilde war.[37] Vor diesem Hintergrund schien es durchaus gerechtfertigt, wenn der Architekt gegenüber dem Jenaer Stadtbaudirektor seine Entwurfshoheit betonte, wie er Ernst Hardt in seinem Antwortschreiben berichtete.

Im Juli 1921 liefen die Vorarbeiten zur Umgestaltung des Theaters sowohl in Weimar als auch in Jena auf Hochtouren. Unter der Federführung Oskar Bandtlows, des städtischen Baudirektors, entstanden zwei Pläne, die durch Anbauten die beengten Verhältnisse im Bereich des Vestibüls zu beheben suchten (Abb. 52). Die Baubehörde dachte daran, ein Kassenhaus vor den Mittelrisalit der Fassade zu setzen, auf beiden Seiten flankiert von einem Erfrischungsraum, die bis zu den Seitenrisaliten reichen sollten. Um den Zugang zum Theater zu gewährleisten, mußten die Seitenportale frei gehalten werden, zumal der Haupteingang durch die Veränderungen entfiel. Außerdem dachte man daran, einen um den Saal laufenden Wandelgang zu schaffen, an den sich die Kleiderablagen anschlossen, die ihrerseits wiederum Anbauten erforderlich machten. Unter funktionalen Gesichtspunkten konnte der entwickelte Plan vielleicht überzeugen, unter ästhetischen riskierte er, die Fassade des Bauwerks zu zerstören. Das gilt auch für den zweiten Entwurf, der das Obergeschoß behandelt, aber mit dem projektierten Untergeschoß nicht zur Deckung kommt (Abb. 53). Denn hier legten sich ausgreifende Anbauten wie Ohren an den Vorbau, um querliegende Treppenhäuser neben Versorgungsräumen aufzunehmen. Was für die Eingangsseite gilt, trifft auch auf den Bühnenbereich zu, den das Bauamt um Künstlergarderoben, Arbeitsräume und Magazine zu erweitern beabsichtigte. Eine Kostenberechnung der Vorschläge führte dazu, daß lediglich das Kassenhaus und die Erweiterung für die Kleiderablagen ausgeführt wurden.[38] Alles andere einschließlich der geplanten Zentralheizung sollte auf Geheiß des Stadtbaudirektors zurückstehen.

Während die Erweiterungspläne für das Theater im Bauamt entstanden, die Gropius vorläufig nicht zu Gesicht bekam, entwickelte er im Zusammenarbeit mit Adolf Meyer die Entwürfe zur Umgestaltung des Saals. Die größte Herausforderung stellte die Decke dar. Denn der offene Dachstuhl mit hängendem Sprengwerk machte Einbauten erforderlich, die dem Saal den Charakter eines ländlichen Ausflugslokals nahmen. Eine besondere Schwierigkeit, mit der die Architekten zu kämpfen hatten, bestand in der verhältnismäßig geringen Raumhöhe, die sie in Anbetracht der gewünschten Kapazität des Saals kaum minimieren durften. Von den zahlreichen Entwürfen für die Decke hat sich lediglich eine axonometrische Zeichnung erhalten, deren rückseitige Beschriftung besagt, daß es sich um den „10. Entwurf Gropius 1921" handelt (Abb. 54). Das Blatt zeigt den linken Deckenabschnitt vor dem Bühnenportal, der zwar die künftige Form bereits erkennen läßt, aber noch nicht die spannungsgeladene Ruhe des endgültigen Entwurfs hat (Abb. 15, Abb. 16, Abb. 17). Denn die Konsolen der Deckenkonstruktion stützen sich auf Wandvorlagen, als ob die Quader des Frieses, denen noch die Lichtkästen fehlen, einer stati-

---

[36] „Nachdem auf Grund des zwischen der Stadt Jena und dem Nationaltheater geschlossenen Vertrages von mir [Gropius] nach Vorbesprechungen mit Herrn Stadtbaudirektor Bandlow [sic] im Juli und August des Jahres [1921] die notwendigen Pläne für den Innenausbau der Stadttheaters in Jena aufgestellt worden waren, besprach ich die Einzelheiten und die Ausführungsart eingehend mit Herrn Stadtbaudirektor Bandlow, der die Ausführung und Vergabe der Bauarbeiten sowie die Verwaltung und Verteilung der Finanzen in Händen hatte." Brief Walter Gropius' an Oberbürgermeister Fuchs vom 30. 10. 1921, Stadtarchiv Jena, Akte B IV h, Nr. 23, Bl. 87.

[37] „Um selbst über die Kosten-Verwaltung orientiert zu sein, bat ich [Gropius] wiederholt, mich über die Kosten-Verteilung und die Vergabe der Arbeiten informieren zu dürfen; mir wurde aber Einblick nicht gewährt, sodass es für mich unmöglich war, zu überschauen, in welcher Weise das Stadtbauamt die Kosten verteilte." Ebda.

[38] Erläuterungsbericht zum Umbau des Stadttheaters Jena vom 25. 7. 1921, Stadtarchiv Jena, Akte B IV h, Nr. 14, Bl. 230, 231.

schen Rechtfertigung bedurften, die die verhältnismäßig schmalen Stützen ohnehin nicht liefern konnten (Abb. 54). Insofern erschien es konsequent, sie ganz wegzulassen, ebenso wie das über die oberen Deckenstufen gezogene Band, das die Längsseiten des Saals verklammern sollte, aber den Entwurf kleinteilig geraten ließ. Gropius und Meyer entschieden schließlich, das Konsolgesims auf die Saalmitte zu beschränken, die Decke vor der Bühne und oberhalb des Balkons zurückzusetzen, um das plastische Spiel der Formen zu bändigen.

Sobald diese Entscheidung gefallen war, konnten die Architekten daran denken, die Gesamtstruktur der Wand in einem Aufriß darzustellen (Abb. 55). Das auf den 5. Juli 1921 datierte Blatt gibt eine erste Zusammenschau, läßt deutlich den ansteigenden Saalboden, den gestuften Balkon und die Gebälkzone der Decke mit ihrem Wechsel von Oberlicht und Konsole erkennen, ohne Auskunft über die baulichen Details zu geben. Das gilt auch für ein zweites Blatt, das den Grundriß mit einer Untersicht der Deckenkonstruktion verbindet (Abb. 56). In einer Folge weiterer Zeichnungen, von denen sich nur schwer sagen läßt, ob man sie noch im Juli oder erst im August 1921 entstanden, widmeten sich die Architekten den baulichen Details des Konsolfrieses, den sie in der Ansicht und im Schnitt (Abb. 57) sowie in der Untersicht (Abb. 58) darstellten, begleitet von Detailzeichnungen der hängenden Beleuchtungskörper (Abb. 59) und der Deckenleuchten (Abb. 60). Den Querprofilen des Saals, die das eine Mal den Aufriß der Bühnenwand (Abb. 61, Abb. 62), das andere Mal den der Galerie (Abb. 63) einbeziehen, läßt sich entnehmen, wie Gropius die Decke in den offenen Dachstuhl einpaßte (Abb. 36). Indem er das hängende Sprengwerk zum Teil kappte und die Diagonalstreben des Fachwerks verbarg, ließen sich die vertikalen und die horizontalen Flächen so eng gegeneinanderstellen, daß die Stufen die geneigten Flächen des Dachstuhls überspielten. Daß das Konsolgesims daran erheblichen Anteil hatte, verdankt sich seiner Plastizität und Rhythmik, die der Decke einen beträchtlichen Teil ihrer Schwere nahmen.

Im selben Entwurfsvorgang entstanden Zeichnungen, die auf die baulichen Details wie die Galeriebrüstung (Abb. 64) oder die Saaltüre (Abb. 65) eingehen, deren endgültige Form, urteilt man auf der Basis eines weiteren Längsschnitts, gegen Ende August 1921 noch nicht festgelegt war (Abb. 66). Nur so viel schien bereits entschieden, daß das Hauptportal auf das mittlere der drei Oberlichter im Zentrum des Konsolgesimses bezogen werden sollte, während eine zweite Saaltüre unterhalb des Balkons ansetzte. Durch die übergreifenden geometrischen Bezüge stellten die Architekten sicher, daß die Elemente sich zu einem kohärenten Wandaufriß fügten. Das demonstrieren sowohl der Längsschnitt, der das Bühnenhaus in die Darstellung einbezog (Abb. 67), als auch die auf den 14. Februar 1922 datierte Revisionszeichnung, die die Ergebnisse der Entwurfsarbeit im Inneren des Saals einmal mehr zusammenfaßte (Abb. 68).

Am 8. August 1921 nahm das Stadtbauamt Maurermeister Otto Roßbach aus Jena unter Vertrag, um die Bauarbeiten auf der Grundlage der vorliegenden Zeichnungen ausführen zu lassen.[39] Der Beginn der Arbeiten im August 1921 wird durch den Baubericht Adolf Meyers bestätigt, ohne daß er das Datum weiter aufgeschlüsselt hätte.[40] Aus der Ausschreibung geht hervor, daß die Decke des Saals aus Holzstabgewebe herzustellen sei, das „mit Gypsmörtel Kalk 1:2 auszudrücken und nach Erhärten mit 2–3 cm starker verlängerter Gypsmörtelschicht im Mischungsverhältnis 1:5 zu überziehen" sei.[41] Außerdem stand frühzeitig fest, daß eine Eingangstüre sowie zwei Fenster an der Nordseite des Zuschauerraums herausgenommen, zugemauert und glatt verputzt werden, während zur besseren Entleerung des Saals an den beiden Längsseiten jeweils zusätzlich eine zweiflügelige Türe eingebaut werden sollte.[42]

---

[39] Vertragsschluß zwischen dem Gemeindevorstand der Stadt Jena und Maurermeister Roßbach am 8. 8. 1921, ebda., Bl. 40.
[40] Baubericht Adolf Meyers vom 19. 7. 1922, Stadtarchiv Jena, Akte B IV h, Nr. 15, o. P.
[41] Ausschreibungstext zur Herstellung von Putzarbeiten der Decke und Wände im Theatersaal zu Jena vom 25. 7. 1921, Stadtarchiv Jena, Akte B IV h, Nr. 14, Bl. 79.
[42] Erläuterungsbericht zum Umbau des Stadttheaters Jena vom 25. 7. 1921, ebda., Bl. 230.

Der Beginn der Umbauarbeiten im Saal führte die Architekten dazu, ihr Augenmerk auf die angrenzenden Räumlichkeiten zu richten. Denn ihr Entwurf, beispielsweise die Anzahl und Form der Portale, blieb nicht ohne Auswirkungen auf die Wandelgänge einschließlich des Foyers. Schon deshalb entwickelten sie ein vitales Interesse am Zugangsbereich des Saals, was sich zunächst in zwei zeichnerischen Bestandsaufnahmen niedergeschlagen hat (Abb. 69, Abb. 70). Der Gedanke, das Jenaer Theater „aus einheitlichem Geist" zu gestalten,[43] veranlaßte Gropius, das Innere als Ganzes in den Blick zu nehmen, was jedoch den Widerstand des Stadtbauamtes hervorrief.

Streitpunkte

Die vereinbarte Aufgabenteilung zwischen Gropius und dem städtischen Bauamt erwies sich von Anfang an als schwierig. Im September 1921 traten bereits die ersten Konflikte offen zutage. Der Streit entzündete sich an der Frage nach der Abgrenzung der Aufgaben, wobei die Auslegung des Worts „Innenräume" in den Vordergrund rückte. Während Gropius die Auffassung vertrat, daß er für die Gestaltung aller Innenräume des Theaters zuständig sei, stellte sich der Stadtbaudirektor Jenas auf den Standpunkt, daß sich seine Entwurfstätigkeit auf den Zuschauerraum beschränke. Das Stadtbauamt, dem die Arbeiten am Außenbau, die organisatorische Abwicklung und die Finanzplanung oblagen, wollte die reklamierte Entwurfshoheit unter keinen Umständen anerkennen. Daher sah die Behörde auch keinen Anlaß, Gropius in ihre Planungen zur Erweiterung der Vorräume einzubeziehen. Mit gutem Grund wandte sich der Architekt daher an den Generalintendanten des Weimarer Theaters als Vertragspartner der Stadt Jena, um auf Änderung des mißlichen Verhältnisses zu drängen. Am 19. September richtete Ernst Hardt ein Schreiben an die Stadt und betonte, daß er die Auffassung von Gropius teile, daß dem Leiter des Bauhauses die Verantwortung für die Ausgestaltung sämtlicher Innenräume zukomme. Denn er „halte es vom künstlerischen Standpunkt für absolut notwendig, dass in der dekorativen Gestaltung ein künstlerischer Wille massgebend ist." Und abschließend fügte Hardt hinzu: „Ich brauche nicht hervorzuheben, dass mich hier nichts weiter treibt, als die rein künstlerische Selbstverständlichkeit einheitlicher Gestaltung des Theaters."[44]

Der Brief Hardts zeigte Wirkung. Schon wenige Tage später antwortete der städtische Theaterdezernent und suchte den Hintergrund der mangelnden Kooperation zu erhellen. Zunächst wies er darauf hin, daß Gropius durch den Vertrag 100 000 Mark für die Umbauarbeiten zugesichert seien. Darüber hinaus seien weitere 100 000 Mark aus städtischen Mitteln beantragt worden, um die Umgestaltung des Theaters großzügiger betreiben zu können. Gegen die Nachforderungen hätten sich jedoch die Jenaer Architekten vehement ausgesprochen, von denen zwei Mitglieder im Rat der Gemeinde seien, zumal sie selbst Anträge auf Unterstützung eigener Projekte bei der Stadt gestellt hätten. Die Architektenschaft wehrte sich energisch gegen die künstlerische Leitung von Gropius, weil sie nicht einsähe, daß zehn Prozent der Bausumme als Honorar nach Weimar gingen. Dies um so weniger, als die Zeiss-Stiftung weitere 100 000 Mark in Aussicht gestellt hätte. Aus diesem Grund wäre der Stadtbaudirektor bestrebt gewesen, mit den zusätzlichen Mitteln stillschweigend weitere Verbesserungen am Bau vorzunehmen, ohne daß Hardt und Gropius von den Zahlungen erfahren würden. Der Grund für die mangelnde Kooperation läge allein in rein finanziellen Erwägungen. Wenn es möglich wäre, dem Bauamt die Furcht vor einer großen Rechnung seitens Gropius' zu nehmen, wäre der Weg für eine reibungslose Zusammenarbeit geebnet.[45]

Das Schreiben gab Hardt Walter Gropius zur Kenntnis, um ihn über die Hintergründe aus erster Hand zu informieren. Im Abstand von wenigen Tagen richtete Gropius seinerseits ein Schreiben an den Jenaer

[43] Brief Walter Gropius' an Oberbürgermeister Fuchs vom 1. 11. 1921, Stadtarchiv Jena, Akte B IV h, Nr. 23, Bl. 93, 94, Bl. 93.
[44] Brief Ernst Hardts an Theaterdezernent Döpel vom 19. 9. 1921, ebda., Bl. 73.
[45] Brief des Theaterdezernenten Döpel an Ernst Hardt vom 23. 9. 1921, ebda., Bl. 74, 75.

Baudirektor, um die entstandenen Schwierigkeiten aus dem Weg zu räumen. Mit überraschender Konzilianz reagierte Gropius auf die schwierigen Verhältnisse, bedauerte die verzwickte Lage Bandtlows, dessen Wiederwahl bevorstand, in Anbetracht der Jenaer Opposition und ging sogar so weit, seine Honorarforderungen auf 15 000 Mark zu begrenzen, was der Hälfte des regulären Satzes bei einer Bausumme von 300 000 Mark entsprach. Gleichwohl betonte auch Gropius, wie vor ihm schon Ernst Hardt, daß vom „künstlerischen Standpunkt aus, ( ) es meines Erachtens doch keine andere Lösung geben (kann), als dass die formale Ausgestaltung des Innenausbaues in einer Hand liegt." Schließlich bemerkte er mit der ihm eigenen Zuversicht: „An und für sich glaube ich, dass die gegnerischen Stimmen allmählich verstummen werden, wenn die Arbeit erst fertig dasteht, denn ich habe weit über Wert dessen hinaus, den man mir dafür bezahlt Arbeit und Mühe in diesen mich interessierenden Bau gesteckt, weil er der erste ist, den ich in Thüringen baue, seit ich das Bauhaus leite. Alle Kräfte an Malern und Bildhauern, die mir hier zur Verfügung stehen, habe ich mit in die Aufgabe einbezogen. Für die farbige Behandlung usw. liegen zahllose Entwürfe vor. Es wird also an diesem Objekt mit einer Sorgfalt und Liebe gearbeitet, die aus der Lage der Dinge heraus, ein anderer gar nicht daran wenden könnte."[46]

Dem Umbau des Jenaer Stadttheaters maß Gropius in der Tat einen hohen Stellenwert bei, weil er wußte, daß die Öffentlichkeit den Fortgang der Arbeiten mit Aufmerksamkeit verfolgte. Schon deshalb wollte er das Projekt von seiner Seite um keinen Preis scheitern lassen, im Gegenteil. Er ließ Bandtlow sogar wissen, daß er sich gemeinsam mit Ernst Hardt bei der Zeiss-Stiftung um die Bewilligung weiterer Mittel bemühen wollte. Tatsächlich ergriff Gropius sogleich die Initiative und unterbreitete dem Weimarer Generalintendanten sein Vorhaben: „Der Oberbürgermeister legte mir nahe, doch meinerseits als Außenstehender noch einmal, evtl. mit Ihnen zusammen, einen Vorstoß bei Zeiss zu machen und auseinanderzusetzen, wie unvorteilhaft und kleinlich es ist, den Umbau des Theaters in drei Etappen anstatt auf einmal zu vollziehen. Wenn es gelingt, Zeiss zu überzeugen – auch feuerpolizeiliche Gründe spielen eine Rolle – und man ihn dazu [zu bewegen] vermag, eine halbe Million zu stiften, so würde die Stadt den Rest, der an der Bausumme fehlt, dafür aufbringen."[47]

Allen Schlichtungsbemühungen zum Trotz beharrte Bandtlow auf seiner ursprünglichen Position und gab Mitte Oktober zu Protokoll: „Ueber die vom Gemeinderat und von der Carl Zeissstiftung weiterhin zur Verfügung gestellten Mittel [von 200 000 Mark] habe Herr Dir. Gropius kein Verfügungsrecht und es stehe ihm auch nicht eine Einwirkung auf die Gestaltung der neuherzurichtenden Garderoben und des Kassenraumes zu."[48] Schwerlich hätte die Antwort abweisender ausfallen können, so daß sich Ernst Hardt genötigt sah, das Wort zugunsten Walter Gropius zu ergreifen, der über die Absichten des Bauamtes nach wie vor nicht unterrichtet war. Weitere Besprechungen folgten zwischen den Vertretern der Stadt und dem Architekten, um die aufgeworfene Kluft zwischen den Parteien zu überwinden. Am 21. Oktober 1921 kamen der Theaterdezernent und der Stadtbaudirektor sowie Walter Gropius in Gegenwart des Oberbürgermeisters zusammen, der über viele Jahre die Theaterbaupläne forciert hatte und auf eine Einigung unter den Beteiligten hoffte. Die Gegensätze schienen jedoch unüberwindbar, so daß Gropius im Interesse der einheitlichen künstlerischen Gesamtwirkung seinen Rücktritt anbot, um Bandtlow freie Hand zu lassen. Allerdings stellte er klar, daß mit seinem Ausscheiden der Vertrag vom 20. April 1921 nicht erfüllt sei und somit hinfällig werde. Angesichts der ernsten Lage bemühte sich der Theaterdezernent um die Weiterführung des Projekts, etwa indem er vorschlug, eigenmächtige Entscheidungen des Stadtbauamtes, wie die Frage der Bestuhlung des Saals, rückgängig zu machen. „Herr Dir. Gropius betonte ausdrücklich, dass doch über die Zugehörigkeit der Sitze und des Vorhanges als zu dem Innenraum gehörig kein Zweifel bestehen konnte, und dass er deshalb unbedingt über die Anschaffung dieser Bauteile hätte gehört werden müssen. Er könne es nicht verantworten, wenn ihm

---

[46] Brief Walter Gropius' an Stadtbaudirektor Bandtlow vom 27. 9. 1921, ebda., Bl. 75a, 75b, Bl. 75a.

[47] Brief Walter Gropius' an Ernst Hardt vom 28. 9. 1921, zit. n. Jochen Meyer, Tilla Goetz-Hardt (Hg.), Briefe an Ernst Hardt. Eine Auswahl aus den Jahren 1898 – 1947, a. a. O., S. 112.

[48] Protokoll des Theaterdezernenten Döpel vom 17. 10. 1921, Stadtarchiv Jena, Akte B IV h, Nr. 23, Bl. 76.

ausserdem die Herzstücke für die Innenarchitektur, nämlich die beiden Portale nicht bewilligt werden könnten, weil angeblich keine Mittel mehr vorhanden seien. Die beiden Herren erklärten, sich an der Hand der Zeichnungen verständigen zu wollen".[49]

Das Ergebnis der Verständigung fixierte Gropius am nächsten Tag in einem Schreiben an Bandtlow. Es heißt dort: „Sie haben sich bereit erklärt, dem Ausbau der Umgänge meine Pläne zugrundezulegen und auch die bereits vergebenen Sachen, soweit das noch irgend möglich ist, nach meinen Plänen herstellen zu lassen. Für den grossen Zuschauerraum übersende ich Ihnen anliegend 2 Blatt Zeichnungen, die Ihnen zeigen sollen, in welcher Weise die mittlere Emporenbrüstung und die Türen ornamentiert werden sollen, und zwar durch mehrere Schichten ausgesägter, über einander gelegter Sperrholzplatten. An glatten Sperrholzplatten an den Wänden sind bei der Höhe von 80 cm nur ca. 25 lfdm notwendig. Sie kommen also für diese Täfelung meiner überschlägigen Berechnung nach einschließlich Zuschnitt und Befestigung an der Wand mit ca. M 2 500 aus, sodass das ganze Objekt: die beiden Portale (beiderseits), die mittlere Emporenbrüstung und der glatte Täfelungssockel ausschließlich Bühnengesims rund M 12 000 kosten wird; dazu noch für bevorzugte Beschläge an den beiden Hauptportalen ca. 4 – 500 M."[50] Die Bereitschaft des Stadtbaudirektors, beim Ausbau der Umgänge die Pläne aus dem Atelier Gropius heranzuziehen, konnte als erster Etappensieg verstanden werden. Aber der mühsam herbeigeführte Friede blieb brüchig, weil auch weiterhin alles vom guten Willen der Beteiligten abhing. An der Aufgabenteilung zwischen Bandtlow und Gropius hatte sich bislang nichts Grundlegendes geändert.

Erst als die Bemühungen des Generalintendanten Gestalt annahmen, Regierungsgelder in Höhe von einer halben Millionen Mark flüssig zu machen, sollte Bewegung in die erstarrten Verhältnisse kommen. Am 22. Oktober berichtete Hardt, der sich in Begleitung von Walter Gropius nach Jena aufgemacht hatte, der Stadt vom Stand der Verhandlungen mit der Weimarer Gebietsregierung. „Er entwickelte den Plan, etwa 500 000 M von der Regierung zu leihen und die Carl Zeissstiftung zu bewegen, die Zinsen auf 10 Jahre zu übernehmen, wobei vorausgesetzt wird, dass die Stadt 10% der geliehenen Summe amortiziert [sic]. Die Herren Hardt und Paga [der Vorsitzende des Komitees für Volksunterhaltungsabende] begaben sich, nachdem das Einverständnis der Anwesenden festgestellt war, zu den Vertretern der Carl Zeissstiftung, wo sie eine unverbindliche Zusage zur Verwilligung dieses Planes erhielten."[51] Die Diskussion um die Aufnahme des Kredits nahm einige Zeit in Anspruch, da alle Beteiligten zunächst prüfen mußten, ob sie willens und in der Lage sind, die genannten Bedingungen einzuhalten. Als letzte Instanz stimmte am 10. November der Gemeinderat dem Vertragswerk in der von Hardt ausgehandelten Form zu, und die Stadt Jena konnte erreichen, daß die Mittel der Gebietsregierung als Darlehn, nicht als Subventionierung ausgewiesen wurden.[52] Zugleich aber regelte der Vertrag, daß die vollständige künstlerische und finanzielle Verantwortung für das Theater auf Gropius überging. Damit waren die Weichen für einen Neuanfang gestellt, der es dem Architekten erlaubte, eine Gesamtkonzeption zu entwickeln, der lediglich die Stadt als Bauherr zustimmen mußte. Ferner gab der Vertrag vor, daß das Stadtbauamt in bezug auf das Theater in Zukunft nur noch die Aufgaben der baupolizeilichen Genehmigungsbehörde wahrnahm. Es oblag ihr, die bisherigen Arbeiten unverzüglich abzurechnen und die Restbestände der zur Verfügung gestellten Mittel der Entscheidungshoheit Gropius' zu unterstellen.[53]

Die Berufung von Walter Gropius zum federführenden Architekten setzte voraus, daß der Stadtbaudirektor von dem Projekt Abstand nahm. In weiser Voraussicht hatte der Oberbürgermeister daher eine

[49] Protokoll des Theaterdezernenten Döpel vom 21. 10. 1921, ebda.
[50] Brief Walter Gropius' an Stadtbaudirektor Bandtlow vom 22. 10. 1921, ebda., Bl. 78a, 78b, Bl. 78a.
[51] Protokoll des Theaterdezernenten Döpel vom 22. 10. 1921, ebda., Bl. 77.
[52] Protokoll der Sitzung des Gemeinderats am 10. 11. 1921, Carl Zeiss-Archiv, Akte III/1596, Bl. 146, 147 sowie Anlagen A und B.
[53] Protokoll über die Besprechung in der Jenaer Theaterfrage zwischen Vertretern der Gebietsregierung, dem Oberbürgermeister Jenas und dem Generalintendanten des Deutschen Nationaltheaters in Weimar vom 12. 11. 1921, Stadtarchiv Jena, Akte B IV h, Nr. 23, Bl. 115.

zeitweilige Dezernatsänderung in die Wege geleitet, so daß Bandtlow die Umgestaltung des Theaters ohne großen Prestigeverlust abgeben konnte. Gegenüber den städtischen Gremien hatte Fuchs erklärt, daß die beiden Persönlichkeiten einander ausschließen und dem Stadtbaudirektor, „der ganz andere Kunstanschauungen vertritt", die weitere Zusammenarbeit nicht zugemutet werden könne.[54] Nachdem Bandtlow offiziell verlauten ließ, „dass er aus finanziellen und künstlerischen Gründen den Vorschlägen des Direktors Gropius nicht zustimmen könne",[55] faßte der Gemeinderat den Beschluß, das Theaterdezernat dem Oberbürgermeister zu übertragen. Fuchs hatte sich selbst als Kandidat wohl mit der Absicht in Vorschlag gebracht, daß sich zunächst die Gemüter beruhigten. Wie es scheint, spielte er auf Zeit, bis ihm ein geeigneter Kandidat in das Amt folgen konnte, der schließlich in Stadtbaurat Dr. Alexander Elsner gefunden wurde. Am 24. November 1921 übertrug der Gemeinderat ihm das Dezernat für die Umbauzeit des Theaters.[56] Damit war ein gegenüber der Moderne aufgeschlossener Architekt gewonnen, der Gropius' Arbeit umsichtig unterstützte.

Neuanfang

Gropius erhielt die Bauleitung des Stadttheaters am 19. November von Oberbürgermeister Fuchs übertragen. Bauherr und Architekt handelten aus, daß die bisherigen Entwürfe des Stadtbauamtes für die weitere Bearbeitung des Projekts keine Bedeutung haben, daß Gropius sämtliche Planunterlagen ausgehändigt werden und ihm eine genaue Kostenaufstellung der bisher vergebenen Arbeiten so bald wie möglich zuging.[57] Erst auf dieser Basis sah er sich in der Lage, einen tragfähigen Gesamtplan zu entwickeln. Außerdem bestand Gropius darauf, daß das Stadtbauamt die statische Berechnung der Deckenkonstruktion im Saal nachlieferte, da der Standfestigkeitsnachweis auf der Grundlage der bisherigen Aufgabenteilung in ihr Ressort fiel.

In ihrer Sitzung am 2. Dezember, an der sowohl Gropius als auch Adolf Meyer teilnahmen, stimmte die neu gewählte Theaterbaukommission das weitere Vorgehen mit den Weimarer Architekten ab.[58] Alle Arbeiten zur Fertigstellung des Theatersaals sollten im Einvernehmen mit dem Theaterdezernenten sofort vergeben werden. Dazu zählten die Herstellung der Türen, des Holzsockels und der Orchesterbrüstung, die Ausmalung des Raumes und der angrenzenden Garderoben sowie die Beschaffung der Öfen, des Gestühls und der Beleuchtungskörper, deren geschätzte Kosten sich auf 100 200 Mark beliefen. Bei der Vergabe sollte Gropius Jenaer Unternehmen und Handwerker bevorzugt berücksichtigen, was gleichermaßen für den zweiten Bauabschnitt, den Außenbau, galt.[59] Die Kommission sicherte dem Architekten „die volle künstlerische, finanzielle und technische Verantwortung"[60] bei der weiteren Bearbeitung des Projekts zu, was ihm die wünschenswerte Unabhängigkeit gegenüber seinem Auftraggeber gab. Seinerseits sagte Gropius die unverzügliche Erstellung der Pläne und Kostenvoranschläge für den zweiten Bauabschnitt zu, die der Zustimmung der Kommission und des Gemeinderates bedurften.

Das äußere Erscheinungsbild des Theaters in jenen Tagen, als Gropius den Gesamtentwurf übernahm, dokumentiert eine Fotografie, die im Januar oder spätestens im Februar 1922 entstand (Abb. 71). Sie zeigt das Theater mit den Anbauten, die das Stadtbauamt gemäß den Plänen Bandtlows hatte errichten lassen. Vor den Mittelrisalit der historistischen Fassade ist das Kassenhaus gesetzt, seitlich jeweils ein eingeschossiger Trakt für die Garderoben angefügt. Die Erweiterungen zerstörten sowohl die Fassade

[54] Antrag des Oberbürgermeisters Fuchs auf zeitweilige Dezernatsänderung vom 7. 11. 1921, ebda., Bl. 98.
[55] Beschluß des Gemeindevorstandes der Stadt Jena vom 7. 11. 1921, ebda., Bl. 99.
[56] Beschluß des Gemeinderates der Stadt Jena vom 24. 11. 1921, Carl Zeiss-Archiv, Akte III / 1596, Bl. 153.
[57] Protokoll vom 19. 11. 1921, Thüringisches Hauptstaatsarchiv Weimar, Thüringisches Volksbildungsministerium C 1313, Bl. 30r, 31r.
[58] Protokoll der Sitzung der Theaterbaukommission vom 2. 12. 1921, Stadtarchiv Jena, Akte B IV h, Nr. 15, o. P.
[59] Eine Liste der am Umbau des Theaters beteiligten Unternehmen hat Adolf Meyer am 29. 9. 1922 erstellt. Vgl. ebda., o. P.
[60] Protokoll der Sitzung der Theaterbaukommission vom 2. 12. 1921, ebda., o. P.

als auch die Proportionen des Köhlerschen Theaters, weshalb es wie ein Befreiungsschlag erscheinen mußte, als Gropius das Kassenhaus abreißen und die alte Fassade öffnen ließ. Das führt eine zweite Fotografie vor (Abb. 72), die auf Ende März oder Anfang April 1922 datiert werden kann, einen Zeitpunkt, als die Fundamente gelegt waren und die neuen Außenmauern bereits emporwuchsen.

Zwischen dem 2. Dezember 1921 und dem 12. Januar 1922 erarbeiteten Gropius und Meyer die Entwürfe zum vollständigen Umbau des Jenaer Theaters, zu dessen Realisierung weitere 500 000 Mark zur Verfügung standen. In einer ersten Annäherung dürften sich die Architekten dem Grundriß gewidmet haben, da er für die räumliche Organisation und die Disposition der Baumassen von entscheidender Bedeutung ist. Eine entsprechende Zeichnung im Maßstab 1:100 hat sich erhalten, die dem ausgeführten Plan (Abb. 73), den Gropius publizieren sollte, schon verblüffend nahekommt. Der Entwurf (Abb. 74) zeigt, daß sich Wandelgänge auf drei Seiten um den Saal legen sollten, die sowohl dem Aufenthalt, aber auch dem Besucherverkehr dienen. Auf den Längsseiten lassen sich die an die Außenwand gerückten Garderoben und Toiletten deutlich erkennen, während an der nördlichen Stirnseite das Hauptfoyer liegt, dessen äußerer Kontur, noch unruhig geführt, sich aus den aneinandergefügten räumlichen Kompartimenten ergibt: der inneren Halle im Zentrum, flankiert von jeweils zwei Windfängen und den nach außen geschobenen Treppenhäusern, die über die seitliche Bauflucht ausgreifen. Der Grundriß des Obergeschosses (Abb. 75) entspricht dem des Erdgeschosses, nur daß sich hier die seitlichen Gänge auf den Bereich des Balkons beschränken. Hinter der zweigeschossigen Front setzt sich das Bauwerk, denkt man es vom Querschnitt her, in einem breiten, höheren Mittelschiff, dem Saal, und niedrigeren Seitenschiffen, den Wandelgängen nebst Garderoben, fort. Charakteristisch für die aufgezeigte Entwurfslösung scheint es, daß sich die baulichen Einheiten quasi auf die Außenwand des Theaters durchdrücken und sein Erscheinungsbild prägen. Diese Konzeption ist nicht primär das Ergebnis eines architektonischen Sparzwanges, wohl aber Ausdruck einer künstlerischen Gesinnung, die Gropius schon bei seinem Vorgänger an der Weimarer Kunstgewerbeschule, Henry van de Velde, hatte beobachten können.[61] Das von ihm entworfene Kölner Werkbundtheater von 1914 zeigt nicht nur eine vergleichbare Grundrißlösung, sieht man einmal von dem ausladenden Bühnenhaus ab (Abb. 76). Deutlich wird auch, daß van de Velde die funktionalen Einheiten nach außen als volumetrische Einheiten in Erscheinung treten ließ, wenngleich der Künstler sie durch fließende Dachformen einander vermittelte.

Die größte Aufmerksamkeit wandten die Weimarer Architekten auf den Entwurf der Fassade, während sie das Bühnenhaus aus Mangel an verfügbaren Mitteln nicht in ihre Pläne einbeziehen konnten. Prinzipiell lassen sich zwei Entwürfe für die Eingangsseite des Theaters unterscheiden, von denen der ältere noch deutlich expressionistische Züge trägt, während der jüngere diese Anklänge zu tilgen sucht.[62] Der ersten Konzeption lassen sich drei Zeichnungen zuordnen (Abb. 77, Abb. 78), die eine weithin geöffnete Fassade darstellen, deren großzügig bemessene Fenster über zwei Geschosse greifen und mit den geschlossenen Mauerflächen der Fassade in auffälligen Kontrast treten. Die sieben Fensterachsen, wie ein Block in die Front eingepaßt, werden von keilförmig zugespitzten Pfeilern getrennt, die den Zackenstil der Expressionisten alludieren und ein Äquivalent in den gebrochenen Kanten der Baukörper finden. Im Gegensatz zur spannungsgeladenen Nordseite sahen die Pläne auf der Westseite und Ostseite eine regelmäßige Öffnung der Wände mit dreiteiligen Fenstern vor (Abb. 79), um vor allem die Wandelgänge mit gleichmäßigem Licht zu versorgen.

---

[61] Gerhard Storck hat mit gutem Grund zuerst auf die inneren Beziehungen der beiden Theater hingewiesen. Vgl. Gerhard Storck, Probleme des modernen Bauens und die Theaterarchitektur des 20. Jahrhunderts, Bonn 1971, S. 153 – 165.

[62] Der holländische Architekt J. J. P. Oud, den Gropius sehr schätzte, fand im Jenaer Theater den Wandel vom Expressionismus zum Neuen Bauen greifbar, den er auf den Einfluß von „De Stijl" zurückführte: „Im Zusammenhang mit dem Einfluss von ‚De Stijl' muss ich als erstes daran erinnern, dass Van Doesburg sich längere Zeit in Weimar aufhielt und von sich aus regen Kontakt mit den Bauhausschülern hatte. Sein Aufenthalt in Weimar war von grosser Wichtigkeit für den Geist des Bauhauses. Gropius selber baute 1920 – 21 ein Haus in Lichterfelde, das noch ein reichlich mit Schnitzerei verzierter Blockhüttenbau war [Haus Sommerfeld]. In 1922 aber wandte er plötzlich für das Theater in Jena eine strenge, weisse eckige und einfache Architektur an. Der Umschwung ins Abstrakte ist so abrupt und so auffällig, dass man sie [sic] ruhig dem Einfluss Van Doesburg's und seiner ‚Verkündigung' der ‚Stijl'-Theorien zuschreiben darf." Jacobus Johannes Pieter Oud, Mein Weg in 'De Stijl', 'S Gravenhage, Rotterdam [1961], S. 21.

Der folgende Entwurf nahm von der Idee Abstand, die Foyers im Haupt- und Obergeschoß durch Fenster in der Nordfront zu belichten. Gropius entschied, das Fenstergeviert auf fünf Achsen in der Breite und in der Höhe auf das Erdgeschoß zu begrenzen (Abb. 80). Dadurch entstand im Bereich des oberen Stockwerks eine horizontal gelagerte Wandfläche, die die Vertikalbewegung des ersten Entwurfs außer Kraft setzte. Auch verbannte der Architekt die dreieckig zugespitzten Pfeiler, um an ihrer Stelle solche mit viereckigem Querschnitt zu installieren, die durch ihren dunklen Anstrich mit den Fenstern eine Einheit bildeten. Lediglich die zahnschnittartigen Einlassungen über den Fenstertüren trugen noch einen vertikalen Bewegungsimpuls in die horizontal gerichtete Fassade, den Gropius jedoch schon im folgenden Entwurf verbannen sollte. Die Ausbildung der Front in der vorgeschlagenen Form machte Dachfenster erforderlich, um das kleine Foyer im Obergeschoß zu belichten. Dieser Gedanke, in der ersten Entwurfszeichnung offenbar schon in Betracht gezogen (Abb. 75), ging in den ausgeführten Bau ein, wie die Revisionszeichnung der Dachlandschaft dokumentiert (Abb. 81).

Im finalen Entwurf knüpfte Gropius an die zuvor getroffenen Entscheidungen an und entwickelte die Fassadenlösung im Sinne formaler Kohärenz weiter (Abb. 82). Wie schon bei der vorherigen Zeichnung sind die Kanten des Hauptkörpers nicht mehr gebrochen, sondern rechtwinkelig belassen, während die Ecken der niedriger gehaltenen, angelagerten Kuben den Doppelstrich der abgewinkelten Kanten aufweisen. Auf diesem Wege steigerte Gropius die optische Signifikanz der baulichen Einheiten und bewirkte zugleich, daß das Auge um den Bau herumgeführt wurde. Im letzten Fassadenentwurf wird schließlich als entscheidende Neuerung greifbar, daß der Architekt die Eingangsbereiche durch ein Sockelband mit den Fenstertüren im Zentrum der Fassade verbunden hat, um alle Öffnungen der Front zusammenzufassen und den Horizontalcharakter des Bauwerks noch stärker zu betonen. Auch die Seitenansicht wurde einer letzten Revision unterzogen (Abb. 83), die Fenstergrößen in spannungsvoller Rhythmik variiert, was sich durchaus funktional erklären läßt, wie ein Blick auf den Grundriß lehrt (Abb. 73). Die Entwürfe zur Gestaltung des Außenbaus zogen es nach sich, daß die Architekten vereinzelte Korrekturen im Inneren vornehmen mußten, wie bei den Garderoben (Abb. 84), oder aber neue Pläne für jene Bereiche erarbeiten mußten, die sie bisher ausgespart hatten (Abb. 85). Die Pfeiler im Foyer, die aus dem alten Mauerwerk freigestellt wurden, wünschten die Architekten so schwerelos wie möglich zu gestalten, was sie auf die Idee brachte, schwebende Sitzbänke anzubringen und die Übergangszone von stützendem Pfeiler und lastender Decke mit einen Lichtkasten zu überspielen.

Ausführung

Die Ergebnisse seiner Planungen hat Gropius abschließend in einer Präsentationszeichnung zusammengefaßt (Abb. 86), mit der er den städtischen Gremien eine anschauliche Vorstellung von dem geplanten Bauwerk geben wollte. Das sollte sie jedoch nicht daran hindern, die vorgelegten Pläne zur Umgestaltung des Theaters kritisch zu prüfen. Am 12. Januar 1922 erläuterte Walter Gropius seine Entwürfe vor der Theaterbaukommission, die sich zur Grundrißbildung ebenso zustimmend äußerte wie zur architektonischen Durchbildung des Bauwerks insgesamt. Die Kommission wünschte, daß im Zuge der Baumaßnahmen ein günstigerer Zugang zum Theater von der Schillergasse geschaffen wurde. Sie beschloß „einstimmig, den Vorschlag des Herrn Dir. Gr.[opius] dem Gemeinderat zur Genehmigung vorzulegen."[63] Tags darauf kamen der Gemeindevorstand und der Bauausschuß zusammen, um die Beschlüsse der Theaterbaukommission zu verhandeln. Die Pläne stellte diesmal der Architekt Johannes Schreiter vor, und beide Gremien erteilten ihnen die Zustimmung, so daß das letzte Wort beim Gemeinderat lag.[64] Am 19. Januar faßte er den Beschluß, „das vorliegende Projekt zu genehmigen unter der Vorausset-

[63] Protokoll der Sitzung der Theaterkommission am 12. 1. 1922, Stadtarchiv Jena, Akte B IV h, Nr. 23, Bl. 133.
[64] Protokoll der Sitzung des Gesamtgemeindevorstandes mit dem Antrag auf Zustimmung zu den Beschlüssen der Theaterbaukommission am 13. 1. 1922, Stadtarchiv Jena, Akte B IV h, Nr. 15, o. P.

zung, dass die Kosten sich im Rahmen der verfügbaren Mittel" halten.[65] Damit war der Weg zur Ausführung der Pläne frei.

Mit Schreiben vom 20. Januar teilte Theaterdezernent Elsner das Ergebnis der jüngsten Beratungen Gropius mit und betonte: „In der gestrigen Sitzung hat der Gemeinderat seine Zustimmung zu der Ausführung des Theaterneubaues nach Ihrem Projekt unter Genehmigung der in Ihrem Kostenanschlag vorgesehenen Summe gegen nur wenige Stimmen beschlossen. ... Gegen die künstlerische Durchbildung des Entwurfs wurden ablehnende Stimmen nicht laut. Insbesondere wurde Ihr so erfolgreiches Bestreben, mit sparsamster Ausgestaltung eine möglichst hohe künstlerische Wirkung hervorzubringen, anerkannt."[66] Gropius antwortete wenige Tage später und zeigte sich erfreut über die guten Nachrichten aus Jena. Er ließ Elsner wissen, daß sein Bauführer, der Architekt Ernst Neufert,[67] die Vergabe der Arbeiten bereits in die Wege geleitet habe und man auf die Angebote von drei Jenaer Maurermeistern wartete. Zugleich verlieh Gropius seinem Wunsch Ausdruck, Elsner möge doch bei der Beschaffung zusätzlicher Gelder behilflich sein, weil nach wie vor die Mittel für den Vorhang fehlten, der bei einem Theater schlechterdings unverzichtbar sei.[68]

Die Bauarbeiten konnten wegen einer längeren Frostperiode nicht sofort in Angriff genommen werden. Sobald Maurermeister Roßbach aus Jena, der schon die Arbeiten des ersten Bauabschnitts übernommen hatte, am 22. Februar den Zuschlag erhielt, begann er unverzüglich mit den Abbruch der Bauteile, die Gropius nicht in seinen Entwurf integriert hatte. Die Fundamente des Baus wurden am 9. März 1922 fertiggestellt, im Anschluß daran konnte mit der Errichtung der Mauern begonnen werden. Anscheinend wurden die Balken für das Dach am 20. April verlegt, was auf die bevorstehende Fertigstellung des Rohbaus deutet, den die Bauleute Anfang Mai 1922 übergaben. Während der Monate Mai, Juni und Juli 1922 erfolgten schließlich der schrittweise Ausbau und die Ausmalung des Theaters.[69]

Am 11. Mai 1922 besuchte Cornelis van Eesteren, der sich vorübergehend in Weimar aufhielt, das Theater in Jena und skizzierte den Bau mit wenigen prägnanten Strichen in seinem Tagebuch (Abb. 87). Zunächst fertigte er einen Querschnitt des Saals, wobei sein besonderes Interesse der Deckenkonstruktion galt, deren Kontur er mehrfach mit Tinte nachzog, ebenso wie die Bodenlinie und die Seitenwände, um die bestimmenden inneren Raumlinien hervorzuheben. Das wird gerade im Vergleich mit dem Fassadenaufriß und dem Grundriß deutlich, die er mit einfachem Strich in ihrer Grundstruktur erfaßte. Schriftlich vermerkte van Eesteren: „Heute morgen in Jena gewesen, um das Theater im Umbau zu sehen. ... [Es] war ein altes hölzernes Gebäude mit offenem Dachstuhl. Einen neuen Kern hat man hineingebaut. Vor allem die Rückwand ist gut. Die Bühnenwand jedoch gefällt mir nicht. Aber das ist nicht die Schuld des Entwerfers, weil die alte Wand stehenbleibt. Der Vorbau mit Treppenhaus und Foyer ist gelungen."[70]

Die Bühnenwand fand nicht die Zustimmung van Eesterens, was darauf schließen läßt, daß er die baulichen Lösungen der jüngsten Zeit zur Überwindung der Guckkastenbühne kannte. Man kann mit ziemlicher Sicherheit davon ausgehen, daß er Max Littmanns Weimarer Theater gesehen hatte und daher wußte, welche Möglichkeiten ein variables Proszenium bieten konnte (Abb. 21, Abb. 22). Auch dürfte er Kenntnis von Henry van der Veldes dreiteiligem Bühnenpanorama im Kölner Werkbundtheater gehabt haben, das weit über die Landesgrenzen hinweg diskutiert wurde (Abb. 76). Die Verbindung von

[65] Protokoll der Gemeinderatssitzung vom 19. 1. 1922, Carl Zeiss-Archiv, Akte III / 1596, Bl. 8.
[66] Brief des Stadtbaurats Elsner an Walter Gropius vom 20. 1. 1922, Stadtarchiv Jena, Akte B IV h, Nr. 15, o. P.
[67] Gropius hat Ernst Neufert am 14. 12. 1921, bald nachdem ihm von der Stadt die Verantwortung für das gesamte Theater übertragen wurde, als Bauführer eingesetzt. Vgl. Brief Walter Gropius' an Stadtbaurat Elsner vom 14. 12. 1921, ebda., o. P.
[68] Brief Walter Gropius' an Stadtbaurat Elsner vom 25. 1. 1922, ebda., o. P.
[69] Die Daten sind dem Baubericht Adolf Meyers vom 19. 7. 1922 entnommen. Vgl. ebda., o. P.
[70] Cornelis van Eesteren, Das Tagebuch des Cornelis van Eesteren, März 1922 bis Oktober 1926, Eintrag vom 11. 5. 1922, hg. von Franziska Bollerey, in: Dies. (Hg.), Cornelis van Eesteren. Urbanismus zwischen de Stijl und C. I. A. M., Braunschweig, Wiesbaden 1999, S. 107 – 159, S. 128.

Guckkastenbühne und Orchestra, wie sie Hans Poelzig im Großen Schauspielhaus in Berlin geschaffen hatte, dürfte ihm schon deshalb nicht verborgen geblieben sein, weil er sich des längeren dort aufgehalten hatte, bevor er nach Weimar kam. Insofern muß seine Bemerkung über die Bühnenwand des Jenaer Theaters nicht überraschen, zeigt sie doch vor allem, daß die Künstler ein Theater immer auch im Hinblick auf die Möglichkeiten seiner Bespielbarkeit beurteilten. In Anbetracht knapper Mittel war jedoch an eine moderne, d. h. variable Bühne nicht zu denken.

Die Ausführung des genehmigten Projekts erforderte zusätzliche Mittel in beträchtlichem Umfang. Als Theaterdezernent Elsner im Juli 1922 die einzelnen Positionen zusammenstellte, zeigte sich ein Fehlbetrag von annähernd 900 000 Mark. Er stellte daher den Antrag, der Gemeindevorstand möge zur Deckung der Kosten, die unter anderem durch Brandschutzmaßnahmen, instabile Preise und zusätzliche Arbeiten angefallen waren, einen Betrag von 900 000 Mark bereitzustellen „und sich damit einverstanden zu erklären, ein mit 10% tilgbares Darlehen aufzunehmen, dessen Verzinsung von der Carl Zeissstiftung übernommen wird."[71] Da die Mitglieder des Gemeinderats sich davon überzeugen konnten, „dass von der Bauleitung und Direktor Gropius etwas recht gutes geschaffen sei", beschloß das Gremium am 21. Juli 1922, die benötigten Mittel zu den genannten Bedingungen aufzunehmen und den Kredit innerhalb von zehn Jahren zurückzuzahlen.[72]

Elsner versäumte es nicht, Gropius über den Beschluß der Stadt Jena zu unterrichten. Mit Datum des 25. Juli 1922 schrieb er dem Architekten: „Nachdem am vorigen Freitag der Gemeinderat zu dem Theaterbau, insbesondere wegen der Bereitstellung weiterer erheblicher Mittel Stellung genommen hat, freut es mich Ihnen mitteilen zu können, dass von allen Seiten (auch von den Kreisen, die dem Theaterbau anfangs stark ablehnend gegenüberstanden) Ihrer Ausgestaltung des Theaterneubaues, insbesondere der Innenräume, uneingeschränktes Lob gezollt worden ist. ... Die glatte Abwicklung der Bereitstellung von weiteren 900 000 Mk für die Ueberschreitung und die weiteren erwünschten Herstellungen einschl. Umgestaltung des Zugangsweges vom Engelplatz war nur dadurch möglich, dass die Carl Zeissstiftung auf meinen Antrag sich in grosszügiger Weise sofort bereit erklärte, die Verzinsung dieses Betrages auf 10 Jahre zu übernehmen unter der Voraussetzung dass, wie bei dem staatl. Darlehen, der Betrag mit 10% jährlich getilgt wird. Denn es war für den Gemeinderat immerhin keine Kleinigkeit, sich mit den Aufwendungen von 1,7 Millionen für den Theaterbau einverstanden zu erklären, nachdem man anfangs von einem Betrag von 100 000 M ausgegangen war. Erleichtert wurden mir die Verhandlungen sowohl bei der Carl Zeiss-Stiftung wie im Gemeinderat dadurch, dass kurz vorher durch Verhandlung mit Herrn Generalintendant Hardt eine allseits befriedigende Lösung über die Spieltätigkeit im kommenden Winter getroffen werden konnte."[73]

Ein- und Ausgang

In einem letzten Akt entwarf Walter Gropius das Eingangstor zum Jenaer Theater, das nicht, wie von der Theaterbaukommission ursprünglich gewünscht, an der Schillergasse lag, sondern nach Norden zum Engelplatz hin blickte (Abb. 88, Abb. 89). Das schlichte Portal, eingebunden zwischen halbhohen Mauerzügen, die den Anschluß an die vorhandene Bebauung suchten, schürte nicht nur durch den Schriftzug in ungewöhnlich kantigen Lettern die Erwartung des Publikums. Das Tor zog die Aufmerksamkeit vor allem durch ein bauliches Paradoxon auf sich, das den Besucher auf die Architektur des Theaters einstimmen konnte: die gläsernen Lichtkästen als Auflager des Sturzes. Wie schon bei der Gebälkzone im Saal und den Pfeilern des Foyers bricht das Licht auch hier an einer Stelle hervor, wo der Ver-

[71] Zusammenstellung der Kosten des Theaterumbaus durch Stadtbaurat Elsner vom 18. 7. 1922, Stadtarchiv Jena, Akte B IV h, Nr. 15, o. P.
[72] Beschluß des Gemeinderats der Stadt Jena, die Mittel für den Theaterumbau betreffend, vom 21. 7. 1922, ebda., o. P.
[73] Brief des Stadtbaurats Elsner an Walter Gropius vom 25. 7. 1922, ebda., o. P.

lauf der Kräfte größte Stabilität fordert. Daß man sie, wie Gropius eher beiläufig zeigt, mit Kunst überwinden kann, gehört sicherlich zu den bezwingenden Momenten der Architektur.

Diese Qualität der Jenaer Theaterarchitektur scheint auch Oskar Bandtlow, über weite Strecken der erklärte Gegner von Walter Gropius, gesehen zu haben. Im April 1924 wurden ihm in seiner Eigenschaft als Stadtbaudirektor die Pläne für ein Ladengebäude vorgelegt, das die Architekten Johannes Schreiter und Hans Schlag in unmittelbarer Nachbarschaft des Eingangstors zum Theater errichten wollten (Abb. 90, Abb. 91). Der Pavillon, dessen Innenausstattung eine Vorliebe für die Formensprache des Expressionismus erkennen läßt, sollte in der Flucht des Mauerzuges stehen, den Gropius errichtet hatte, und ein Pendant erhalten, welches das Eingangstor symmetrisch gerahmt hätte. Das Ansinnen, dem Torbau von Gropius die Spannungen auszutreiben, wies Bandtlow zurück, indem er dem geplanten Pendant auf der linken Seite des Tores die Genehmigung verweigerte. Dadurch erreichte er, daß die Mauerzüge ihre asymmetrische Spannung bewahrten, auch wenn sich das bisherige Proportionsverhältnis umkehrte, der längere Abschnitt nun auf der linken Seite des Tors lag, der kürzere auf der rechten (Abb. 92). Die Entscheidung Bandtlows kann nur souverän genannt werden, weil er von den vorausgegangenen Streitigkeiten absehen konnte und den Rang der Architektur von Gropius auch in Anbetracht aktueller Bauwünsche im Auge hatte. Eine größere Wertschätzung hätte er dem Werk schwerlich erweisen können.

Wenige Tage nach der Eröffnung des Jenaer Theaters verfaßte Adolf Meyer eine offizielle Verlautbarung, die Auskunft über die am Umbau beteiligten Architekten, Handwerker und Firmen gab. Die Auflistung kulminiert in der denkwürdigen Formulierung, daß die „künstlerische Leitung für die Malerarbeiten ( ) in den Händen des Meisters am Staatlichen Bauhaus, Weimar Oskar Schlemmer (lag), während die örtliche Bauführung ... unter der Oberleitung des Direktors vom Staatlichen Bauhaus Walter Gropius als verantwortlichen Bauleiter und dem Architekten Adolf Meyer, Weimar, dem Architekten Ernst Neufert, Weimar, übertragen war."[74] Daß der Architekt Oskar Schlemmer in die Liste aufnahm, dessen Malereien Gropius entfernen ließ, muß überraschen und deutet wohl darauf, seinen Beitrag zur Ausstattung des Theaters wenigstens auf diesem Wege zu würdigen. Allerdings mußte Adolf Meyer damit rechnen, daß die Erinnerung alte Wunden aufriß, die Schlemmer in Anbetracht der Übermalung seines Werks quälen mußten.

Die Vorgänge um Oskar Schlemmer präzise zu beschreiben, bereitet noch immer Schwierigkeiten. Nach wie vor steht kein anderer Weg offen, als die erhaltenen Quellen sprechen zu lassen, die allerdings kein lückenloses Bild ergeben. Die ersten Hinweise auf die Farbgestaltung lassen sich bis September 1921 zurückverfolgen, als Gropius Stadtbaudirektor Bandtlow mitteilte, daß bereits zahllose Studien für die farbige Behandlung des Theaters vorlägen.[75] Dem Oberbürgermeister von Jena berichtete der Architekt im November desselben Jahres, „daß einige meiner Lehrlinge, die besonders befähigt sind, für das Ausmalen des Saales mit herangezogen werden" sollen.[76] Damit wies Gropius auf die Studierenden am Bauhaus, unter denen die Angehörigen der Werkstatt für Wandmalerei prädestiniert waren, an der Aufgabe mitzuwirken. Die Aussage trifft sich mit einer Erklärung, die der Leiter der Kunstschule gegenüber Stadtbaurat Elsner im Juli 1922 abgab. „Auf Ihren Wunsch berichte ich folgendes über die Ausmalung im Hauptraum des Stadttheaters. Es war meine Absicht gewesen die Ausmalung des Theaters mit aller Sorgfalt und allen mir hier am Bauhaus zur Verfügung stehenden Hilfsmitteln vorzunehmen. Wir benutzten hier am Bauhaus die seltene Gelegenheit diese Aufgabe gleichzeitig als Lehraufgabe für unsere begabten Schüler zu verwenden. Die Arbeiten wurden unter Leitung des Meisters am Bauhaus, Herrn Oskar Schlemmer ausgeführt."[77]

Schlemmer selbst ließ im März 1922 den Freund Otto Meyer-Amden wissen, daß ihn die Frage der Ausmalung des Theatersaals bedrücke: „Auch Theater – aber nur Raum der Zuschauer – bedrückt mich z. Z. in Jena. Die Bemalung des Theaters bedrückt mich insofern, als ... ich ( ) ihm [Gropius] seine Architektur (entmaterialisiere), von deren Bemalung er andere Begriffe als ich ... hat. So führe ich einen Kampf."[78] Gleichzeitig notierte Schlemmer in seinem Tagebuch: „I.[tten] sagt, daß er die einzig mögliche Form der Ausmalung in Jena auf gesetzmäßigem Weg gefunden und die Schüler dahingehend überzeugt hatte, daß es sich nicht mehr um das Geschmacklich-Schöne, sondern das Gesetzmäßig-Schöne gehandelt hätte. 1. Es betrifft mich in meinem Lebensnerv, da ich mich seither bemühte, in der Kunst durch das Gefühl zum Gesetz zu gelangen, zu einem Gesetz, vor dem ich mich fast immer scheue, es mir bewußt zu machen. 2. Durch Überredungskunst wird eine Sache nicht bewiesen. Erstes Reuestadium Jena: in Erdtönen einfach nuanciert, blockartig zusammenfassend. Beton, Grau, Braun, Silber, Siena. Zweites Reuestadium: Ganzer Raum weiß, wenige, starke, wesentliche Farben und Formen, Rot, Orange, Citron, Lila, Rosa, Schwarz, preuß. Blau. Jetziger Zustand: farbig und nicht farbig, zerrissen, zuviel Detaillierung. Schuld: Der ursprüngliche (mein) farbige Plan ward aufgegeben, Gropius Wünschen

[74] Liste der am Umbau des Theaters beteiligten Unternehmen vom 29. 9. 1922, ebda., o. P.
[75] Brief Walter Gropius' an Stadtbaudirektor Bandtlow vom 27. 9. 1921, Stadtarchiv Jena, Akte B IV h, Nr. 23, Bl. 75a.
[76] Brief Walter Gropius' an Oberbürgermeister Fuchs vom 11. 11. 1921, ebda., Bl. 109.
[77] Brief Walter Gropius' an Stadtbaurat Elsner vom 15. 7. 1922, Stadtarchiv Jena, Akte B IV h, Nr. 15, o. P.
[78] Brief Oskar Schlemmers an Otto Meyer-Amden vom 13. 3. 1922, zit. nach Wulf Herzogenrath, Oskar Schlemmer. Die Wandgestaltung der neuen Architektur, München 1973, S. 29.

entsprechend nach Erdtönen. Das Farbige ließ sich aber bei mir nicht unterdrücken, und so ein Kampf zwischen diesen beiden, so die Zerrissenheit."[79]

Wulf Herzogenrath hat dargelegt, daß der einzige unumstritten zuweisbare Entwurf[80] Schlemmers für das Jenaer Theater (Abb. 93) der Farbbeschreibung des „zweiten Reuestadiums" entspricht: „Braun für die Bestuhlung (darauf bezieht sich wohl die Beschriftung ‚Holz muß Holz bleiben'), ein schwarzes Band unten um die Wände und um die Tür herumlaufend, rosa Saalwand, grün-, blau- und violettfarbene Bühnenquerwand, die Braunstufungen der Emporenwand und der Deckenvorsprünge."[81] Demnach könnte der Entwurf auf März 1922 datiert werden, und in Anbetracht der ausgestellten Rechnungen vom 20. Juni, 4. Juli und 4. August 1922 wird wahrscheinlich, daß Schlemmer den Entwurf im Mai oder spätestens im Juni 1922 ausführte.[82] Dabei dürfte es sich um jene Fassung handeln, die Gropius nicht akzeptieren wollte, weil die Farben das Formenspiel der Innenarchitektur überlagerten. Gropius ließ daher die Malerei von Schlemmer entfernen, wie er am 15. Juli 1922 Stadtbaurat Elsner schriftlich mitteilte: „Da wir mit dem Ergebnis der ersten Ausmalung nicht völlig einverstanden waren, entschloss ich mich eine Änderung vorzunehmen und den Hauptraum noch einmal übermalen zu lassen, denn es kam mir darauf an, ohne Rücksicht auf eigenen Verdienst dieser Aufgabe die grösste künstlerische Sorgfalt angedeihen zu lassen. Um allen Einwendungen gegen diese zweite Übermalung zu begegnen, nahm ich die Kosten dafür auf mich. Die Rechnung dafür ist direkt von hier aus beglichen worden."[83]

Die Erfahrung Oskar Schlemmers, den die Entscheidung von Gropius im Mark traf, rückte zum Gegenstand verschiedener Berichte auf, die allesamt in großem zeitlichen Abstand entstanden. Sowohl Andor Weininger als auch Walter Dexel schildern, daß der entscheidende Impuls, das Werk von Schlemmer zu übermalen, auf den streitbaren niederländischen Künstler Theo van Doesburg zurückgeht, der sich vorübergehend in Weimar niedergelassen hatte. „Einmal ging Doesburg nach Jena, um dort eine Vorlesung zu halten, und wir, die Weimarer De Stijl-Gruppe, folgten ihm ... Die Vorlesung war abends, also übernachteten wir bei Walter Dexel, der ein großes Haus hatte. Am nächsten Morgen besichtigten wir das Theater. Gropius hatte das bestehende Gebäude innen und außen renoviert und eine neue Fassade vorgesetzt. Als wir dort hinkamen, arbeiteten die Maler gerade an der Decke. Hermann Müller, ein Verwandter von Schlemmer aus der Wandmalerei, beaufsichtigte die Deckengestaltung nach dem Entwurf von Schlemmer. Diese Deckenmalerei befand sich genau über unserem Kopf, als wir hereinkamen. Doesburg warf einen einzigen Blick darauf und sagte: ‚Warum zerstören sie die Architektur mit dieser Malerei?' Es war ein wunderschönes Schachbrettmuster in verschiedenen Farben. Ich glaube nicht, daß es davon irgendeine Abbildung gibt; wir machten damals selten Photos. Doesburg meinte, daß die Malerei die Architektur zerstöre, weil er die Decke in einer Fläche und in einer Farbe gestrichen hätte und Schlemmers Entwurf verschiedene Flächen suggerierte. Dadurch entstand ein Gefühl der Unruhe. Wie das nun mal so ist, erzählte Molnár, der in Gropius' Architekturbüro arbeitete, Gropius, was Doesburg gesagt hatte. Gropius fuhr nach Jena, sah sich das Ganze noch einmal an und ließ die Decke dann grau überstreichen. Als Schlemmer das hörte, war er zutiefst beleidigt und stocksauer auf Doesburg."[84]

Auch Walter Dexels Schilderung macht die Kritik Theo van Doesburgs dafür verantwortlich, daß Gropius die Malerei von Schlemmer im Jenaer Theater entfernen ließ. Unklar bleibt allerdings, ob es sich dabei

---

[79] Tagebucheintrag Oskar Schlemmers vom März 1922, zit. nach Wulf Herzogenrath, Oskar Schlemmer. Die Wandgestaltung der neuen Architektur, a. a. O., S. 31.

[80] Aus dem Nachlaß Schlemmers haben mir sämtliche Farbstudien, von denen die Nachkommen denken, daß sie im Zuge der Entwurfsarbeit für das Jenaer Theater entstanden, vorgelegen. Karin von Maur hat sie zum Teil schon 1979 publiziert. Sie sind hier nicht aufgenommen, da die Zuweisung zum Jenaer Theaterprojekt zweifelhaft erscheint. Vgl. Karin von Maur, Oskar Schlemmer, Bd. 1 Monographie, Bd. 2 Œuvrekatalog, München 1979, S. 230, Nr. A 103, A 104, A 105, S. 231, Nr. A 106, A 107.

[81] Wulf Herzogenrath, Oskar Schlemmer. Die Wandgestaltung der neuen Architektur, a. a. O., S. 31.

[82] Ebda., S. 227, Anm. 110.

[83] Brief Walter Gropius' an Stadtbaurat Elsner vom 15. 7. 1922, Stadtarchiv Jena, Akte B IV h, Nr. 15, o. P.

[84] Andor Weininger, Weininger spricht über das Bauhaus, 1982 – 84, hg. von Katherine Jánszky Michaelsen, in: Ausst.-Kat. Andor Weininger. Vom Bauhaus zur konzeptuellen Kunst, Kunstverein für die Rheinlande und Westfalen Düsseldorf, Stuttgart 1990, S. 25 – 50, S. 32f.

um ein Deckengemälde im Saal oder um die farbige Gestaltung der Wände handelte. „Hier kann ich nicht umhin, ein Erlebnis einzuflechten, dem wir in unserem Hause in Jena beiwohnen mußten. Gropius und Schlemmer waren an einem Nachmittag bei uns. Doesburg, der sich vorher die Ausmalung des Foyers und des Zuschauerraumes in besagtem Stadttheater angesehen hatte, war auch anwesend. Es ist nicht zu wiederholen, mit welch überscharfen Worten Doesburg diese farbige Gestaltung des Theaters angriff. Der feinfühlige Schlemmer wußte überhaupt nichts zu sagen. Gropius verteidigte die Ausmalung mit schwachen Kräften. Wir armen Gastgeber saßen mehr oder weniger stumm und vor allem gequält dabei. Wir schätzten Schlemmer sehr und waren mit Doesburg gut befreundet – und waren nur froh, als der Sturm vorüber war."[85]

Schließlich nahm Lothar Schreyer den Vorfall zum Ausgangspunkt, einen Dialog zu verfassen, der in einen Essay über den Künstler mit dem Titel „Die Kunstfigur" einmündet. Die Schwierigkeit des Textes besteht darin, Dichtung und Wahrheit zu unterscheiden, da es Schreyer darauf ankam, dem Drama das gebührende Kolorit zu verleihen. Der Dialog setzt mit einer kurzen, der Diktion nach sachlichen Schilderung ein, die für den Zusammenhang besondere Relevanz erlangt. „Oskar Schlemmer war sehr niedergeschlagen aus Jena zurückgekommen. In Jena hatte Gropius das neue Theater gebaut, einen kleinen Bau von vornehmer Sachlichkeit. Oskar Schlemmers Aufgabe war es, den Plafond des Zuschauerraumes mit einem Deckengemälde zu füllen. Das große Deckengemälde war fertig. Aber Gropius hatte soeben angeordnet, daß es wieder abgewaschen werden müsse. Ich fand Oskar Schlemmer in seinem Bildhaueratelier auf einem Modellierschemel sitzen, ein Unglücksmann, bleich, Schweißtropfen auf dem nacktrasierten Schädel. Der Ausdruck des Gesichtes war der eines gescholtenen Kindes, das nicht begreift, weshalb es gescholten worden ist."[86] Schreyer spricht ebenso wie Andor Weininger ausschließlich von einem Deckengemälde, ohne ein Wort über die Wände des Saals zu verlieren, für deren farbige Behandlung Schlemmer nachweislich wenigstens einen Entwurf geliefert hat.

In Kenntnis der Quellen hat Herzogenrath den Nachlaß von Schlemmer gesichtet und eine Skizze zutage gefördert, die auf eine schachbrettartige Komposition deutet, von der Andor Weininger ausdrücklich gesprochen hat.[87] Es handelt sich bei dem Blatt um eine Arbeitsanweisung an den Studierenden Hermann Müller, die folgenden Wortlaut hat: „Eine Aufgabe, die für Wandgestaltung oder auch applizierten Vorhang in Frage kommt: kleine regelmäßige Quadrate verschiedenfarbig so zu reihen und zu ordnen, daß es auf Entfernung gleichmäßig und ruhig wirkt ... Versuche verschiedene Stimmungen (blauviolett) (rosa, blaßblau, violett) etc. Form: nimm eine beliebiges (etwa 10 cm) Quadrat zinnober auf weißem Papier an und accomponiere dazu entsprechende weitere Quadrate, Streifen, Linien in zum Zinnober passenden Farben. Schmidt soll dergleichen tun. Also arbeitet und betet! Gruß / O. S." Am Rand steht eine weitere Notiz: „Nimm den Bühnenabschnitt und teile ihn proportional zum Ganzen in kleine Quadrate, event. auch Quadrate diagonal halbieren, nicht symmetrisch geteilt."[88]

Was Schlemmer als Aufgabe formulierte, nämlich „kleine regelmäßige Quadrate verschiedenfarbig so zu reihen und zu ordnen, daß es auf Entfernung gleichmäßig und ruhig wirkt", sollte van Doesburg in der Überlieferung Andor Weiningers gerade gegen seine Malerei vorbringen: „Doesburg meinte, daß die Malerei die Architektur zerstöre, weil ... Schlemmers Entwurf verschiedene Flächen suggerierte. Dadurch entstand ein Gefühl der Unruhe." Schlemmers Arbeitsauftrag, Farbfelder so zu kombinieren, daß ihre Bewegungsenergien sich gegenseitig neutralisieren, stellt eine künstlerische Herausforderung von nicht unbeträchtlichem Schwierigkeitsgrad dar. In der Tat aber erhebt sich die Frage, ob die Gestaltung des Saals eine Farbfeldmalerei in der oben beschriebenen Weise zuläßt, ohne daß die plastische

---

[85] Walter Dexel, Bericht über den Kunstverein Jena III, 1965, in: Walter Vitt (Hg.), Walter Dexel. Der Bauhausstil – Ein Mythos, Texte 1921 – 1965, S. 55 – 74, S. 64f.
[86] Lothar Schreyer, Die Kunstfigur, in: Ders., Erinnerungen an Sturm und Bauhaus, München 1956, S. 174 – 184, S. 174.
[87] Siehe Wulf Herzogenrath, Oskar Schlemmer. Die Wandgestaltung der neuen Architektur, a. a. O., S. 30, Abb. 14.
[88] Zit. n. ebda., S. 29f.

Qualität der Innenarchitektur dabei verliert. Ein jüngst entdeckter Farbentwurf von Hinnerk Scheper zeigt (Abb. 94), daß die Bewegungen der Farben, ihr optisches Vor- und Zurückweichen, sich verselbständigen und Spannungen erzeugen, die das Relief der Decke nicht auffangen kann.[89] Vor diesem Hintergrund mag vielleicht die Entscheidung von Gropius verständlich werden, den Saal mit neutralem Grau fassen zu lassen.

Die Farbgestaltung des Jenaer Theaters in ihrer endgültigen Form dokumentiert ein Artikel des Architekten Oskar Rhode, der am 2. Oktober 1922 in der „Jenaischen Zeitung" erschien. Charakteristisch für das realisierte Farbkonzept ist es, jedem Raumkompartiment des Theaters eine bestimmte Farbe zuzuweisen, wenngleich das Prinzip nicht streng durchgehalten wird. Daß die Farbe dem Architekten die Möglichkeit an die Hand gibt, kontrastierende Raumeindrücke zu verstärken oder zu minimieren, zeigt schon die Tatsache, daß man „durch einen kleinen blau gemalten Windfang hindurch in die weiten Umgänge" gelangte. „Der Erfrischungsraum", so wird das Foyer von Rhode bezeichnet, „ist der lichteste des ganzen Hauses in einer freudigen, gelblichen Tönung ... Rechts und links des Erfrischungsraumes schließen die schon erwähnten Vorräume vor den Kleiderablagen den gesamten Umgang. Sie sind in einem matten Violett gemalt ... Die beiden neuen, zum Rang führenden Treppenhäuser sind terrakottafarben ... Ist eine der seitlichen Türen weit geöffnet, so zeigt sich ein sehr schönes Bild des Innern mit seinem rötlichen Mittelteile und der von ihm umfaßten gegenüberliegenden Tür mit ihrem kreisrunden Kupferbeschlag. Weiter eintretend erkennt man dann, wie dieser Mittelteil wie eine Schabrackendecke über dem sonst grau gehaltenen Raum liegt, rechts und links von je 4 mächtigen Lichtkasten gekrönt. ... Die Decke zeigt groß angelegte Abtreppungen, die einige Meter vor den Stirnwänden absetzen und um einiges zurückspringend sich grau gestrichen bis zum Aufhören fortsetzen. ... Die Tiefe oberhalb und unterhalb des Rangbodens fängt wieder die tiefblaue Farbe des Vorhanges auf. Das Grau der Bühnenstirnwand und des Raumteiles bis zu dem Rücksprung der Decke kehrt auch an der Rangbrüstung wieder und an dem nebenliegenden Wandteil. Unterhalb aber des rötlichen Mittelteiles sind die beiden grauen Regionen der Stirnwände wieder durch ein ebenfalls graues niedriges Sockelband miteinander ‚verspannt', das sich in den mittleren Seitentüren wieder aufdehnt, geradeso wie bei der Außenansicht."[90]

[89] Vgl. Ausst.-Kat. Farbenfroh! Colourful! Die Werkstatt für Wandmalerei am Bauhaus. The Wallpainting Workshop at the Bauhaus, hg. von Renate Scheper für das Bauhaus-Archiv Berlin, Berlin 2005, S. 50f.

[90] Oskar Rhode, Das neue Theater der Stadt Jena, in: Jenaische Zeitung vom 2. 10. 1922

Das Jenaer Theater überstand den 2. Weltkrieg unbeschadet. Allerdings sollte der Bau schon bald nach 1945 für unzureichend befunden werden. Folgt man der für die Öffentlichkeit bestimmten Darstellung des Weimarer Architekten Ernst Kühne, so lagen die maßgeblichen Gründe für den Umbau von 1947/48 darin, die „seit vielen Jahren bestehende Baufälligkeit" zu beseitigen und überdies die „Bühnenmaschinerie, Beleuchtung usw. dem neuesten Stande der Technik" anzupassen.[91] Kühne hatte es übernommen, die Umgestaltungspläne zu erarbeiten, die er in Verbindung mit dem Bauantrag vom 10. März 1947 bei den Behörden einreichte. In dem internen Papier nannte der Architekt ein weiteres Argument anderer Art für die geplanten Bauarbeiten: „Das Stadttheater soll zwecks Erhöhung des Ertrages umgebaut werden und erweitert werden."[92] Vor dem Hintergrund knapper Ressourcen entwickelte er den Plan, das Theater von Walter Gropius in drei Bauabschnitten umzugestalten. Bauabschnitt 1 sollte sich der Vergrößerung des Zuschauerraums widmen, Bauabschnitt 2 der völligen Neugestaltung des Bühnenhauses und Bauabschnitt 3 schließlich der Front des Theaters.

Um die Anzahl der Plätze von 692 auf 930 zu erhöhen, schlug Kühne vor, den Balkon um Seitenränge zu erweitern, ohne Veränderungen im Parkett vorzunehmen. Der Ausbau des Theaters um weitere Sitzplätze machte es erforderlich, die Decke des Saales, mithin das Dach insgesamt anzuheben, um den Luftraum zu vergrößern. Zu diesem Zweck ließ der Architekt stählerne Stützen im Bereich der Wandelgänge und Garderoben einstellen, die die Fachwerkkonstruktion entlasteten. Das alte Dach des Köhlerschen Theaters sollte abgetragen werden, sobald das neue, darüber errichtete hinreichend Schutz bot. Der Umbau- und Erweiterungsplan vom Januar 1947 dokumentiert das Vorhaben anschaulich, da Kühne den Grundriß des Gropius-Baus grün faßte, während sämtliche Ein-, Um- und Anbauten rot markiert sind (Abb. 95). Das Bühnenhaus, als letzte Maßnahme 1953 errichtet, ersetzte die hölzernen Bauten des Gartentheaters von 1872. Es wurde in der Breite auf den Saal von Walter Gropius zugeschnitten, indem der Architekt die Mauern des Zuschauerhauses verlängerte. Die Bühne selbst, um eine Hinter- und Seitenbühne ergänzt und von Garderoben und Werkstätten umgeben, erhöhte die künstlerischen Möglichkeiten des Theaters um ein beträchtliches. Selbst wenn der Architekt das Portal der Bühnenwand aufweitete, bildete der in seiner Grundfläche unveränderte Zuschauerraum von Walter Gropius mit dem erhaltenen Bühnenhaus von 1953 eine Einheit. Denn Kühne kam unter den gegebenen Voraussetzungen nicht umhin, sie aufeinander zu beziehen. Daher würde man die Innenräume bei einer Rekonstruktion des Zuschauerhauses nahtlos aneinanderfügen können. Doch stellt sich die Frage, ob die Baukörper dem Blick von außen genügen und in ein spannungsvolles, ästhetisch befriedigendes Verhältnis treten, da das Bühnenhaus gegenüber dem ersten Plan von Kühne auf der Westseite verbreitert wurde.

Als gravierendste Veränderung im Erscheinungsbild des Theaters muß die Umgestaltung der Fassade gelten, die abermals die Sprachmittel der klassischen Tradition bemühte, um einen hoheitsgebietenden Eindruck zu erzeugen (Abb. 96). Pfeilerhalle, Pilasterordnungen unterschiedlichen Zuschnitts und Dreiecksgiebel sind die für angemessen befundenen architektonischen Formen, die „dem Theater das erwünschte repräsentative Äußere ... geben, was es bisher stark vermissen ließ. Die in hellem Putz und bodenständigem Travertin ausgeführte vordere Fassade mit ihrer klaren und sachlichen Formgebung ist im Hinblick auf die Tatsache geschaffen worden, daß eines Tages der jetzt den Gebäudekomplex des Theaters völlig verdeckende Bau des Gasthauses ‚Goldener Engel' aus städtebaulichen Gründen dem Abbruch zum Opfer fallen wird und der dann über den Engelplatz kommende Passant das Stadttheater

[91] Ernst Kühne, Zum Umbau des Stadttheaters in Jena, in: Direktion des Stadttheaters Jena (Hg.), Stadttheater Jena, Umbau 1947 / 48. Zur Erinnerung an den Umbau des Stadttheaters Jena, Sonderdruck der Theaterblätter des Stadttheaters Jena, Jena 1948, S. 30 – 33, S. 30.

[92] Ernst Kühne, Bauantrag und Erläuterungsbericht vom 10. 3. 1947, Stadtarchiv Jena, Akte Wc Nr. 14, Bl. 1 – 3, Bl. 1.

ungedeckt durch andere Baulichkeiten vor sich liegen sieht."[93] Die Bemerkungen könnten zu der Schlußfolgerung verleiten, daß Kühne die Fassade vornehmlich auf Fernsicht hin entworfen hat, zumal er auf eine differenzierende Binnenzeichnung der Gliederungselemente verzichtete. Tatsächlich aber hätte sie, wie jedes Bauwerk, dem prüfenden Auge auch aus der Nähe standhalten müssen.

Was die Gestaltung des Saals angeht, so wurde die Idee, die Kapazität des Hauses durch zusätzliche Seitenränge zu erhöhen, bis Ostern 1948 realisiert (Abb. 97). Die Vorschläge zur Gestaltung der Fassade wurden dagegen nicht aufgegriffen. Vielmehr entschloß sich die Stadt, eine sehr vereinfachte Version des eingereichten Entwurfs auszuführen (Abb. 98). Man verzichtete auf das Pathos der klassizistischen Elemente zugunsten einer Fassade, die die Eingangsseite des Theaters von Walter Gropius unter ein gewaltiges Giebelfeld brachte, das sich, als solches kaum definiert, aus den Umbauten im Inneren herzuleiten scheint. Eine Fotografie der Front vom Dezember 1957 zeigt, daß es sich bei den Portalen noch um die originalen, von Gropius installierten handelt, ebenso wie bei den Fenstertüren, die allerdings, aus der Tiefe der Wand hervorgeholt, mit der Fassade bündig abschließen. Nachträgliche Veränderungen, wie der Einbau neuer Türen, haben die letzten sichtbaren Reminiszenzen der Bauhaus-Zeit getilgt (Abb. 99). Mit dem Abbruch des Zuschauerhauses im Frühjahr 1987 verschwanden schließlich auch die verborgenen Reste des Theaters von Walter Gropius (Abb. 100).

[93] Ernst Kühne, Zum Umbau des Stadttheaters in Jena, a. a. O., S. 33.

Abb. 1
Max Hunger, Gasthof zum goldenen Engel, Jena, Postkarte, Stempel vom 5. 7. 1900, Bildfeld 5,8 x 8,6 cm, Sammlung Frank Döbert, Jena

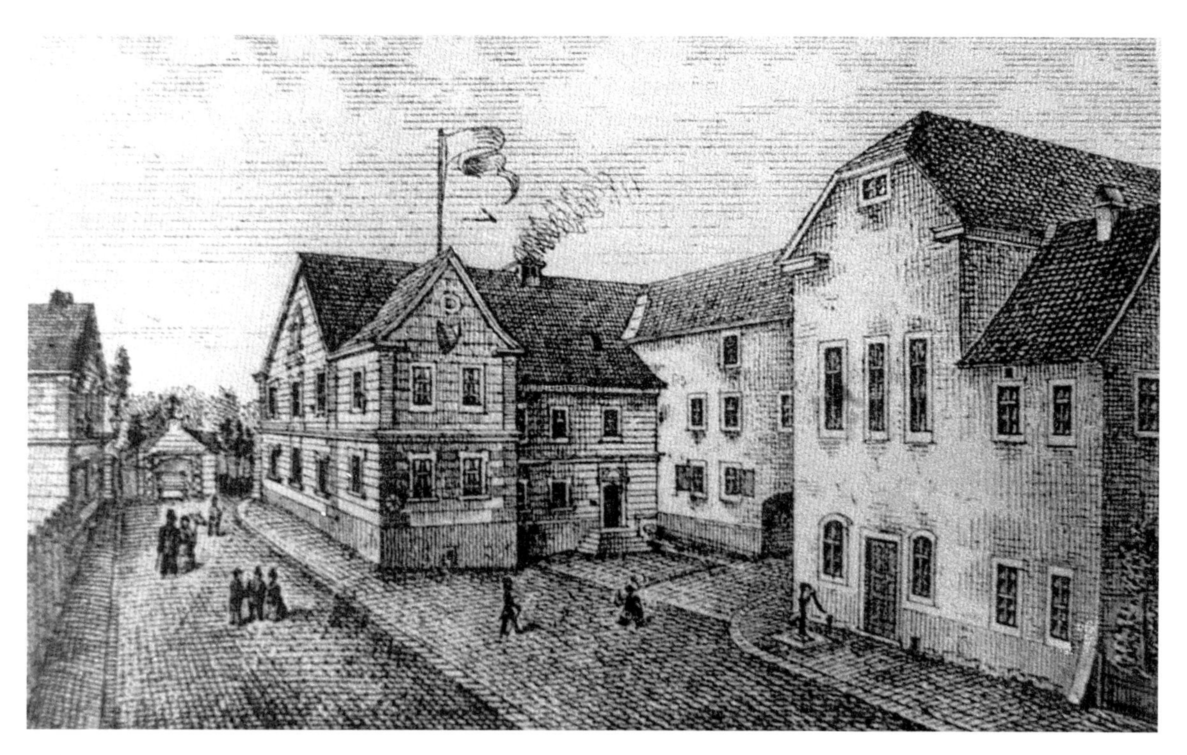

Abb. 2
Max Hunger, Gasthof zum goldenen Engel, Jena, um 1890, Lithographie, 9,1 x 14,4 cm, Stadtmuseum Jena, JenaKultur, Inv.-Nr. F 5, 1449, 21

Abb. 3
Bauatelier Walter Gropius, Stadttheater Jena, 1921 – 1922, Eingangsseite von Nordost,
Foto: Eckner, Bauhaus-Archiv Berlin, Inv.-Nr. 6457 / 5

Abb. 4
Bauatelier Walter Gropius, Stadttheater Jena, 1921 – 1922, Eingangsseite, nordöstlicher Eingang,
Foto: Eckner, Bauhaus-Archiv Berlin, Inv.-Nr. F 8256 / 9

Abb. 5
Bauatelier Walter Gropius, Stadttheater Jena, 1921 – 1922, Eingangsseite,
Foto: Eckner, Bauhaus-Archiv Berlin, Inv.-Nr. F 8256 / 5

Abb. 6
Bauatelier Walter Gropius, Stadttheater Jena, 1921 – 1922, Eingangsseite, nordöstliche Hälfte,
Foto: Eckner, Bauhaus-Archiv Berlin, Inv.-Nr. 6457 / 10

Abb. 7
Bauatelier Walter Gropius, Stadttheater Jena, 1921 – 1922, Eingangsseite, nordwestliche Hälfte,
Foto: Bauhaus-Archiv Berlin, Inv.-Nr. F 8256 / 3

Abb. 8
Bauatelier Walter Gropius, Stadttheater Jena, 1921 – 1922, Foyer,
Foto: Bauhaus-Archiv Berlin, Inv.-Nr. 6457 / 32

Abb. 9
Bauatelier Walter Gropius, Stadttheater Jena, 1921 – 1922, Treppenhaus,
Foto: Bauhaus-Archiv Berlin, Inv.-Nr. F 8256 / 10

Abb. 10
Bauatelier Walter Gropius, Stadttheater Jena, 1921 – 1922, Treppenhaus von oben gesehen, Foto: Eckner, Bauhaus-Archiv Berlin, Inv.-Nr. F 8256 / 7

Abb. 11
Bauatelier Walter Gropius, Stadttheater Jena, 1921 – 1922, Garderobe im Erdgeschoß, linke Seite,
Foto: Bauhaus-Archiv Berlin, Inv.-Nr. F 8256 / 14

Abb. 12
Bauatelier Walter Gropius, Stadttheater Jena, 1921 – 1922, Garderobe im Erdgeschoß, linke Seite,
Foto: Bauhaus-Archiv Berlin, Inv.-Nr. 6457 / 31

Abb. 13
Bauatelier Walter Gropius, Stadttheater Jena, 1921 – 1922, Saaltüre,
Foto: Bauhaus-Archiv Berlin, Inv.-Nr. 6457 / 34

Abb. 14
Bauatelier Walter Gropius, Stadttheater Jena, 1921 – 1922, Zuschauerraum, Bühnenwand,
Foto: Bauhaus-Archiv Berlin, Inv.-Nr. F 8256 / 13

Abb. 15
Bauatelier Walter Gropius, Stadttheater Jena, 1921 – 1922, Zuschauerraum, Blick von der Bühne,
Foto: Bauhaus-Archiv Berlin, Inv.-Nr. 6457 / 17

Abb. 16
Bauatelier Walter Gropius, Stadttheater Jena, 1921 – 1922, Zuschauerraum, Blick vom Balkon,
Foto: Bauhaus-Archiv Berlin, Inv.-Nr. 6457 / 23

Abb. 17
Bauatelier Walter Gropius, Stadttheater Jena, 1921 – 1922, Zuschauerraum, Bühnen- und Saalwand, rechts, Foto: Bauhaus-Archiv Berlin, Inv.-Nr. F 8256 / 12

Abb. 18
Bauatelier Walter Gropius, Stadttheater Jena, 1921 – 1922, Zuschauerraum, Schrägsicht auf den Balkon, Foto: Bauhaus-Archiv Berlin, Inv.-Nr. F 8256 / 16

Abb. 19
Bauatelier Walter Gropius, Stadttheater Jena, 1921 – 1922, Zuschauerraum, Lichtkästen vom Balkon gesehen, linke Seite, Foto: Bauhaus-Archiv Berlin, Inv.-Nr. F 8256 / 11

Abb. 20
Bauatelier Walter Gropius, Stadttheater Jena, 1921 – 1922, Zuschauerraum, Blick von der Bühne, Aufnahme 1923,
Foto: Bauhaus-Archiv Berlin, Inv.-Nr. F 2954

Abb. 21
Max Littmann, Großherzogliches Hoftheater Weimar, 1906 – 1908, Variables Proszenium mit offenem Orchester, Foto: Lehrstuhl für Kunstgeschichte mit Kustodie, Friedrich Schiller-Universität Jena

Abb. 22
Max Littmann, Großherzogliches Hoftheater Weimar, 1906 – 1908, Variables Proszenium mit geschlossenem Orchester, Foto: Lehrstuhl für Kunstgeschichte mit Kustodie, Friedrich Schiller-Universität Jena

Abb. 23
Max Littmann, Großherzogliches Hoftheater Weimar, 1906 – 1908, Zuschauerraum, Blick von der Bühne,
Foto: Lehrstuhl für Kunstgeschichte mit Kustodie, Friedrich Schiller-Universität Jena

Abb. 24
Friedrich Lehmann, Stadttheater Osnabrück, 1907 – 1909, Zuschauerraum, Blick von der Bühne, Foto: Lehrstuhl für Kunstgeschichte mit Kustodie, Friedrich Schiller-Universität Jena

Abb. 25
Friedrich Lehmann, Stadttheater Osnabrück, 1907 – 1909, Ansicht,
Foto: Lehrstuhl für Kunstgeschichte mit Kustodie, Friedrich Schiller-Universität Jena

Abb. 26
Theodor Fischer, Stadttheater Heilbronn, 1909 – 1913, Ansicht,
Foto: Lehrstuhl für Kunstgeschichte mit Kustodie, Friedrich Schiller-Universität Jena

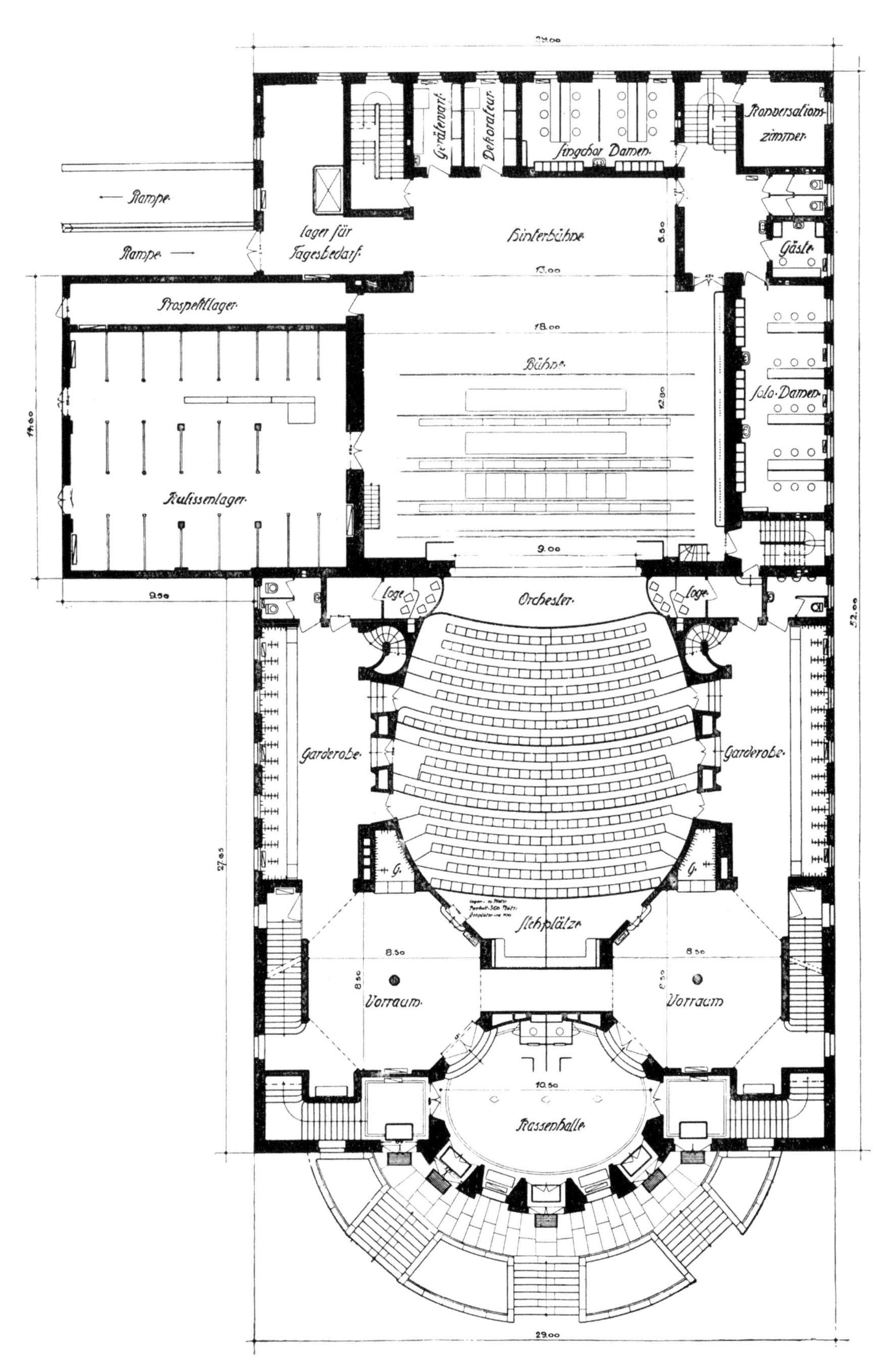

Abb. 27
Theodor Fischer, Stadttheater Heilbronn, 1909 – 1913, Grundriß des Erdgeschosses,
Foto: Lehrstuhl für Kunstgeschichte mit Kustodie, Friedrich Schiller-Universität Jena

Abb. 28
Theodor Fischer, Stadttheater Heilbronn, 1909 – 1913, Zuschauerraum, Bühnenwand,
Foto: Lehrstuhl für Kunstgeschichte mit Kustodie, Friedrich Schiller-Universität Jena

Abb. 29
Theodor Fischer, Stadttheater Heilbronn, 1909 – 1913, Zuschauerraum, Blick von der Bühne,
Foto: Lehrstuhl für Kunstgeschichte mit Kustodie, Friedrich Schiller-Universität Jena

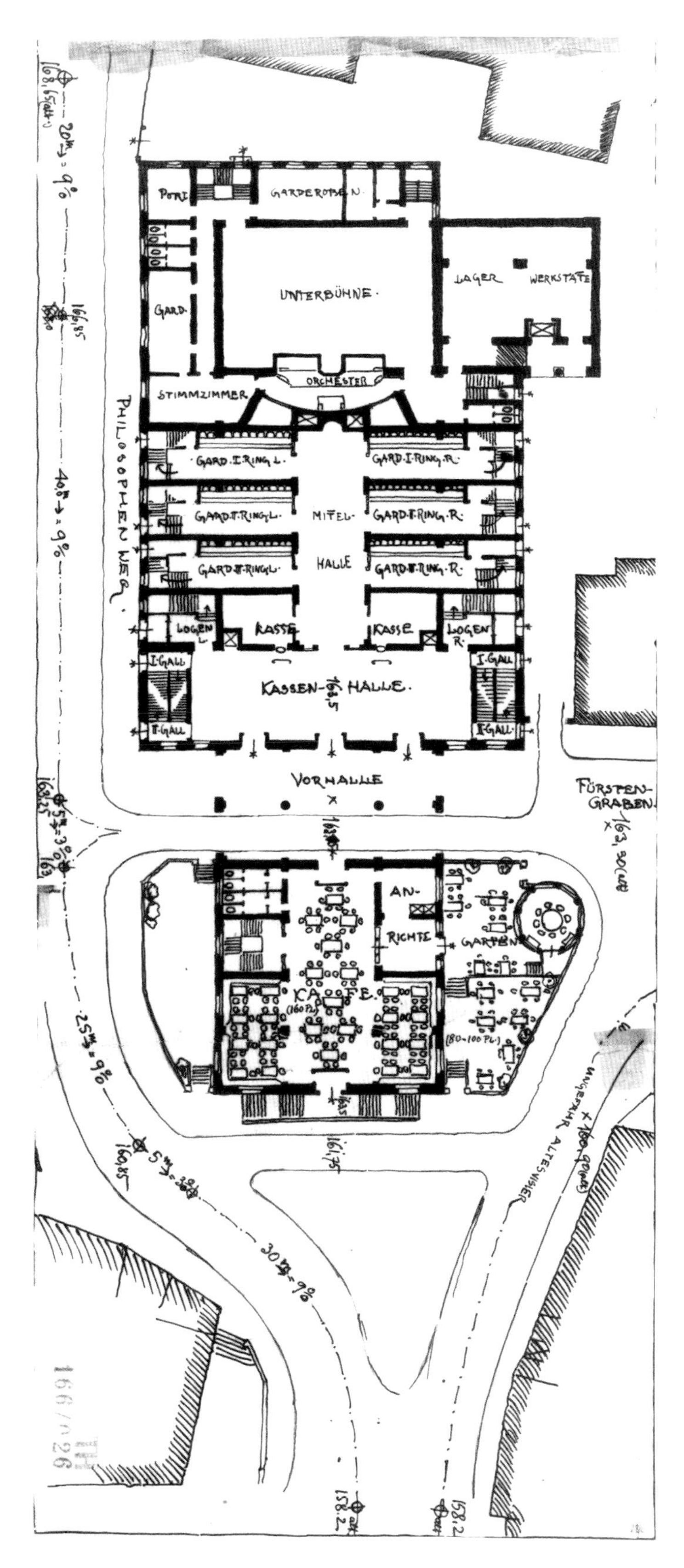

Abb. 30
Theodor Fischer, Entwurf für ein Stadttheater in Jena, 1915, Grundriß des Erdgeschosses, Zeichnung, 62,0 x 25,5 cm, Tusche auf Transparent, teilweise laviert, Technische Universität München, Architekturmuseum, Sig. 166 / 026

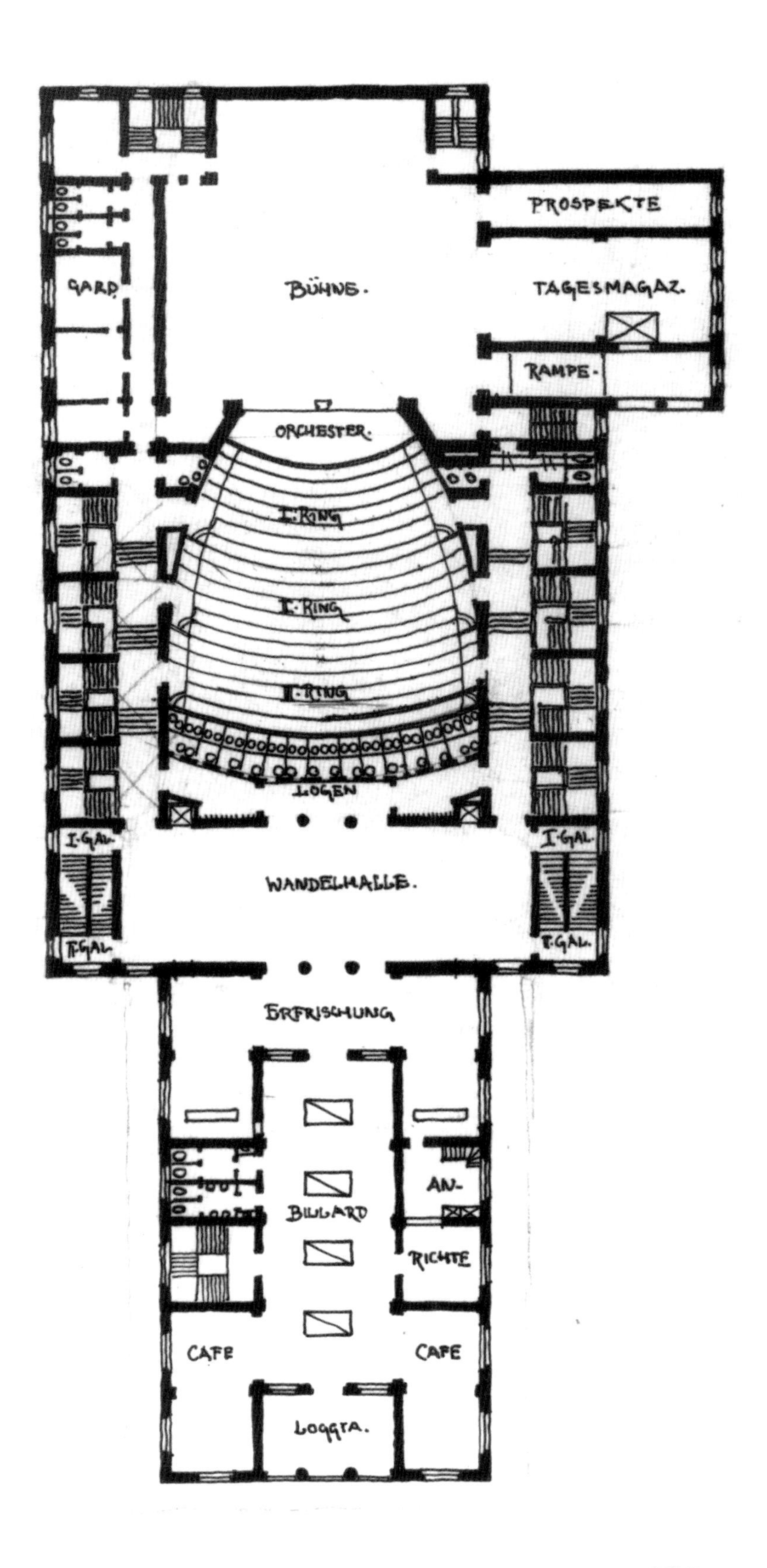

Abb. 31
Theodor Fischer, Entwurf für ein Stadttheater in Jena, 1915, Grundriß des Parketts, Zeichnung, 48,5 x 23,5 cm, Tusche auf Transparent, teilweise laviert, Technische Universität München, Architekturmuseum, Sig. 166 / 025

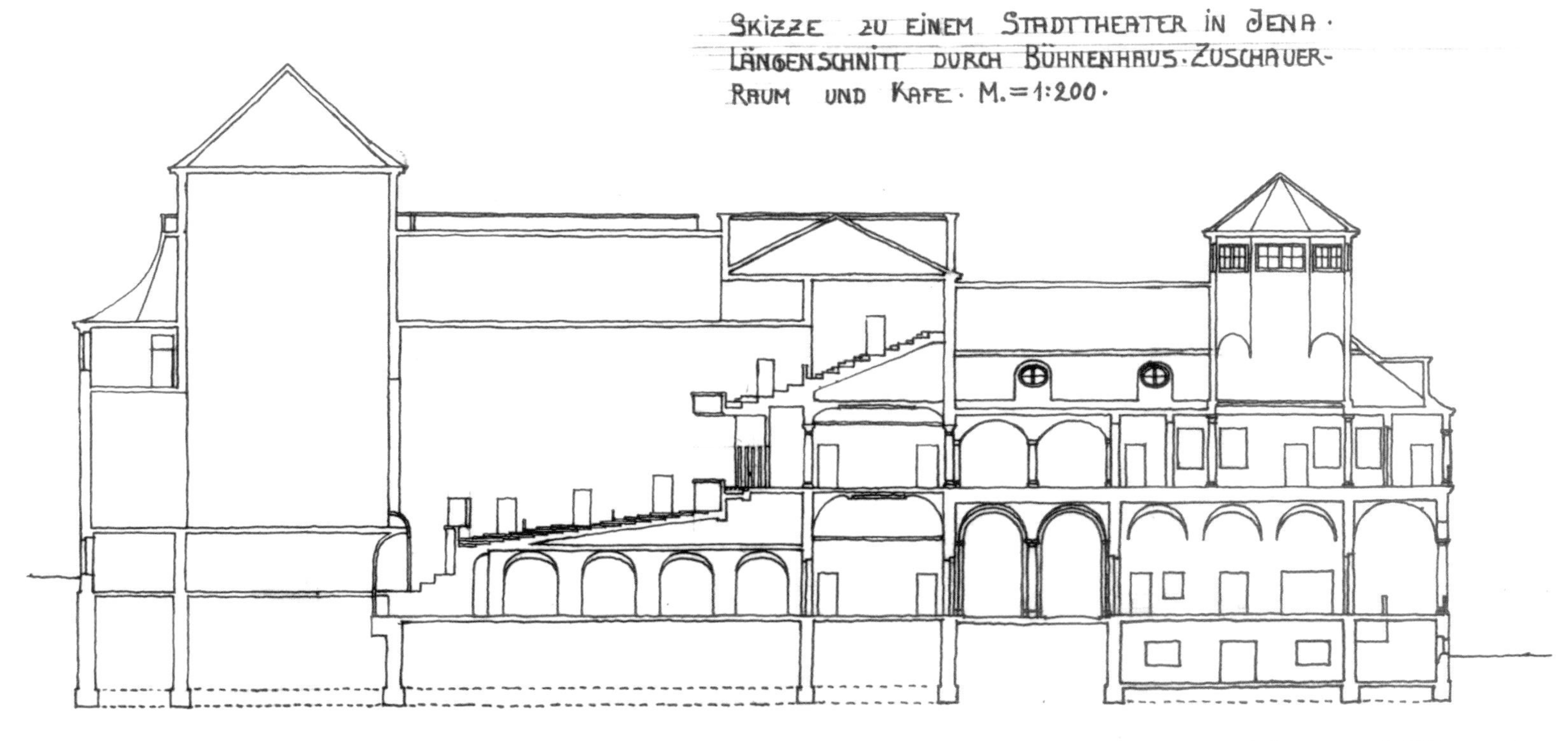

Abb. 32
Theodor Fischer, Entwurf für ein Stadttheater in Jena, März 1915, Längsschnitt, Zeichnung, 26,0 x 53,0 cm, Tusche auf Transparent, Technische Universität München, Architekturmuseum, Sig. 166 / 032

Abb. 33
Theodor Fischer, Entwurf für ein Stadttheater in Jena, Januar 1915, Fassade, Zeichnung, 18,6 x 26,0 cm, Feder auf Papier, laviert, Technische Universität München, Architekturmuseum, Sig. 166 / 005

Abb. 34
Theodor Fischer, Entwurf für ein Stadttheater in Jena, März 1915, Fassade, Zeichnung, 50,5 x 60,0 cm, Tusche auf Papier, laviert, Technische Universität München, Architekturmuseum, Sig. 166 / 006

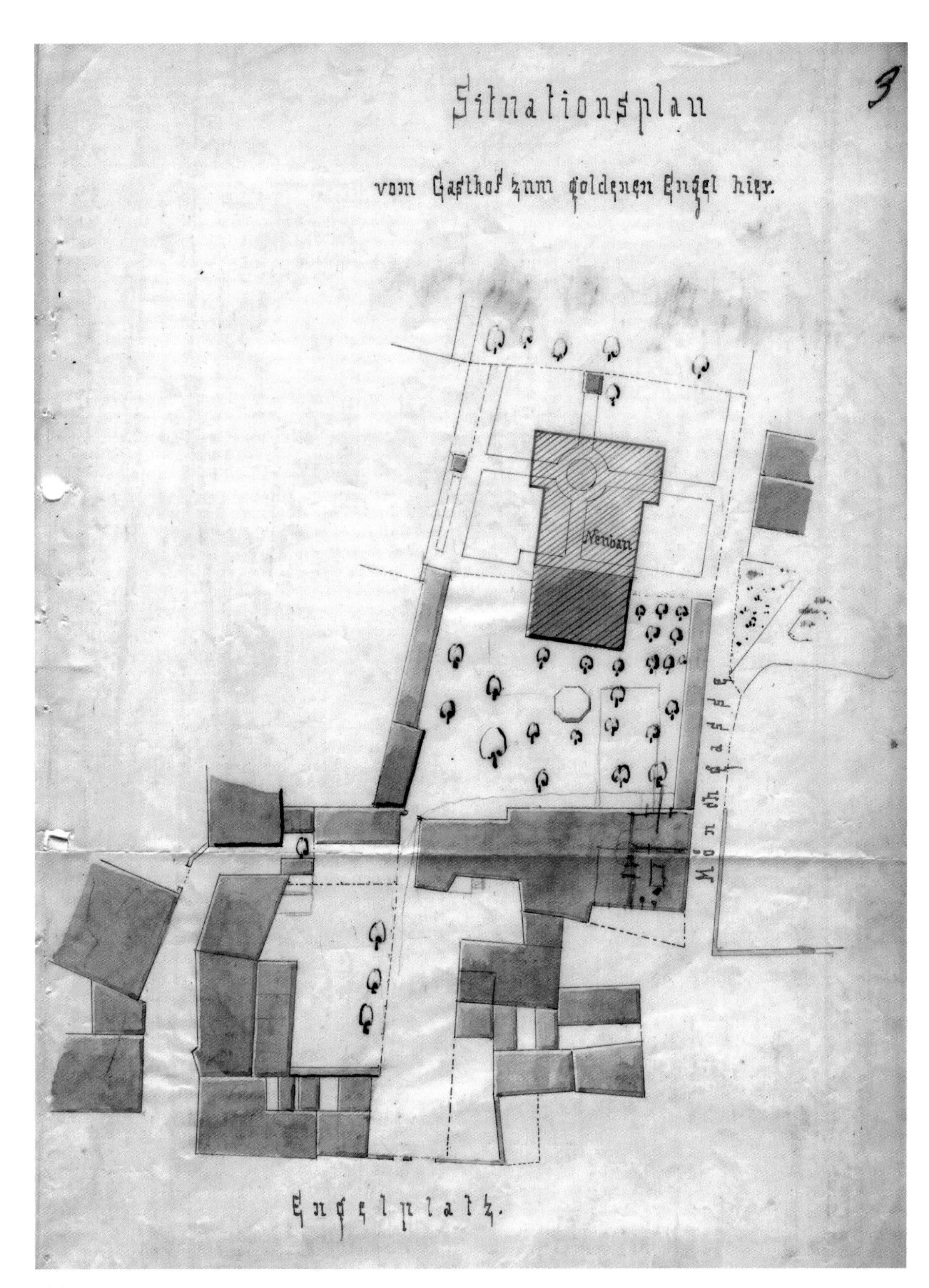

Abb. 35
Wilhelm Giese, Situationsplan des Gasthofs zum goldenen Engel, Juni 1872,
Tusche und Aquarell auf Transparent, 38,0 x 21,0 cm, Bauaktenarchiv der Stadt Jena,
Schillergäßchen 1, Akte Theater 1872 – 1946, Bl. 3

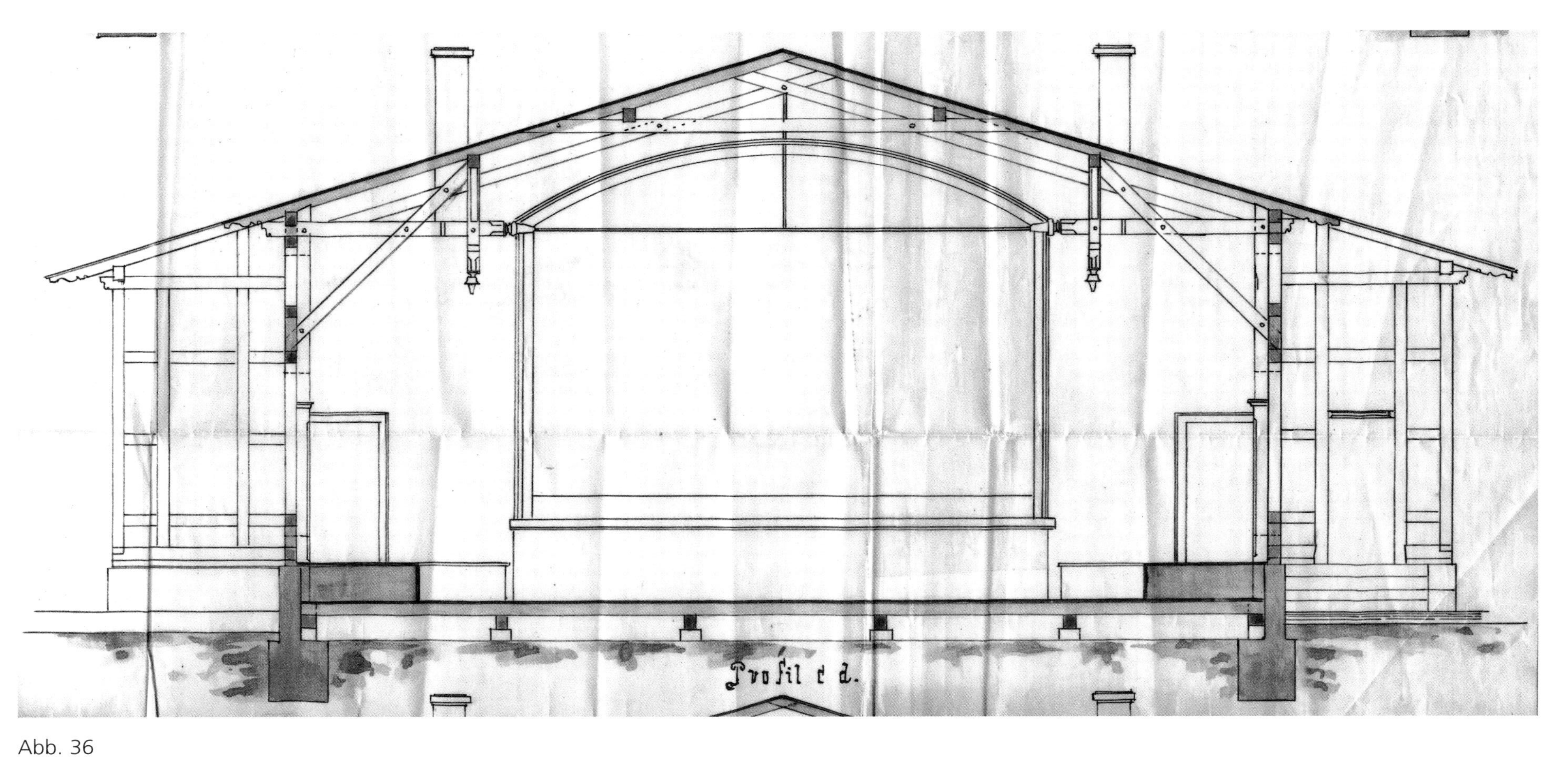

Abb. 36
Wilhelm Giese, Projekt zum Neubau eines Sommer-Theaters, Juni 1872, Tusche und Aquarell auf Transparent, 35,7 x 65,2 cm, Ausschnitt Profil c d (Querschnitt Saal mit Aufriß Bühnenwand), Bauaktenarchiv der Stadt Jena, Schillergäßchen 1, Akte Theater 1872 – 1946, Bl. 4

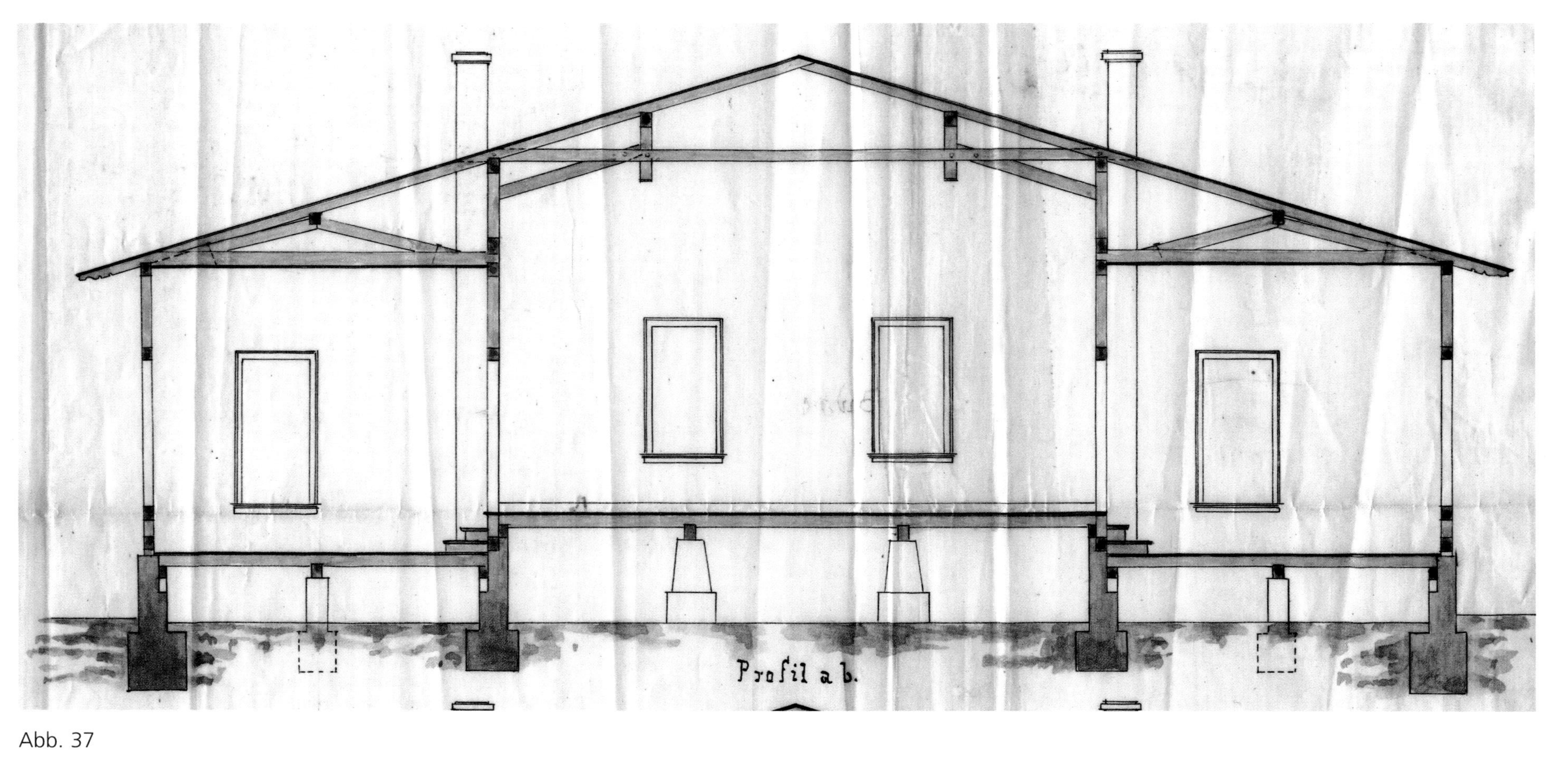

Abb. 37
Wilhelm Giese, Projekt zum Neubau eines Sommer-Theaters, Juni 1872, Tusche und Aquarell auf Transparent, 35,7 x 65,2 cm, Ausschnitt Profil a b (Schnitt Bühne), Bauaktenarchiv der Stadt Jena, Schillergäßchen 1, Akte Theater 1872 – 1946, Bl. 4

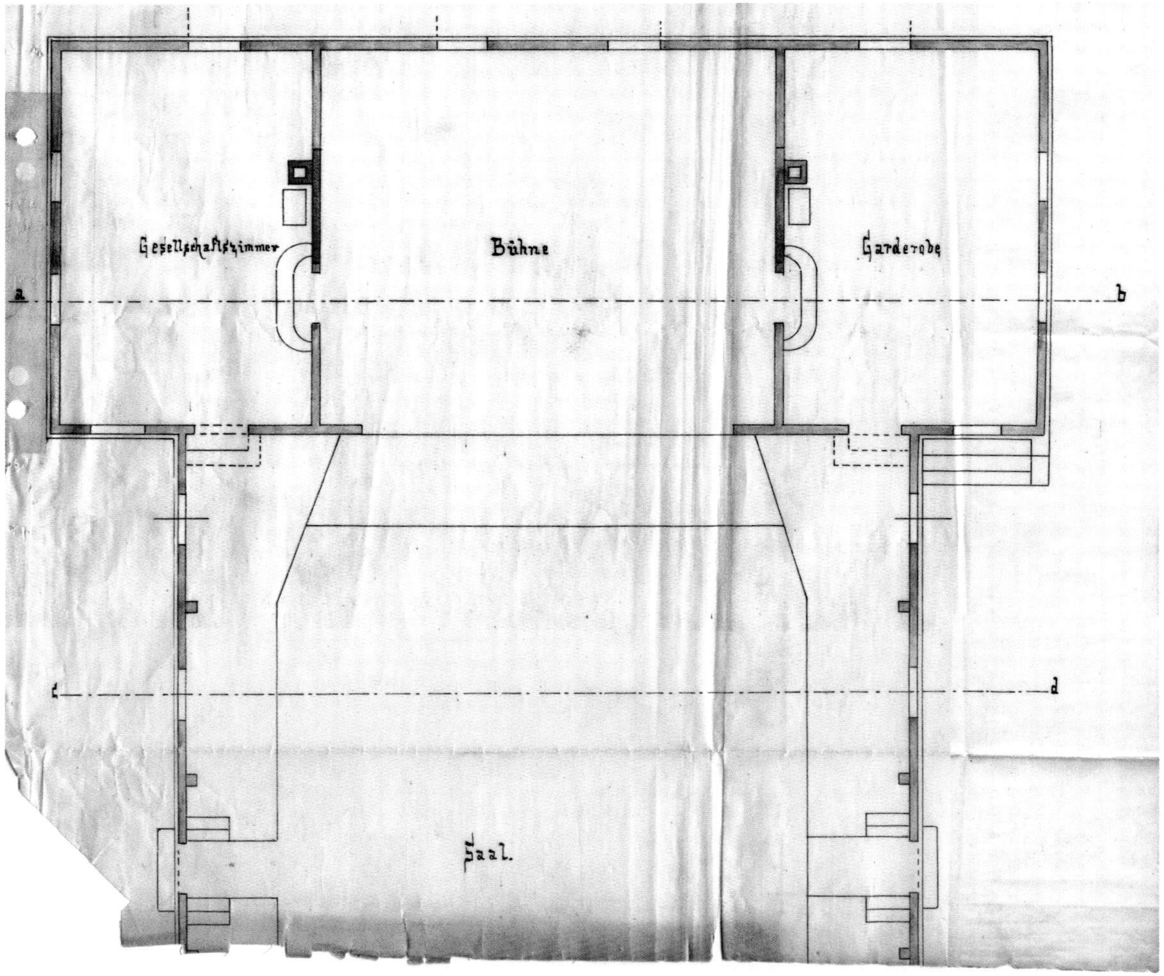

Abb. 38
Wilhelm Giese, Projekt zum Neubau eines Sommer-Theaters, Juni 1872,
Tusche und Aquarell auf Transparent, 35,7 x 65,2 cm, Ausschnitt Grundriß (unvollständig erhalten),
Bauaktenarchiv der Stadt Jena, Schillergäßchen 1, Akte Theater 1872 – 1946, Bl. 4

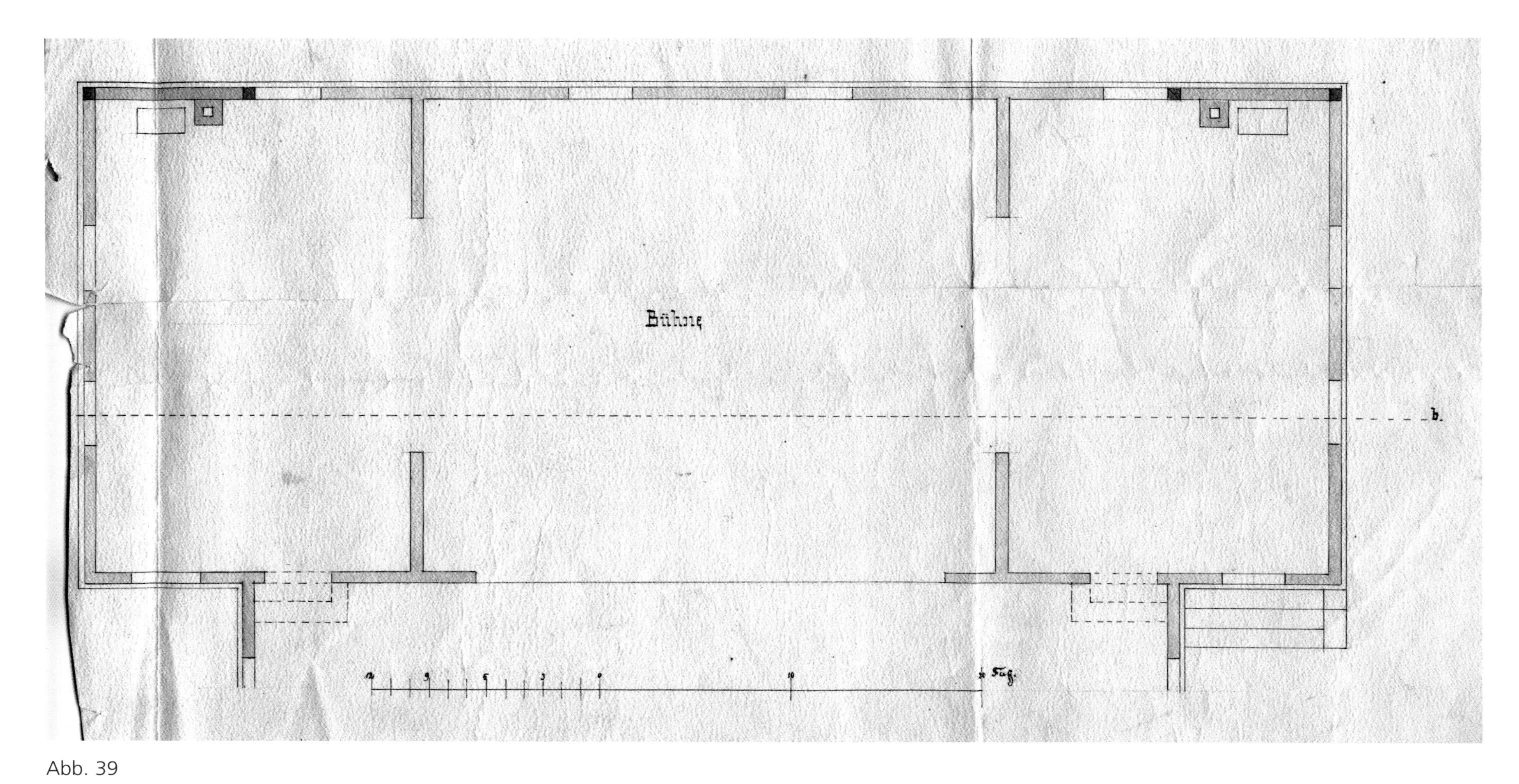

Abb. 39
Wilhelm Giese, Zeichnung zum Aufbau über der Bühne des Sommer-Theaters, August 1872, Tusche und Aquarell auf Papier, 44,7 x 33,8 cm, Ausschnitt Grundriß, Bauaktenarchiv der Stadt Jena, Schillergäßchen 1, Akte Theater 1872 – 1946, Bl. 7

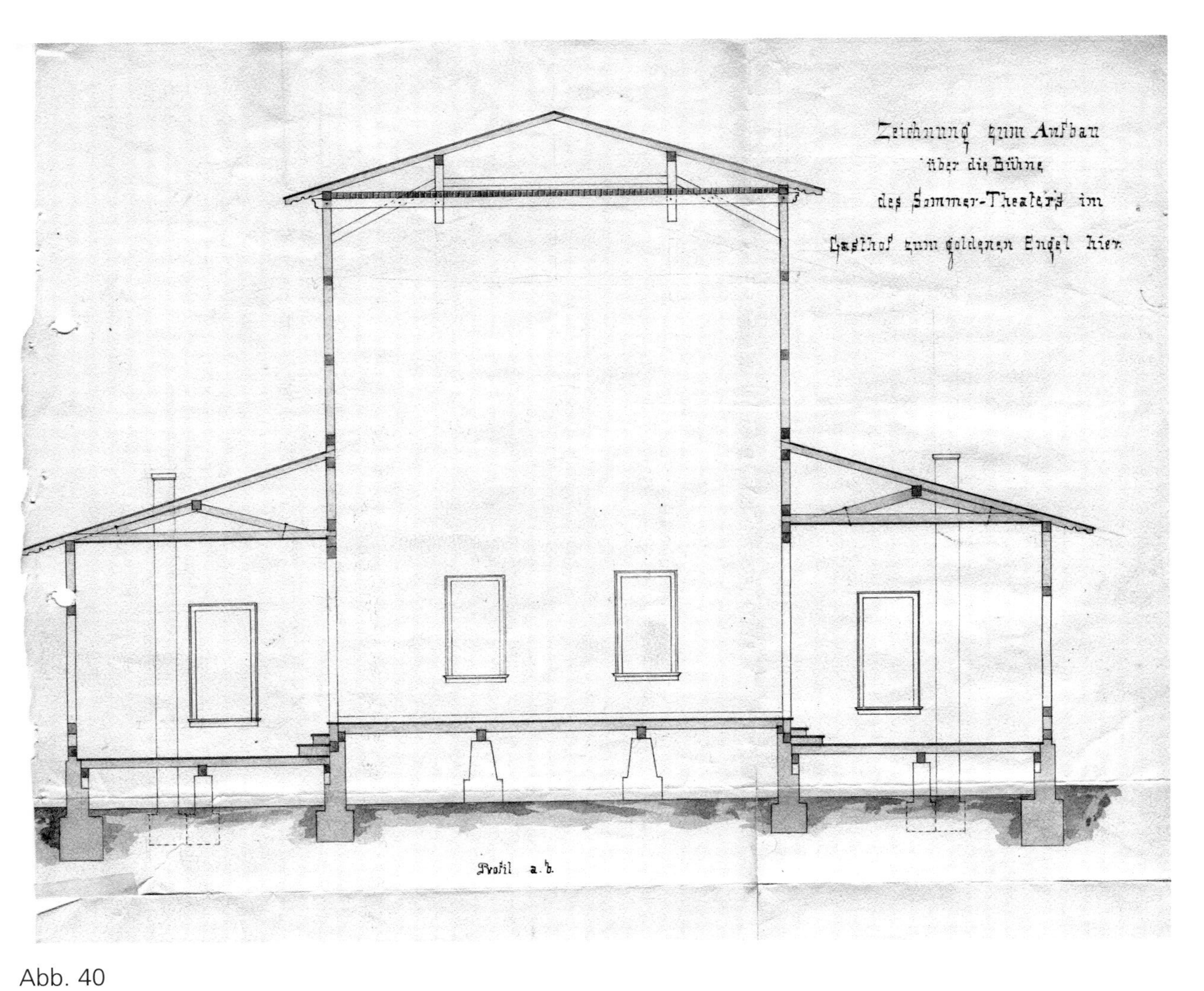

Abb. 40
Wilhelm Giese, Zeichnung zum Aufbau über der Bühne des Sommer-Theaters, August 1872, Tusche und Aquarell auf Papier, 44,7 x 33,8 cm, Ausschnitt Profil a b (Schnitt Bühnenhaus), Bauaktenarchiv der Stadt Jena, Schillergäßchen 1, Akte Theater 1872 – 1946, Bl. 7

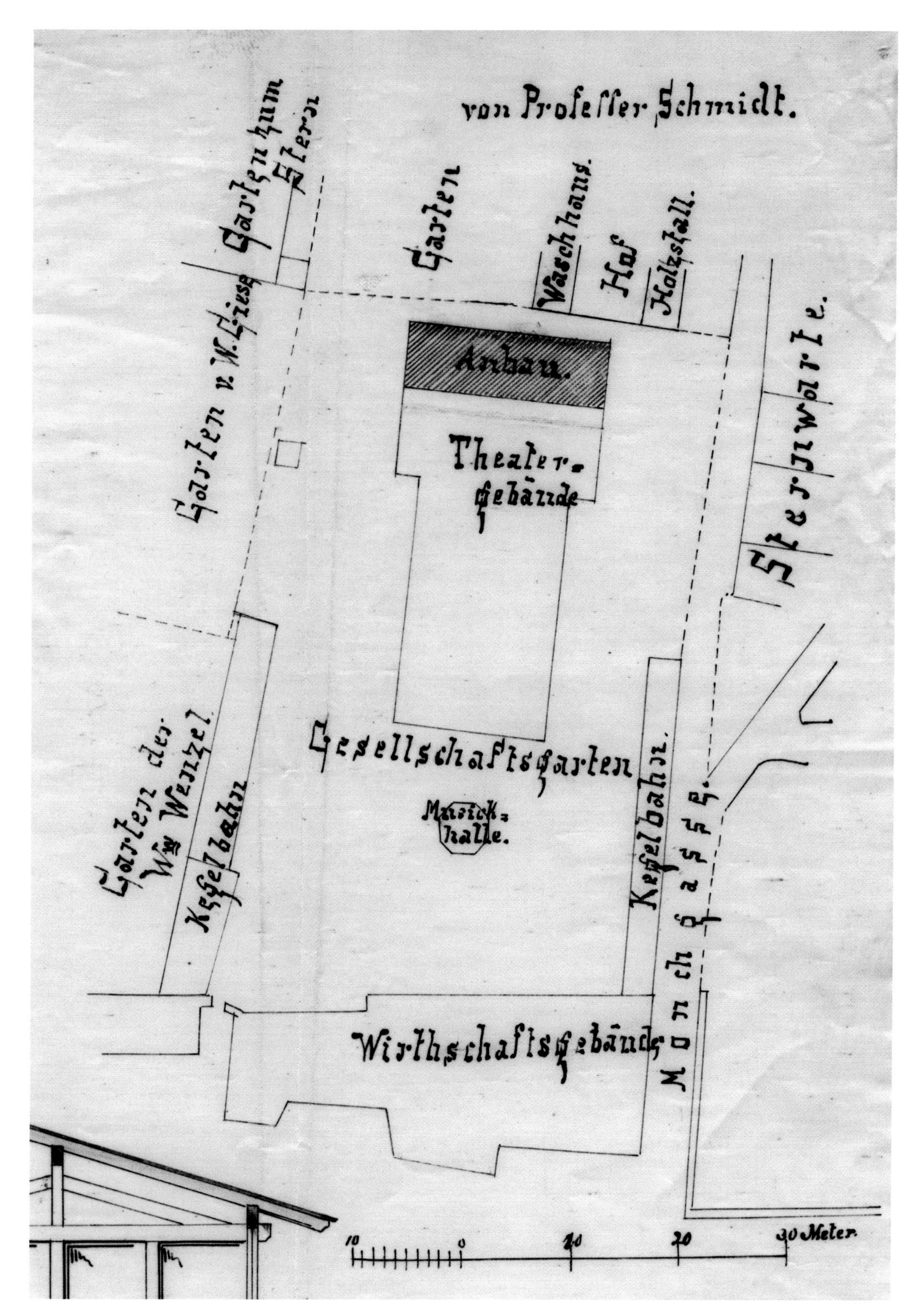

Abb. 41
Wilhelm Giese, Zeichnung für den Anbau an das Theatergebäude, September 1872, Tusche und Aquarell auf Transparent, 47,7 x 36,5 cm, Ausschnitt Lageplan, Bauaktenarchiv der Stadt Jena, Schillergäßchen 1, Akte Theater 1872 – 1946, Bl. 10

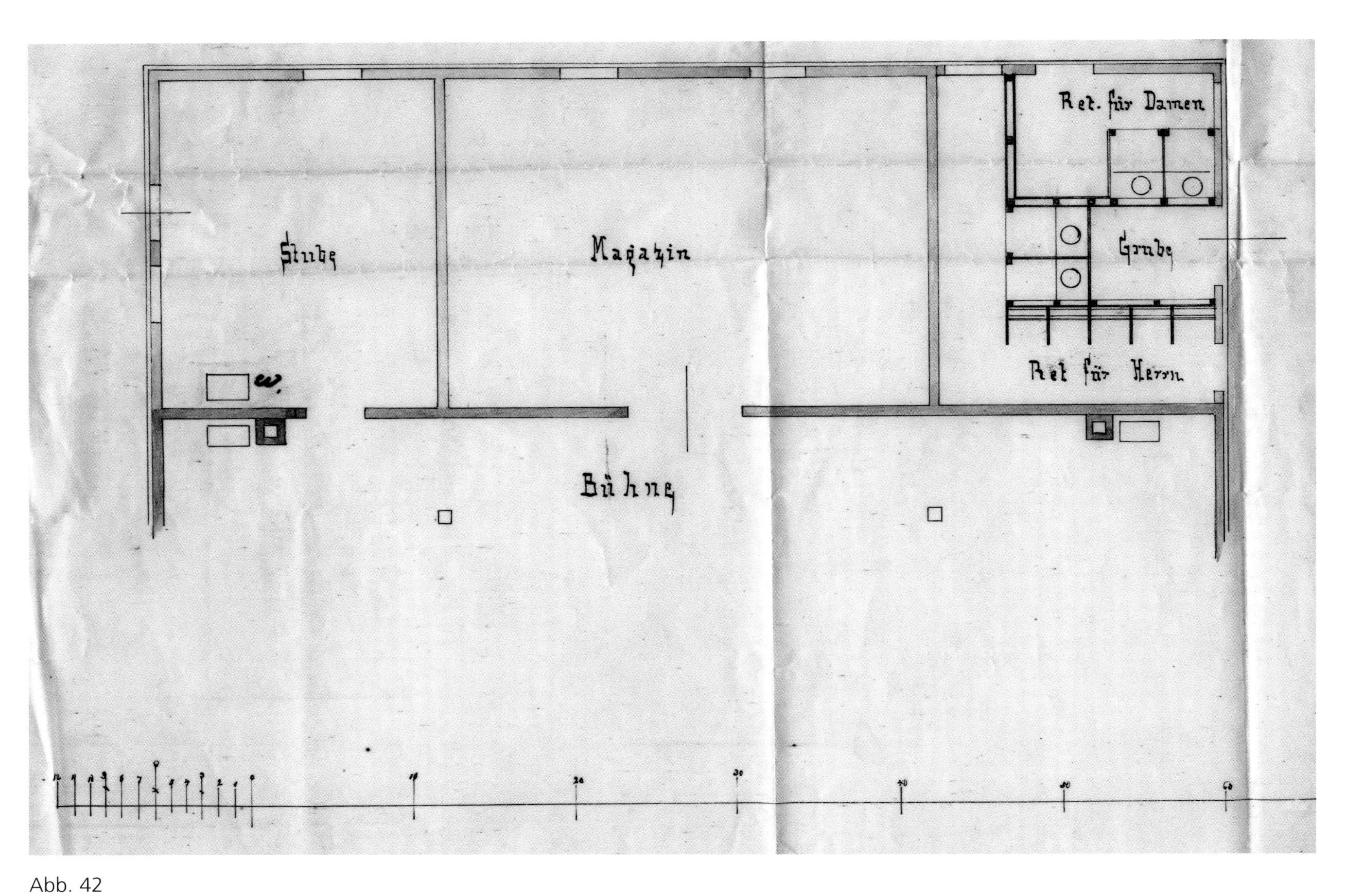

Abb. 42
Wilhelm Giese, Zeichnung für den Anbau an das Theatergebäude, September 1872, Tusche und Aquarell auf Transparent, 47,7 x 36,5 cm, Ausschnitt Grundriß, Bauaktenarchiv der Stadt Jena, Schillergäßchen 1, Akte Theater 1872 – 1946, Bl. 10

Abb. 43
Max Hunger, Köhlers Theater, Jena, Briefbogen, nach 1872, Bildfeld 5,4 x 8,4 cm, Stadtmuseum Jena, JenaKultur, Inv.-Nr. 24204

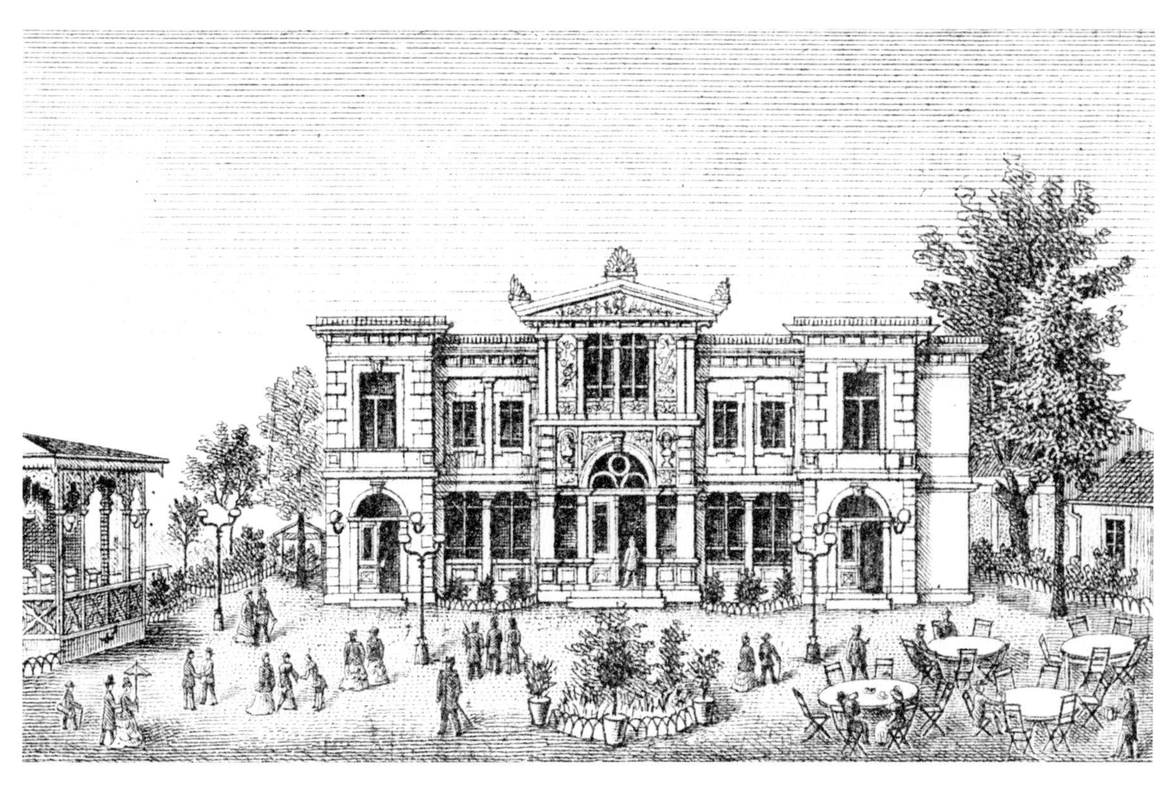

Abb. 44
Max Hunger, Köhlers Theater, Jena, Postkarte, nach 1886, Bildfeld 5,3 x 8,5 cm, Sammlung Frank Döbert, Jena

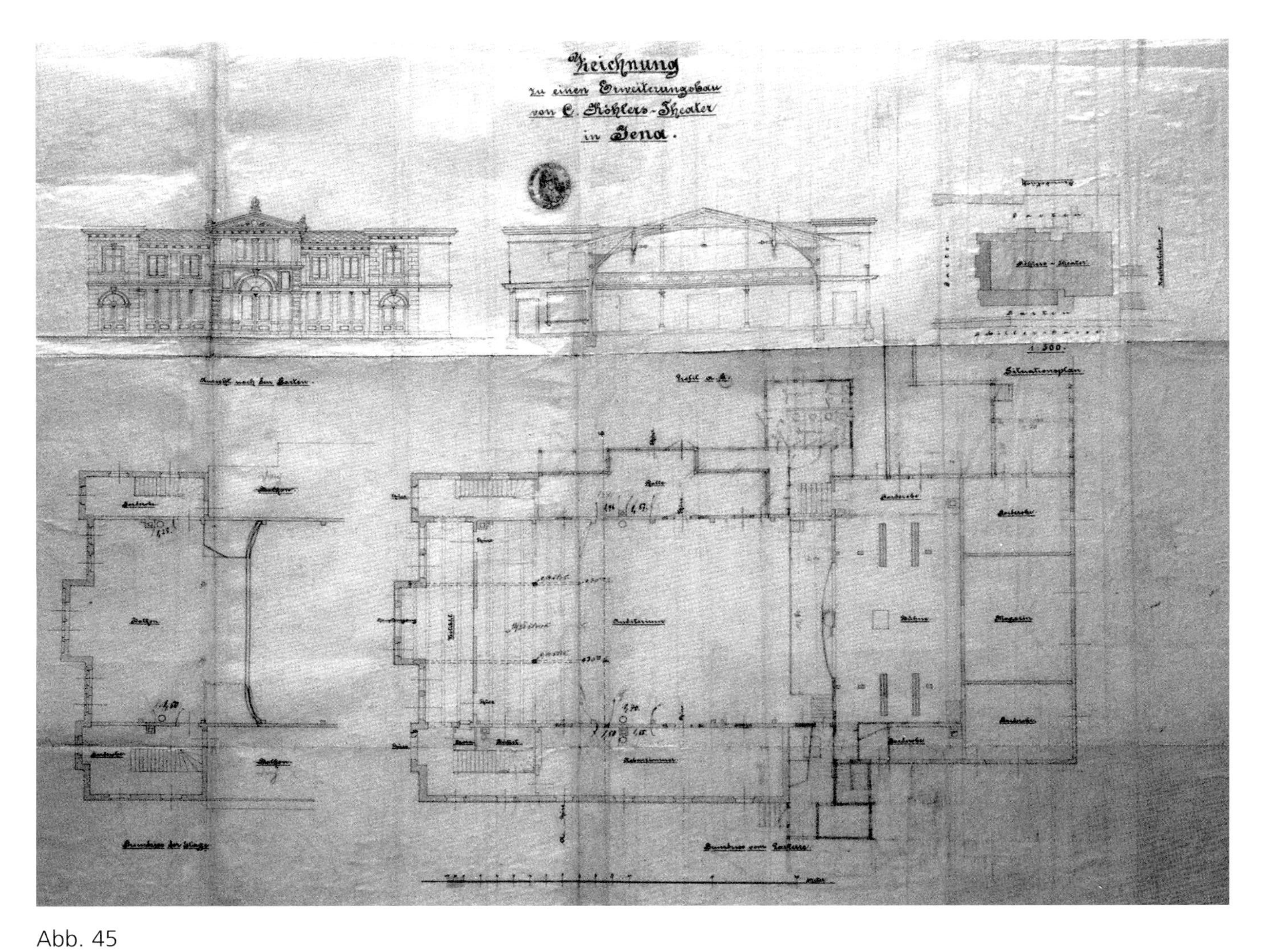

Abb. 45
Hermann Weber, Zeichnung zu einem Erweiterungsbau von C. Köhlers Theater, Juli 1886, Bleistift, Tusche und farbige Lavierung auf Transparent, M 1:100 und 1:500, 68,3 x 96,7 cm, Bauaktenarchiv der Stadt Jena, Entwurf Stadttheater Sammelmappe

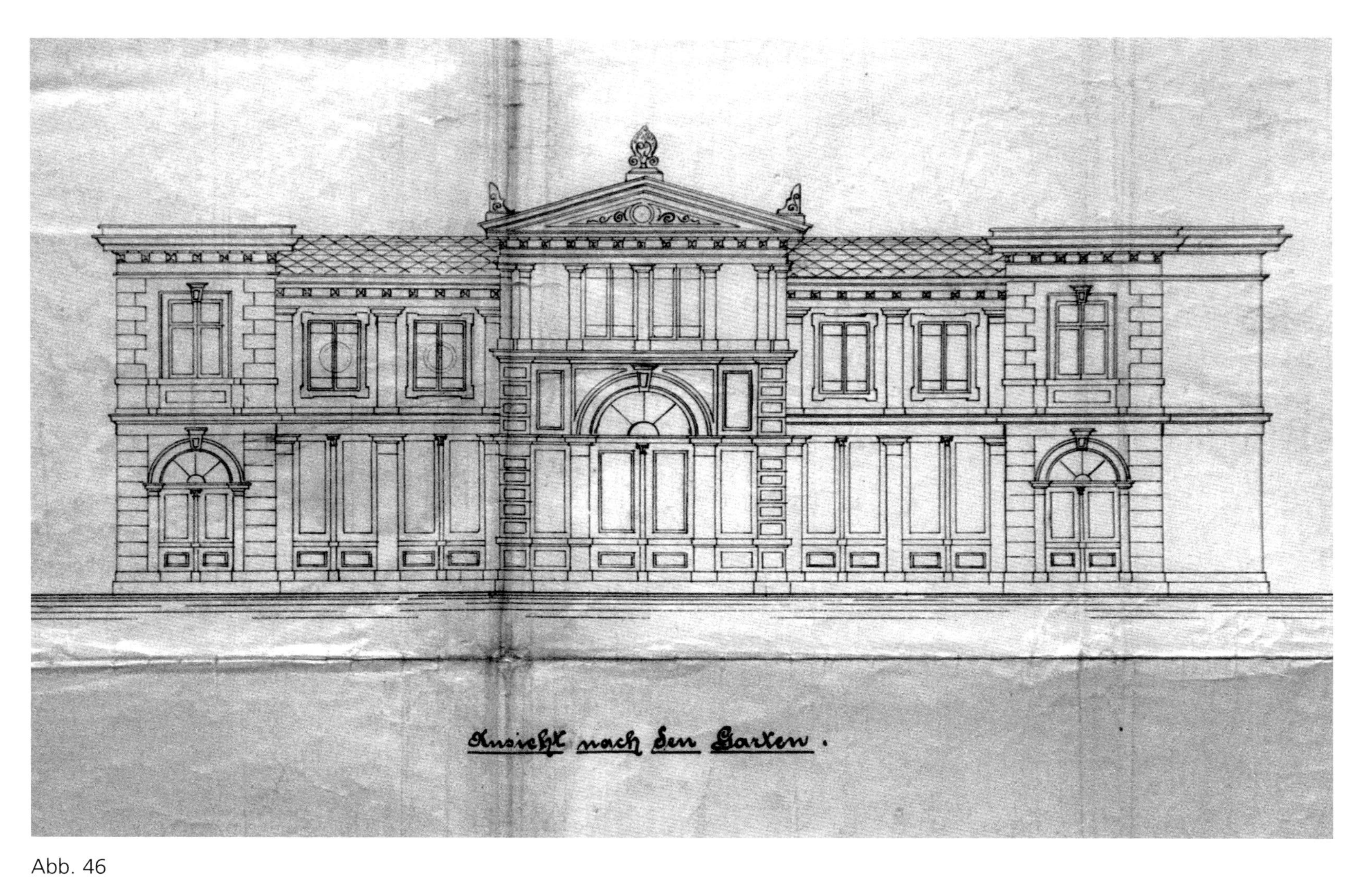

Abb. 46
Hermann Weber, Zeichnung zu einem Erweiterungsbau von C. Köhlers Theater, Juli 1886,
Bleistift, Tusche und farbige Lavierung auf Transparent, M 1:100 und 1:500, 68,3 x 96,7 cm, Ausschnitt Fassadenaufriß,
Bauaktenarchiv der Stadt Jena, Entwurf Stadttheater Sammelmappe

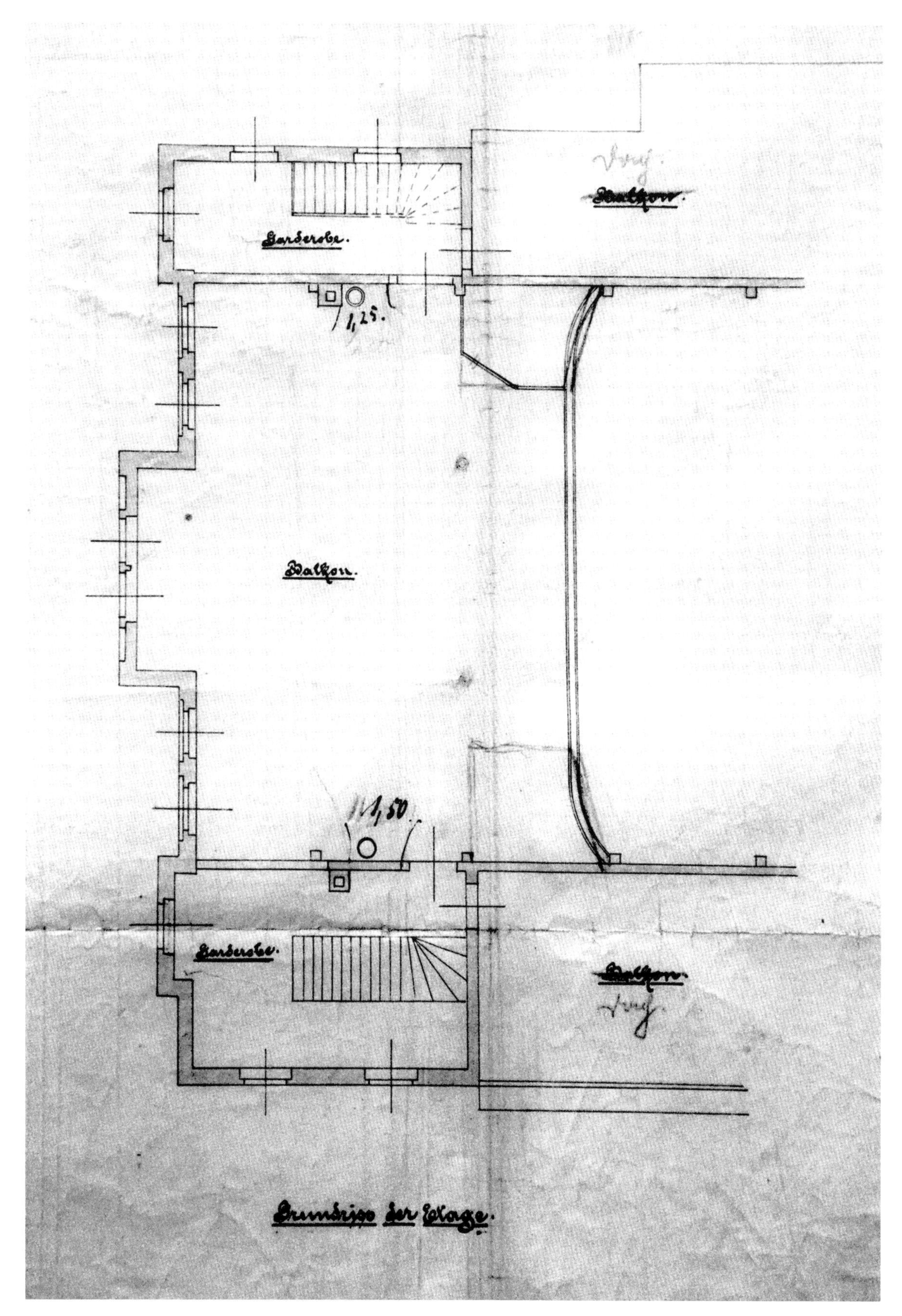

Abb. 47
Hermann Weber, Zeichnung zu einem Erweiterungsbau von C. Köhlers Theater, Juli 1886, Bleistift, Tusche und farbige Lavierung auf Transparent, M 1:100 und 1:500, 68,3 x 96,7 cm, Ausschnitt Grundriß Balkon, Bauaktenarchiv der Stadt Jena, Entwurf Stadttheater Sammelmappe

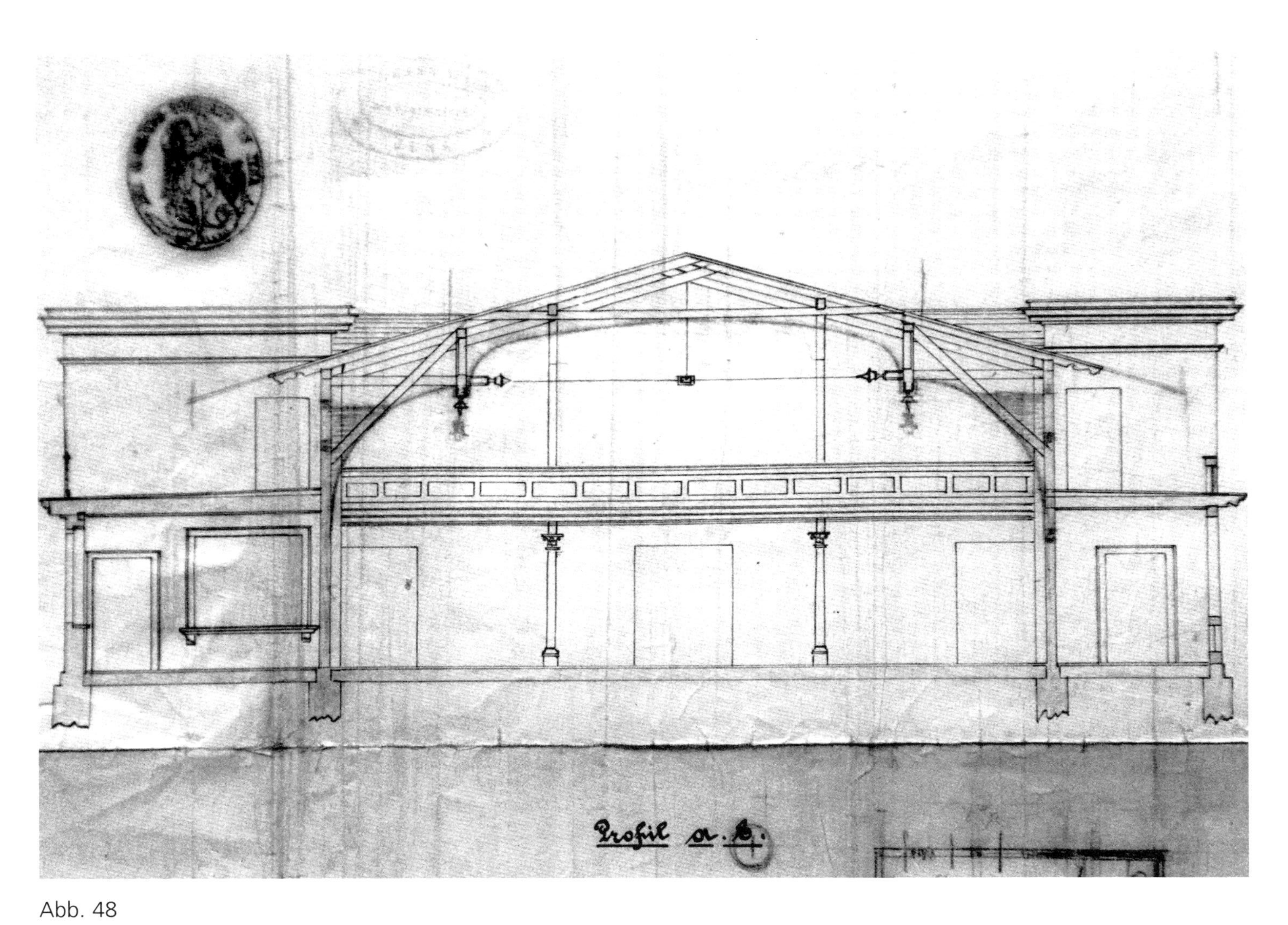

Abb. 48
Hermann Weber, Zeichnung zu einem Erweiterungsbau von C. Köhlers Theater, Juli 1886,
Bleistift, Tusche und farbige Lavierung auf Transparent, M 1:100 und 1:500, 68,3 x 96,7 cm, Ausschnitt Profil a b
(Querschnitt mit Aufriß Balkon), Bauaktenarchiv der Stadt Jena, Entwurf Stadttheater Sammelmappe

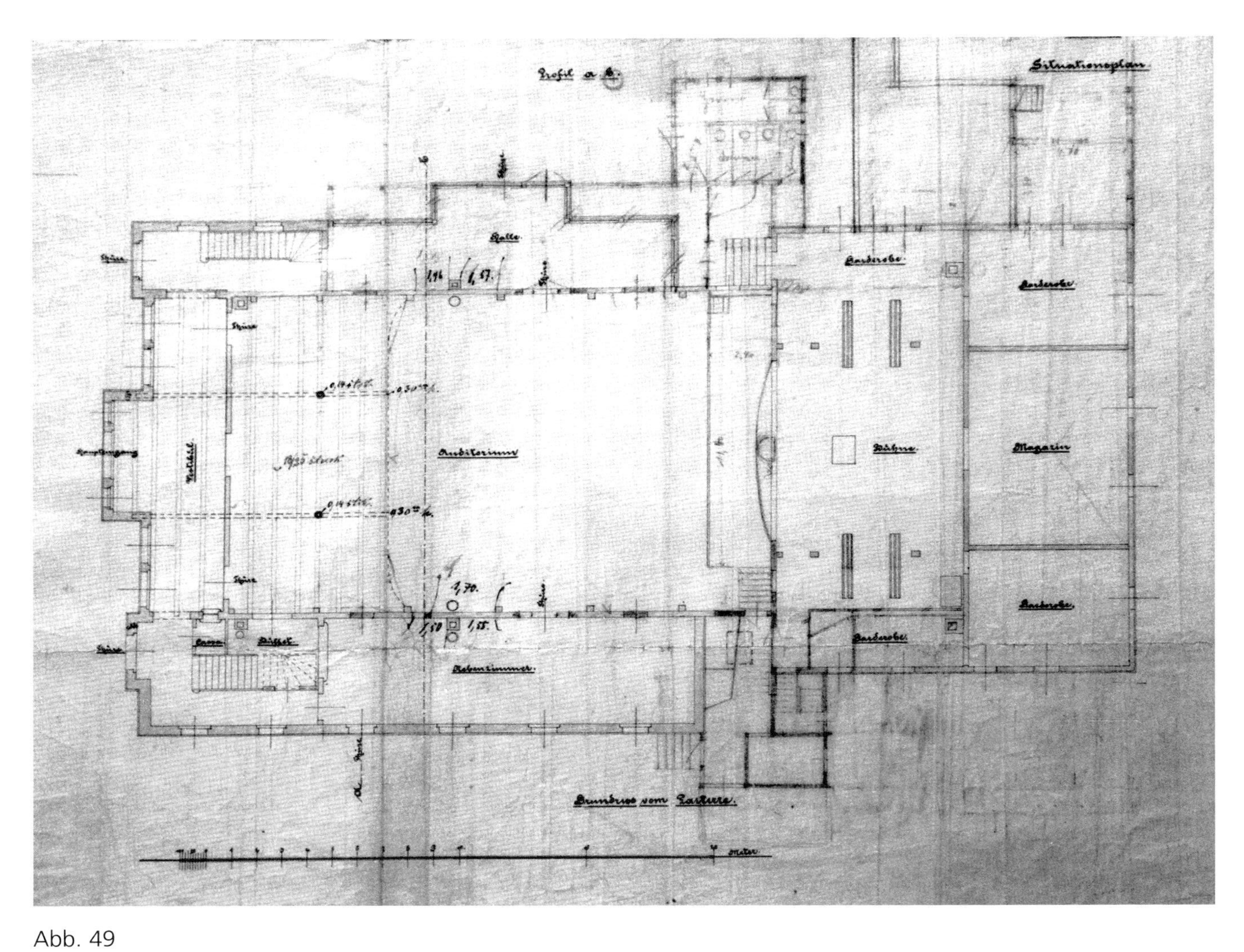

Abb. 49
Hermann Weber, Zeichnung zu einem Erweiterungsbau von C. Köhlers Theater, Juli 1886, Bleistift, Tusche und farbige Lavierung auf Transparent, M 1:100 und 1:500, 68,3 x 96,7 cm, Ausschnitt Grundriß, Bauaktenarchiv der Stadt Jena, Entwurf Stadttheater Sammelmappe

Abb. 50
Stadttheater Jena, Ansicht, Postkarte, Stempel vom 28. 11. 1904, Sammlung Frank Döbert, Jena

Abb. 51
Stadttheater Jena, Ansicht, Postkarte, nach 1900, Sammlung Frank Döbert, Jena

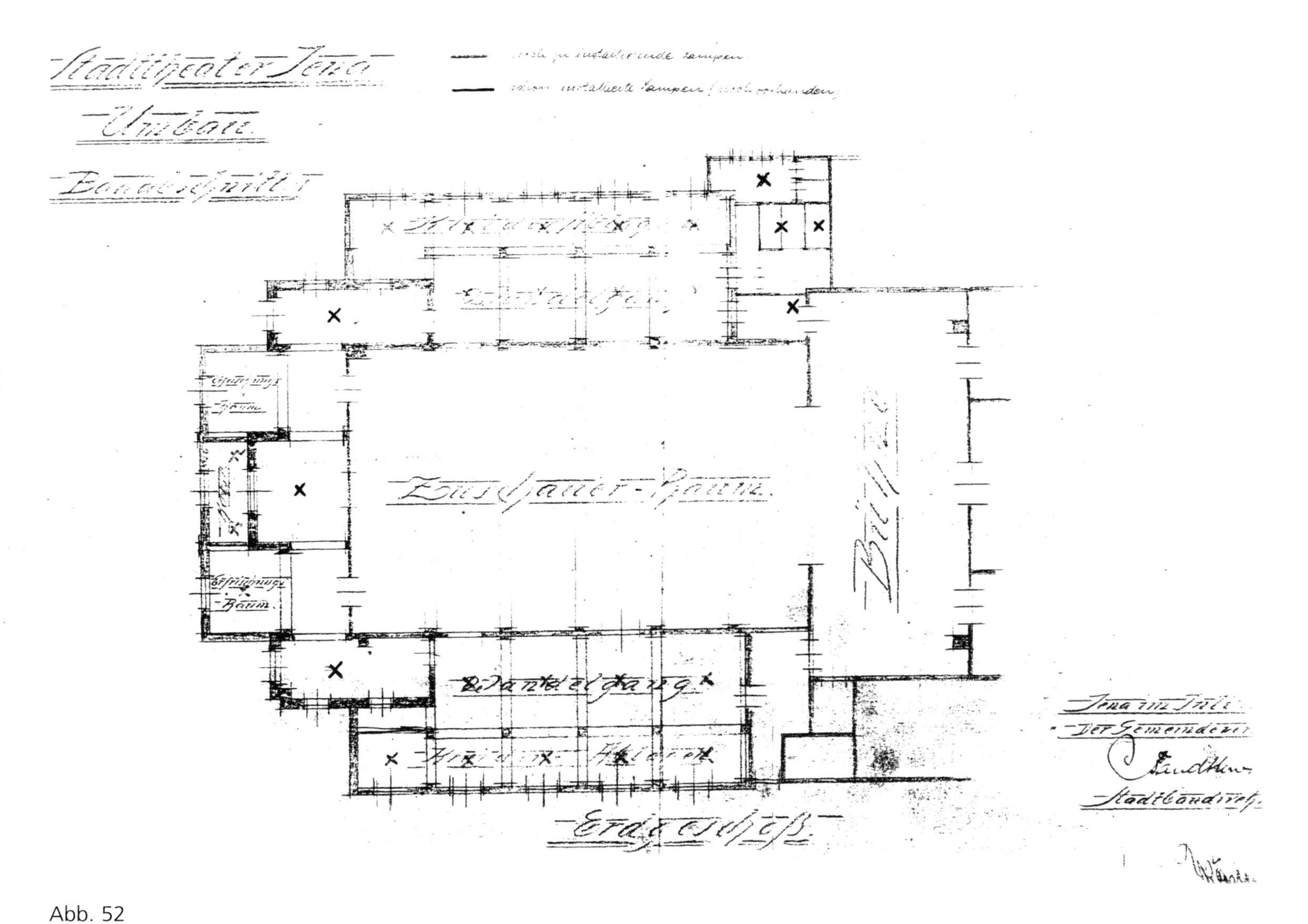

Abb. 52
Oskar Bandtlow, Stadttheater Jena, Umbau, Bauabschnitt 1, Grundriß Erdgeschoß, Entwurf, Juli 1921, Lichtpause, 44,8 x 62,5 cm, Bauaktenarchiv der Stadt Jena, Schillergäßchen 1, Akte Theater 1872 – 1946, Bl. 33

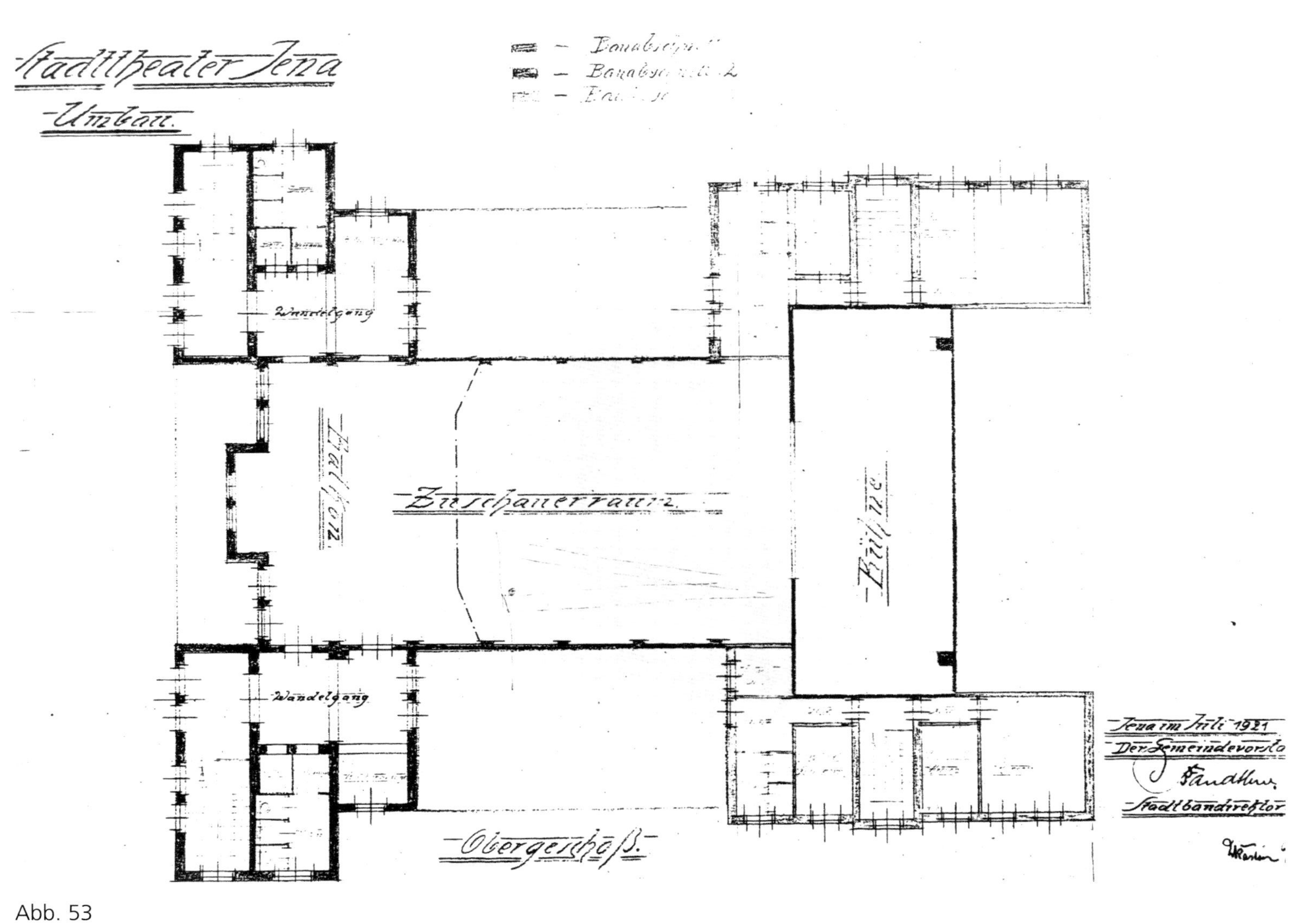

Abb. 53
Oskar Bandtlow, Stadttheater Jena, Umbau, Grundriß Obergeschoß, Entwurf, Juli 1921, Lichtpause, 45,0 x 64,7 cm, Bauaktenarchiv der Stadt Jena, Schillergäßchen 1, Akte Theater 1872 – 1946, Bl. 34

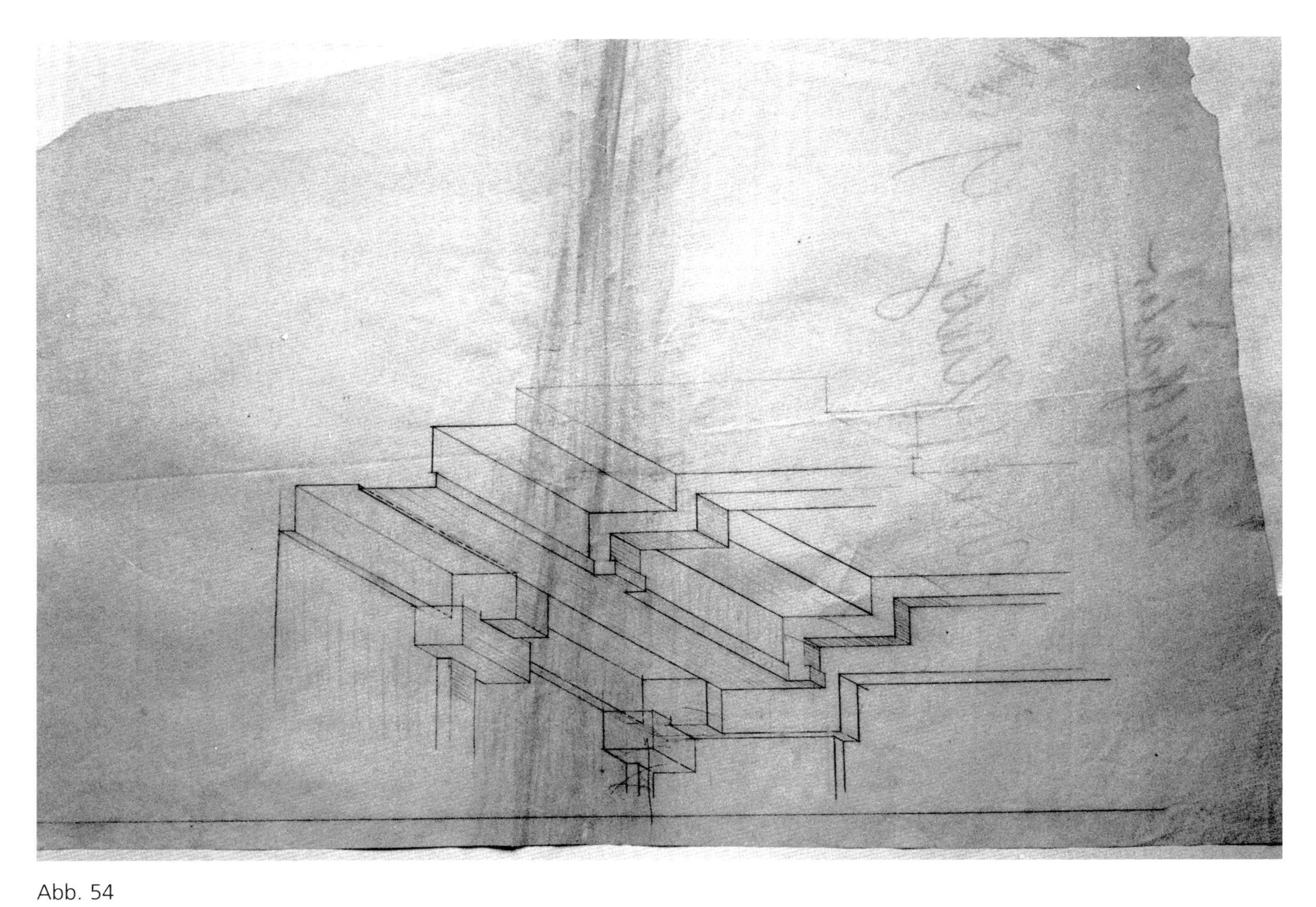

Abb. 54
Bauatelier Walter Gropius, Stadttheater Jena, Theatersaal, Deckenentwurf, Axonometrie,
Beschriftung Rückseite „10. Entwurf Gropius, 1921", Zeichnung, Bleistift auf Transparent, 58,5 x 87,0 cm (mittleres Maß),
Bauaktenarchiv der Stadt Jena, Entwurf Stadttheater Sammelmappe

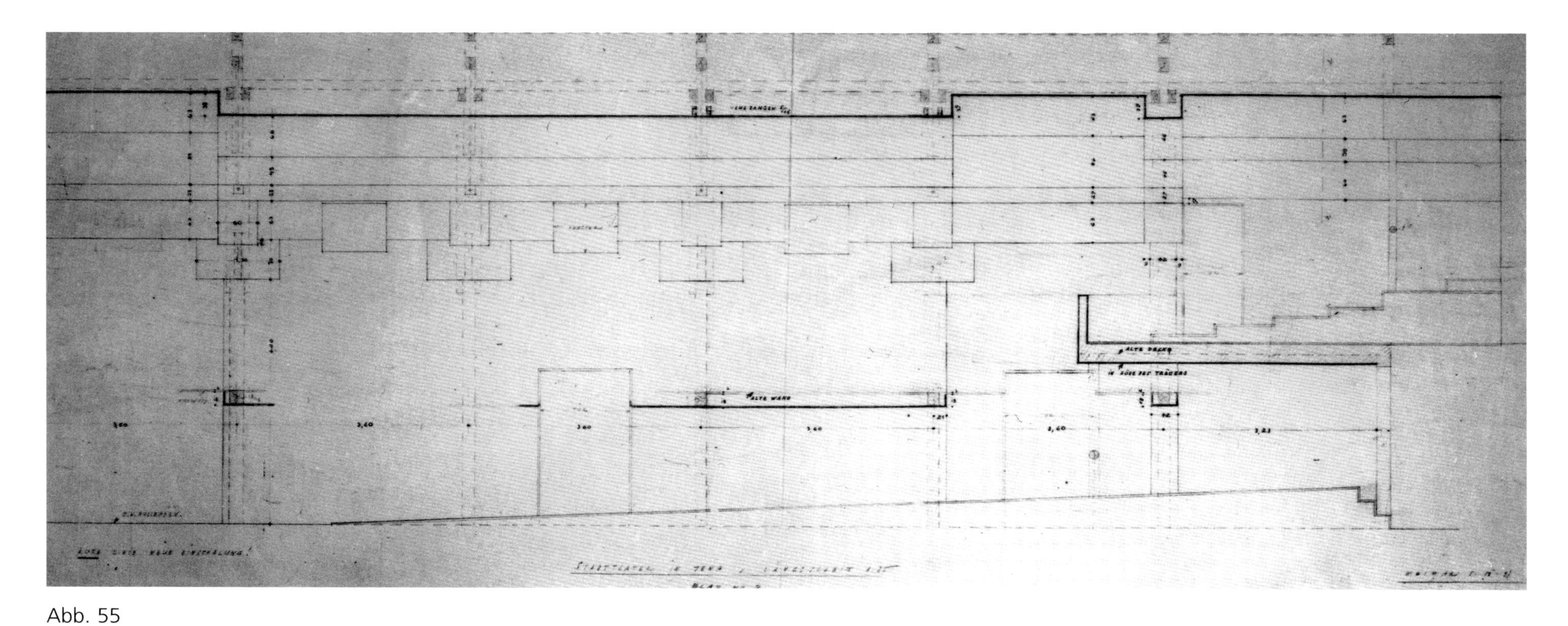

Abb. 55
Bauatelier Walter Gropius, Stadttheater Jena, Zuschauerraum, Längsschnitt mit Wandaufriß, 5. 7. 1921, Zeichnung, Blatt 2, M 1:25, Lichtpause, 42,3 x 99,0 cm, Bauaktenarchiv der Stadt Jena, Schillergäßchen 1, Umbau Stadttheater 1921 / 22, Mappe 1, Passepart.-Nr. 4

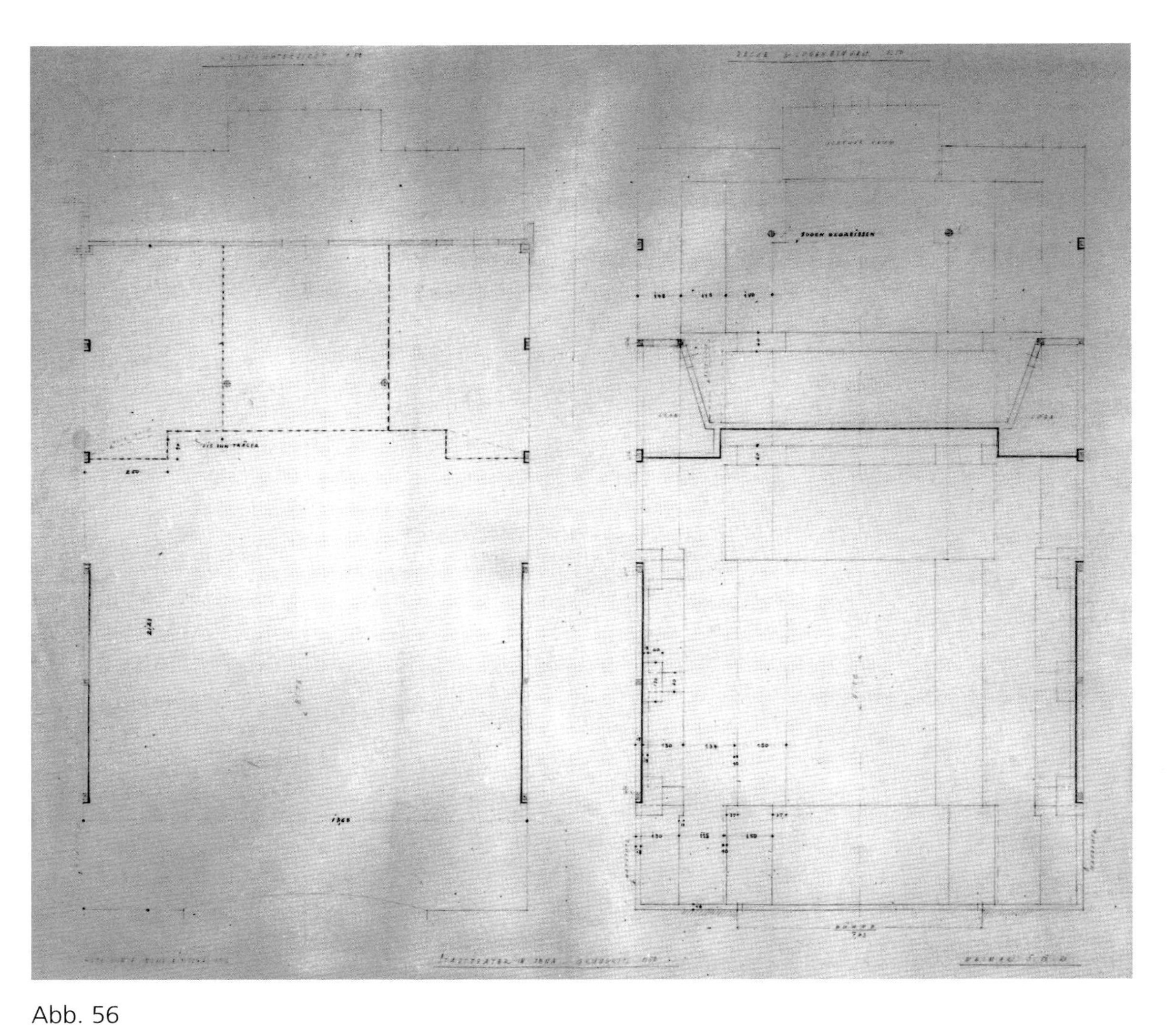

Abb. 56
Bauatelier Walter Gropius, Stadttheater Jena, Zuschauerraum, Grundriß, Galerieuntersicht, Decke und Logeneinbau, 5. 7. 1921, Zeichnung, M 1:50, Lichtpause, 63,3 x 70,0 cm, Bauaktenarchiv der Stadt Jena, Schillergäßchen 1, Umbau Stadttheater 1921 / 22, Mappe 1, Passepart.-Nr. 3

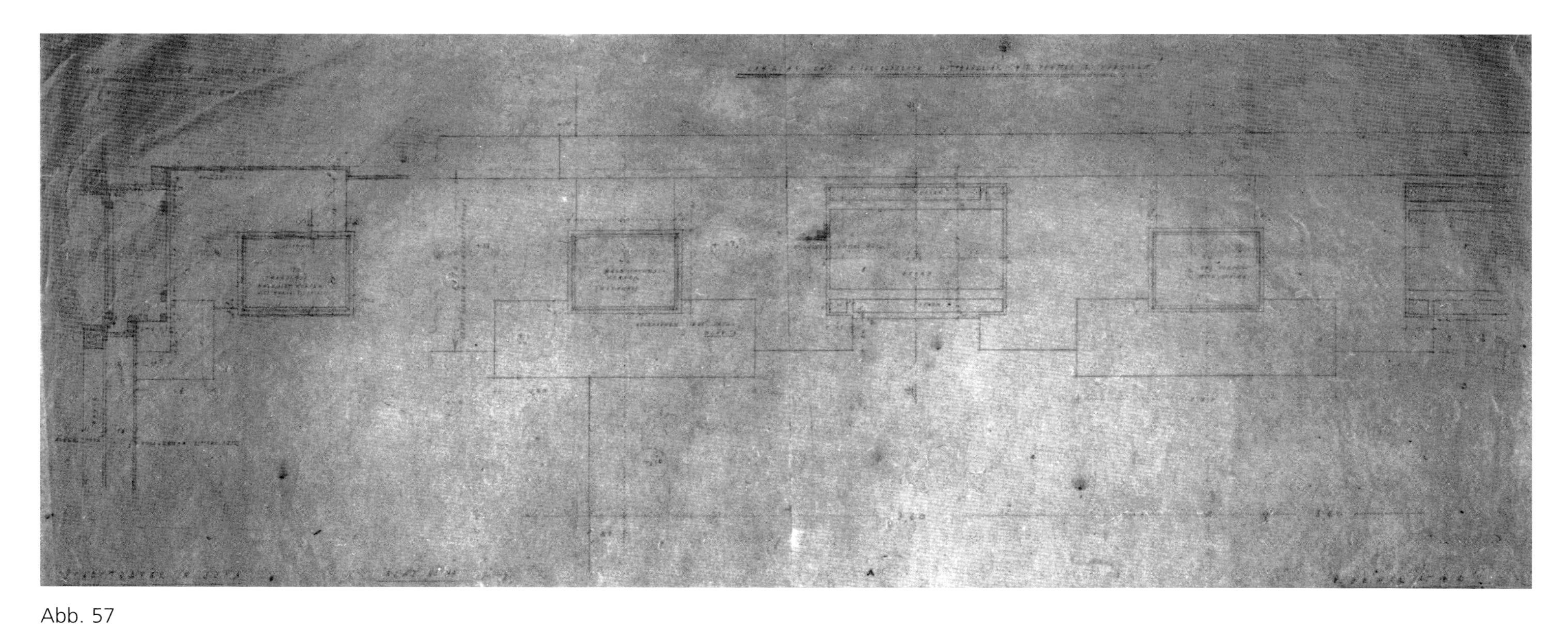

Abb. 57
Bauatelier Walter Gropius, Stadttheater Jena, Zuschauerraum, Längsansicht der vorgezogenen Mittelfelder mit Fenster und Konsolen, Vertikalschnitt a b durch die Fenster mit Seitenansicht der Konsolen, 25. 7. / 8. 1921, Zeichnung, Blatt 11, M 1:10, Lichtpause, 38,0 x 96,0 cm, Bauaktenarchiv der Stadt Jena, Schillergäßchen 1, Umbau Stadttheater 1921 / 22, Mappe 1, Passepart.-Nr. 9

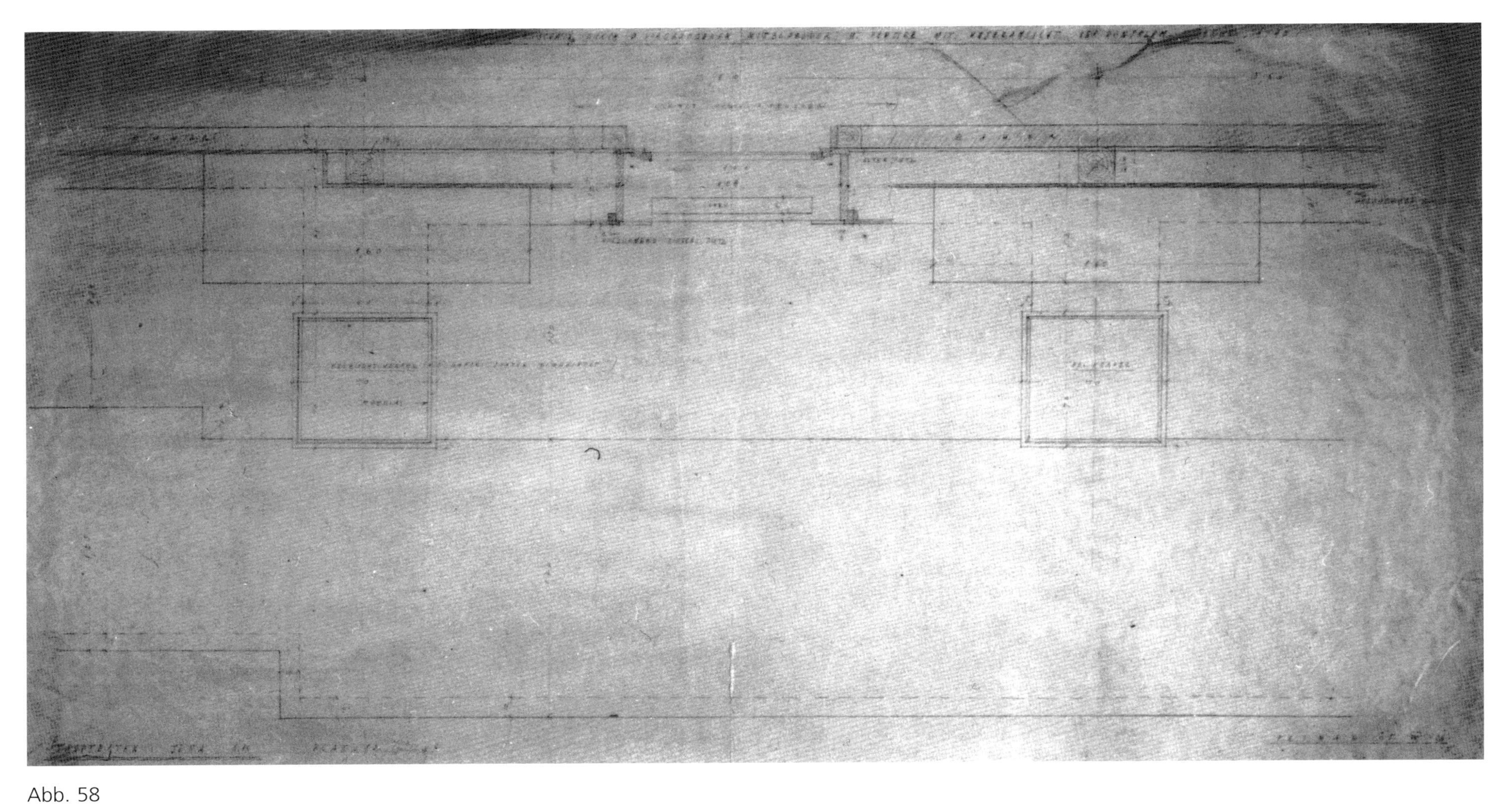

Abb. 58
Bauatelier Walter Gropius, Stadttheater Jena, Zuschauerraum, Horizontalschnitt durch die vorgezogenen Mittelfelder und Fenster mit Unteransicht der Konsolen und Decke, 25. 7. / 8. 1921, Zeichnung, Blatt 12, M 1:10, Lichtpause, 39,1 x 74,0 cm, Bauaktenarchiv der Stadt Jena, Schillergäßchen 1, Umbau Stadttheater 1921 / 22, Mappe 1, Passepart.-Nr. 10

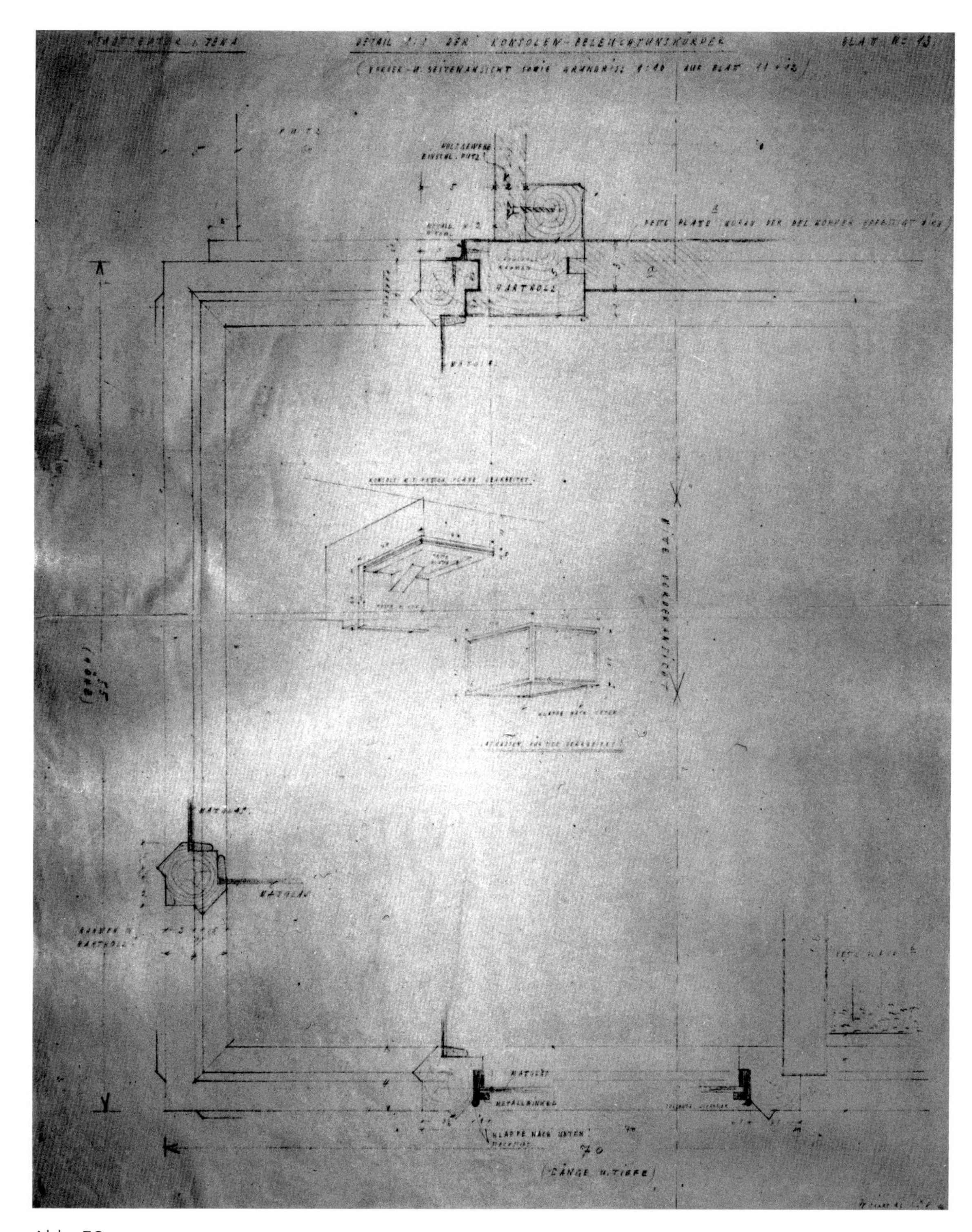

Abb. 59
Bauatelier Walter Gropius, Stadttheater Jena, Zuschauerraum, Detail der Konsolen-Beleuchtungskörper, 28. 7. / 8. 1921, Zeichnung, Blatt 13, M 1:1, Lichtpause, 81,0 x 63,5 cm, Bauaktenarchiv der Stadt Jena, Schillergäßchen 1, Umbau Stadttheater 1921 / 22, Mappe 1, Passepart.-Nr. 12

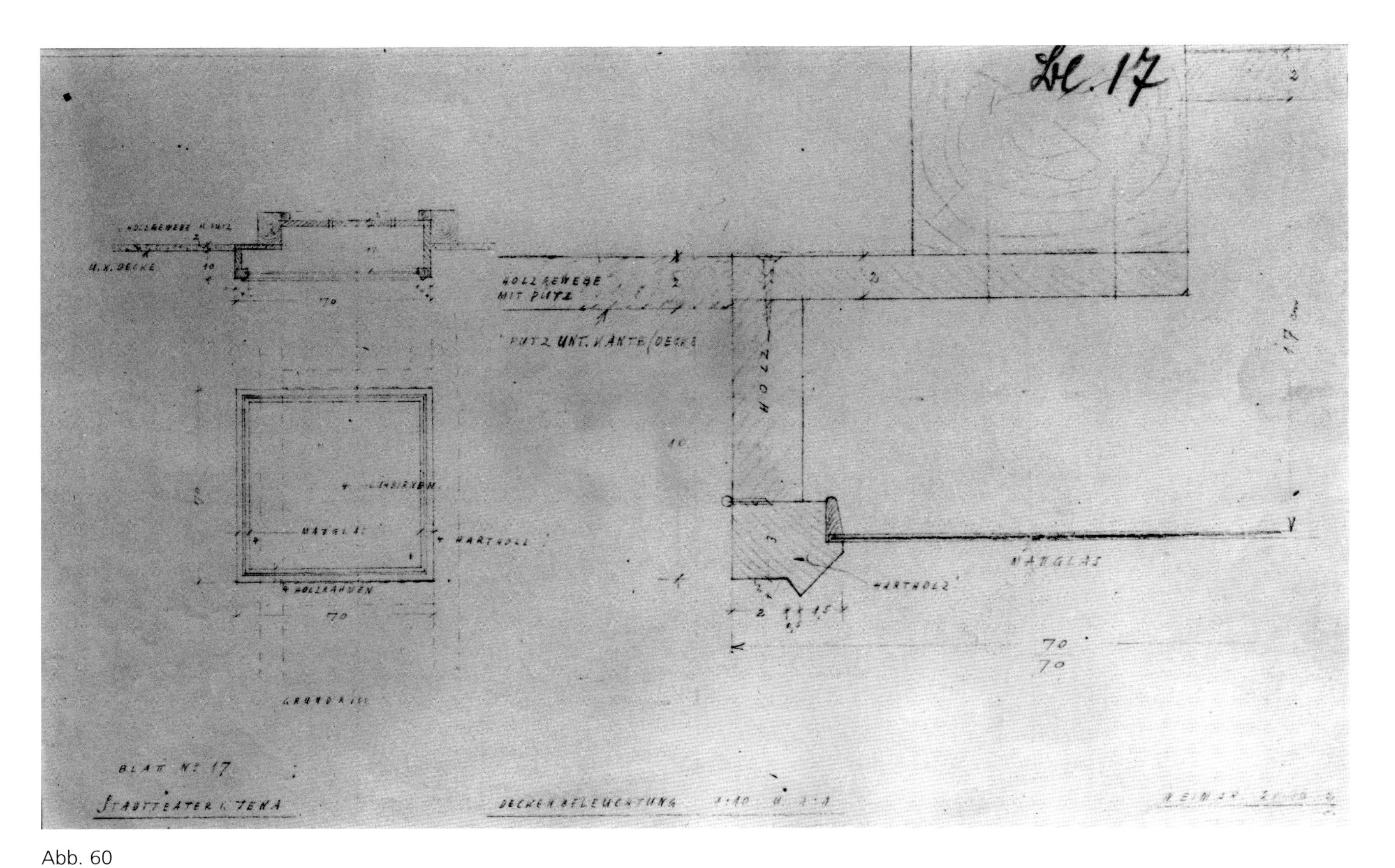

Abb. 60
Bauatelier Walter Gropius, Stadttheater Jena, Deckenbeleuchtung, 28. 7. / 8. 1921, Zeichnung, Blatt 17, M 1:10 und M 1:1, Lichtpause, 29,5 x 48,5 cm, Bauaktenarchiv der Stadt Jena, Schillergäßchen 1, Umbau Stadttheater 1921 / 22, Mappe 1, Passepart.-Nr. 13

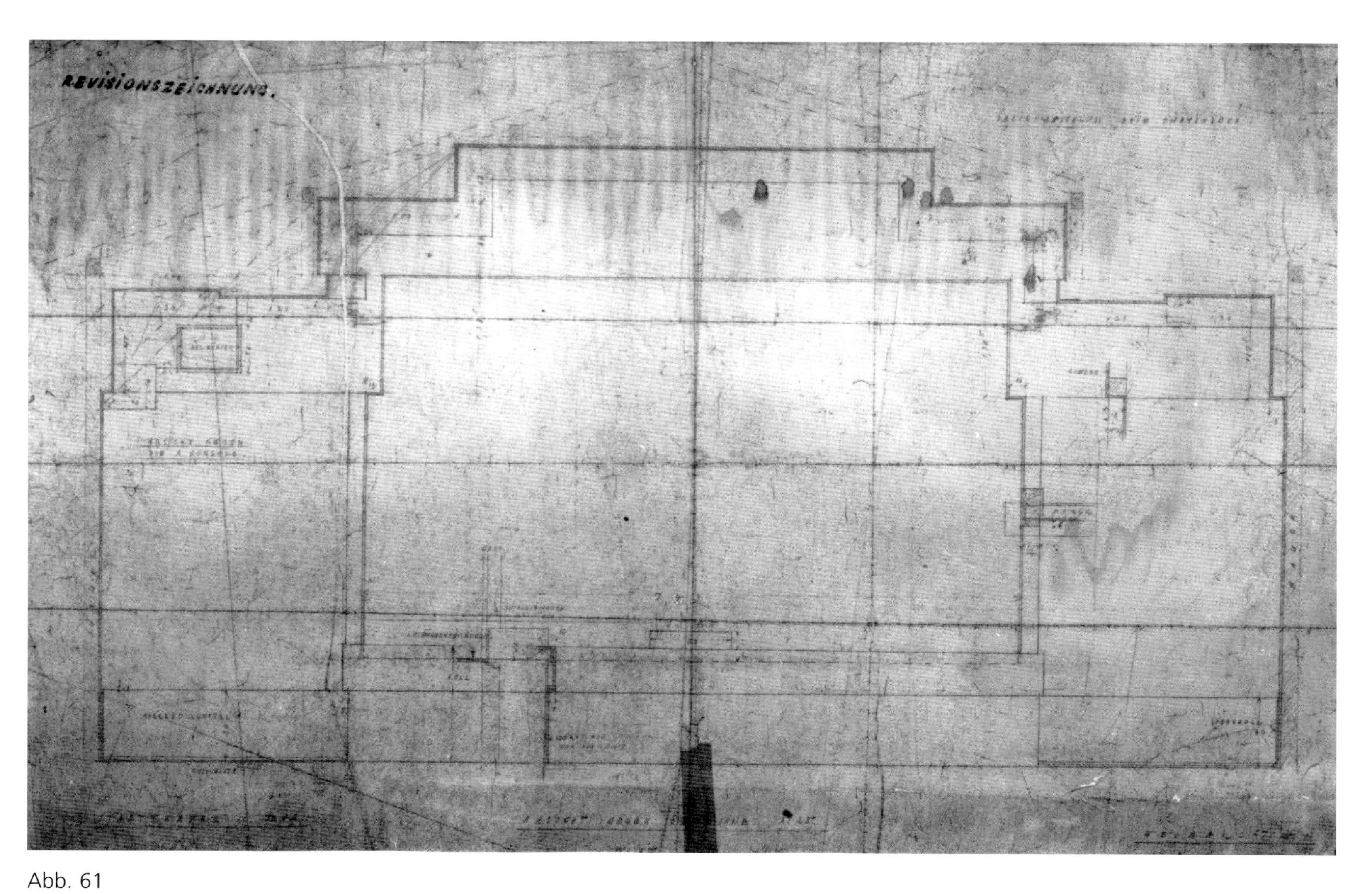

Abb. 61
Bauatelier Walter Gropius, Stadttheater Jena, Zuschauerraum, Ansicht gegen die Bühne, Deckenanschluß beim Bühnenloch, 27. 8. 1921, Zeichnung, Blatt 16, M 1:25, Lichtpause, 39,3 x 61,0 cm, (Revisionszeichnung), Bauaktenarchiv der Stadt Jena, Schillergäßchen 1, Umbau Stadttheater 1921 / 22, Mappe 1, Passepart.-Nr. 8a

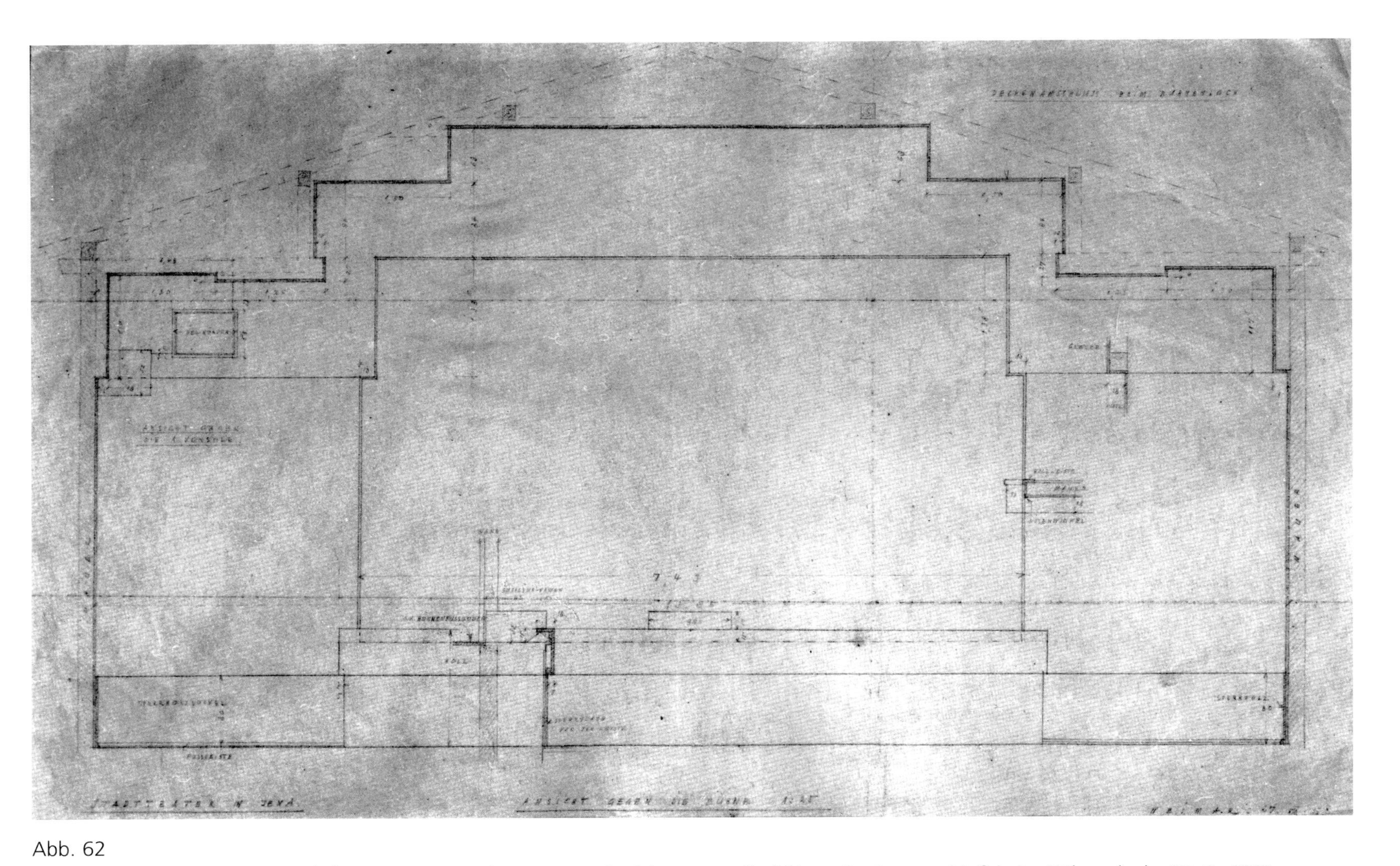

Abb. 62
Bauatelier Walter Gropius, Stadttheater Jena, Zuschauerraum, Ansicht gegen die Bühne, Deckenanschluß beim Bühnenloch, 27. 8. 1921, Zeichnung, Blatt 16, M 1:25, Lichtpause, 37,5 x 60,0 cm, Bauaktenarchiv der Stadt Jena, Schillergäßchen 1, Umbau Stadttheater 1921 / 22, Mappe 1, Passepart.-Nr. 8

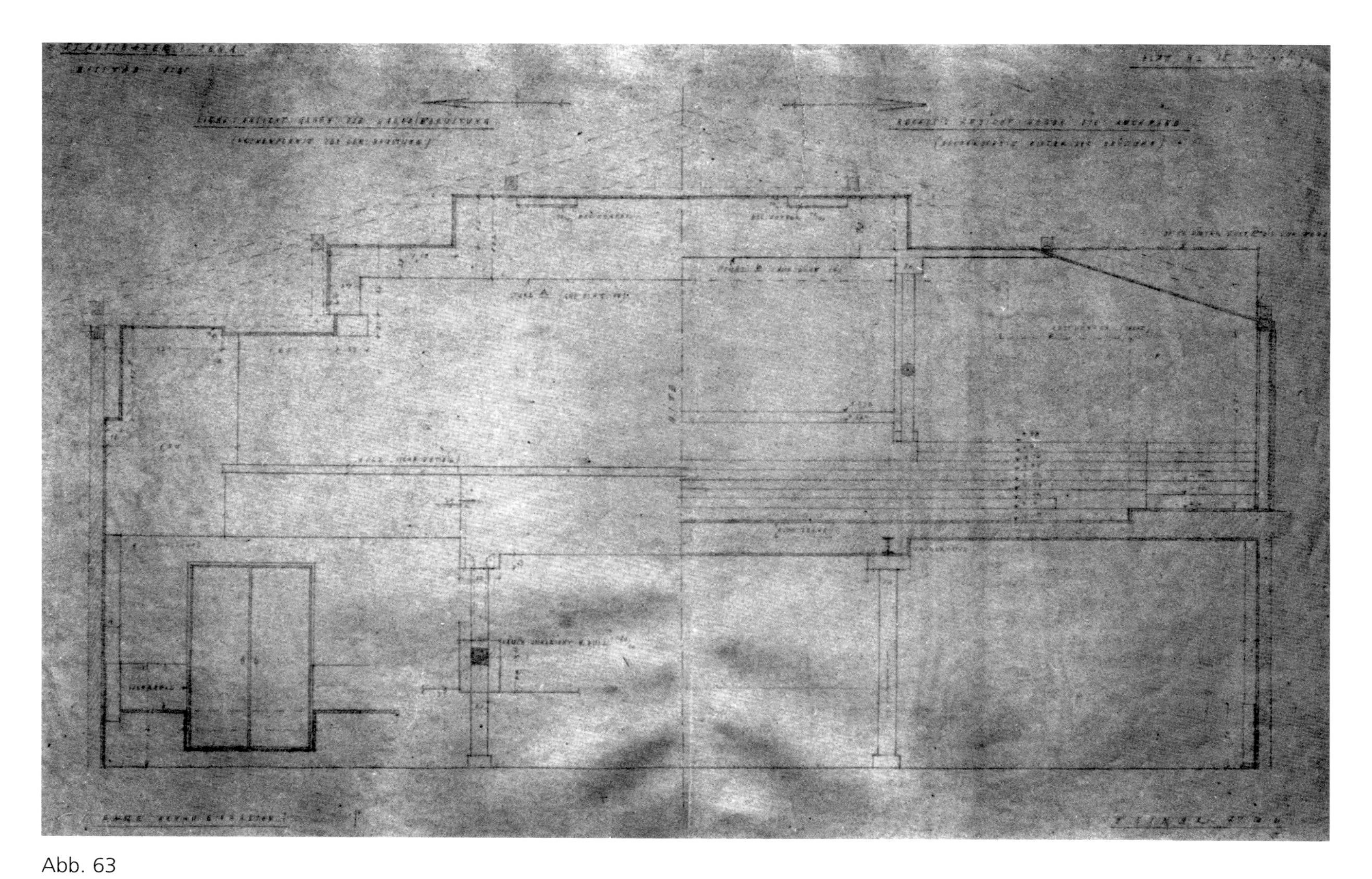

Abb. 63
Bauatelier Walter Gropius, Stadttheater Jena, Zuschauerraum, Querschnitt, links: Ansicht gegen die Galeriebrüstung (Deckenschnitt vor der Brüstung), rechts: Ansicht gegen die Rückwand (Deckenschnitt hinter der Brüstung), 27. 7. / 8. 1921, Zeichnung, Blatt 15, M 1:25, Lichtpause, 39,5 x 62,2 cm, Bauaktenarchiv der Stadt Jena, Schillergäßchen 1, Umbau Stadttheater 1921 / 22, Mappe 1, Passepart.-Nr. 7

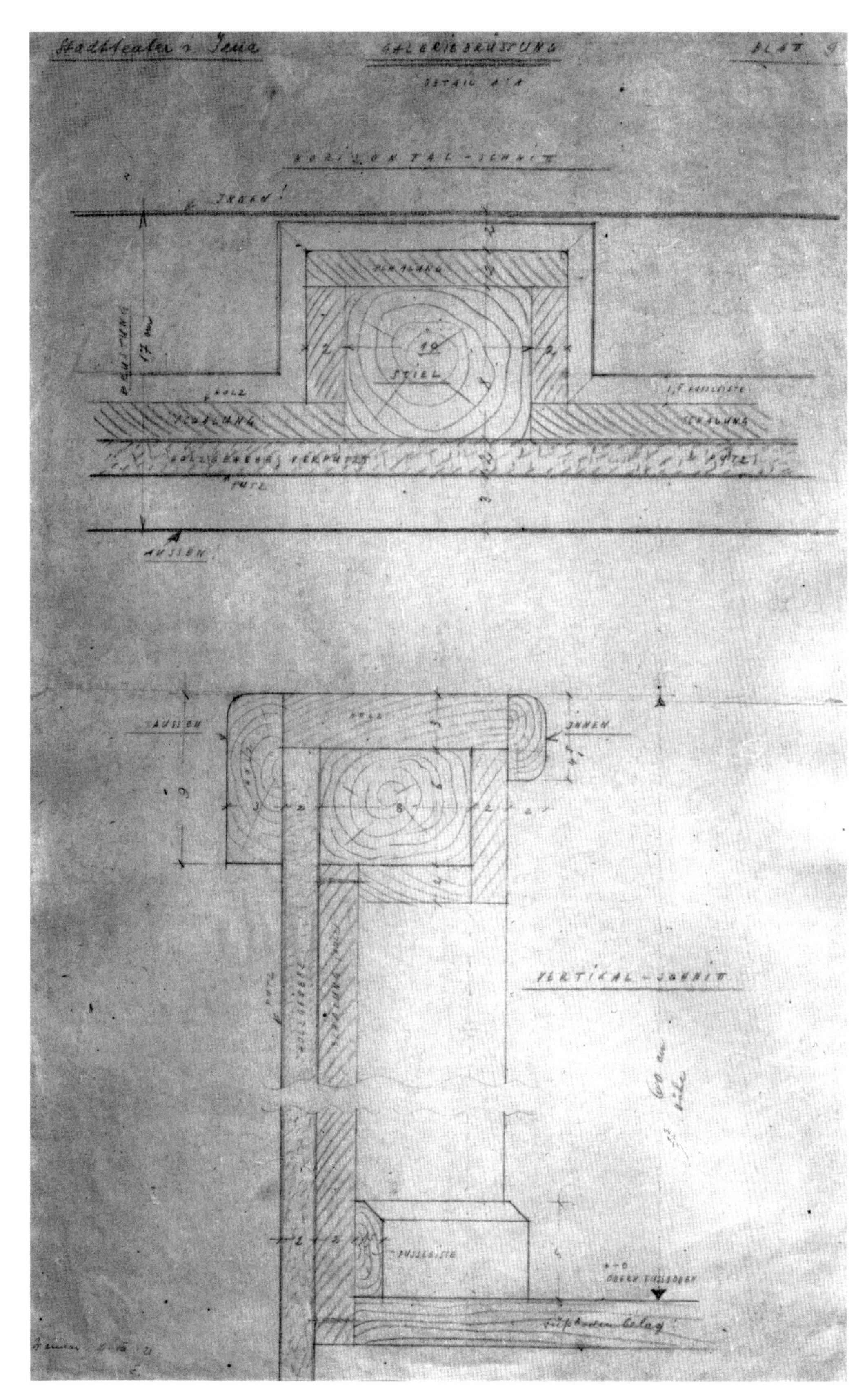

Abb. 64
Bauatelier Walter Gropius, Stadttheater Jena, Zuschauerraum, Galeriebrüstung, Horizontal-Schnitt, Vertikal-Schnitt, 16. 8. 1921, Zeichnung, Blatt 9, M 1:1, Lichtpause, 74,0 x 46,0 cm, Bauaktenarchiv der Stadt Jena, Schillergäßchen 1, Umbau Stadttheater 1921 / 22, Mappe 1, Passepart.-Nr. 11

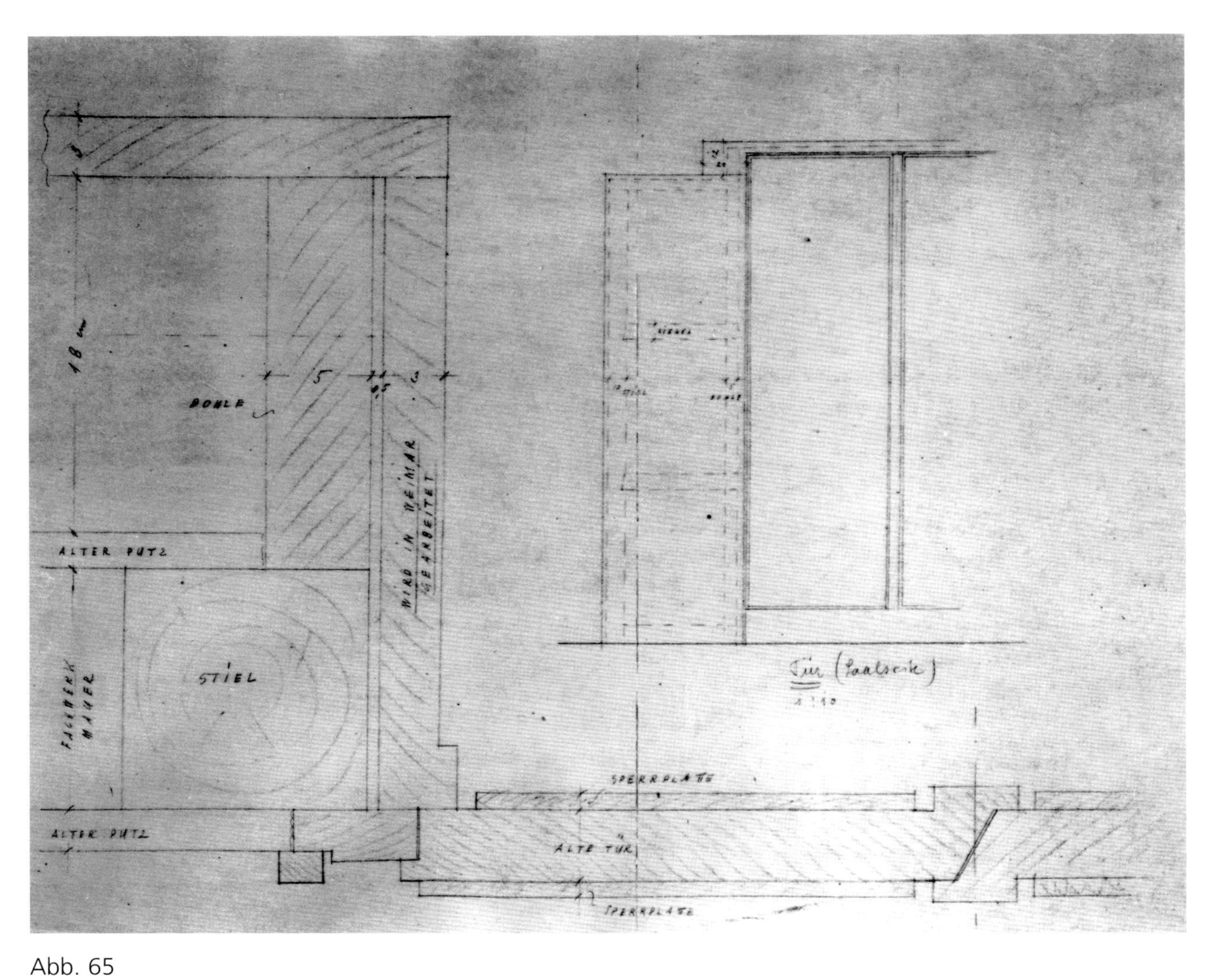

Abb. 65
Bauatelier Walter Gropius, Stadttheater Jena, Saaltüre, o. D., Zeichnung, M 1:10 und M 1:1, Lichtpause, 54,7 x 62,0 cm, Bauaktenarchiv der Stadt Jena, Schillergäßchen 1, Umbau Stadttheater 1921 / 22, Mappe 1, Passepart.-Nr. 14

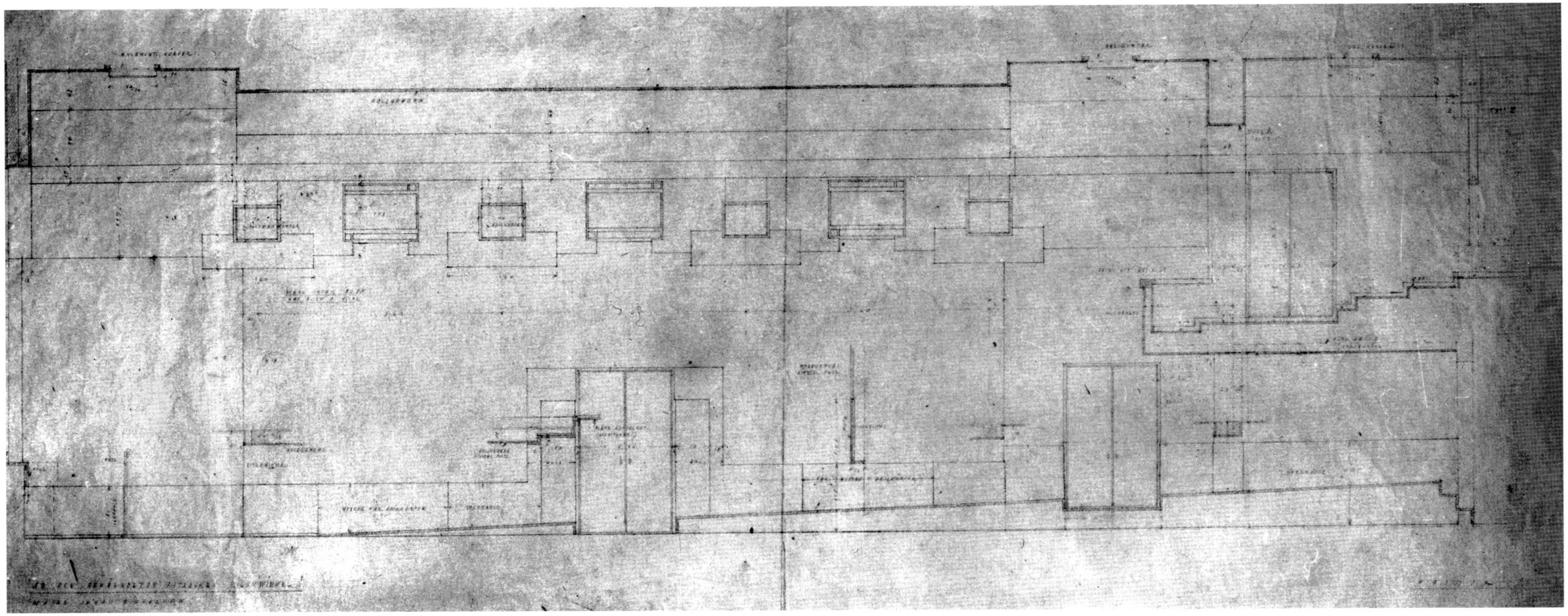

Abb. 66
Bauatelier Walter Gropius, Stadttheater Jena, Zuschauerraum, Längsschnitt durch Mitte Decke und Galerie mit Wandaufriß, 26. 8. 1921, Zeichnung, Blatt 14, M 1:25, Lichtpause, 40,5 x 97,0 cm, Bauaktenarchiv der Stadt Jena, Schillergäßchen 1, Umbau Stadttheater 1921 / 22, Mappe 1, Passepart.-Nr. 6

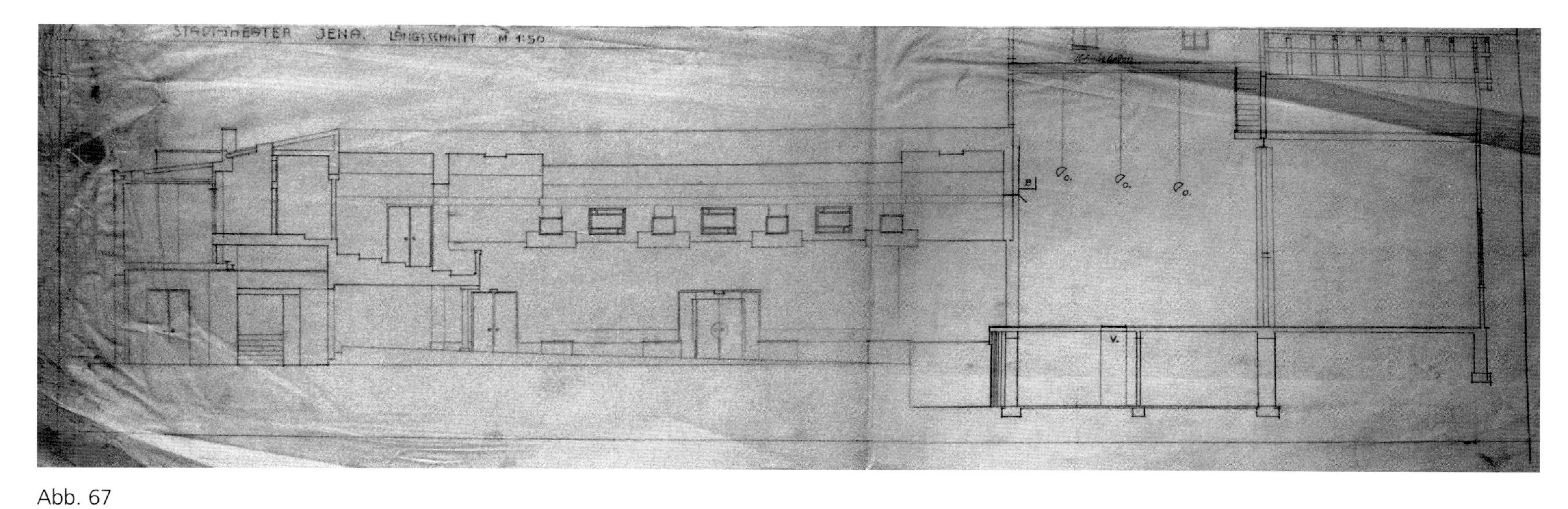

Abb. 67
Bauatelier Walter Gropius, Stadttheater Jena, Längsschnitt mit Wandaufriß, 1921 / 22, Zeichnung, M 1:50, Bleistift auf Transparent, 30,5 x 95,5 cm, Bauaktenarchiv der Stadt Jena, Entwurf Stadttheater Sammelmappe

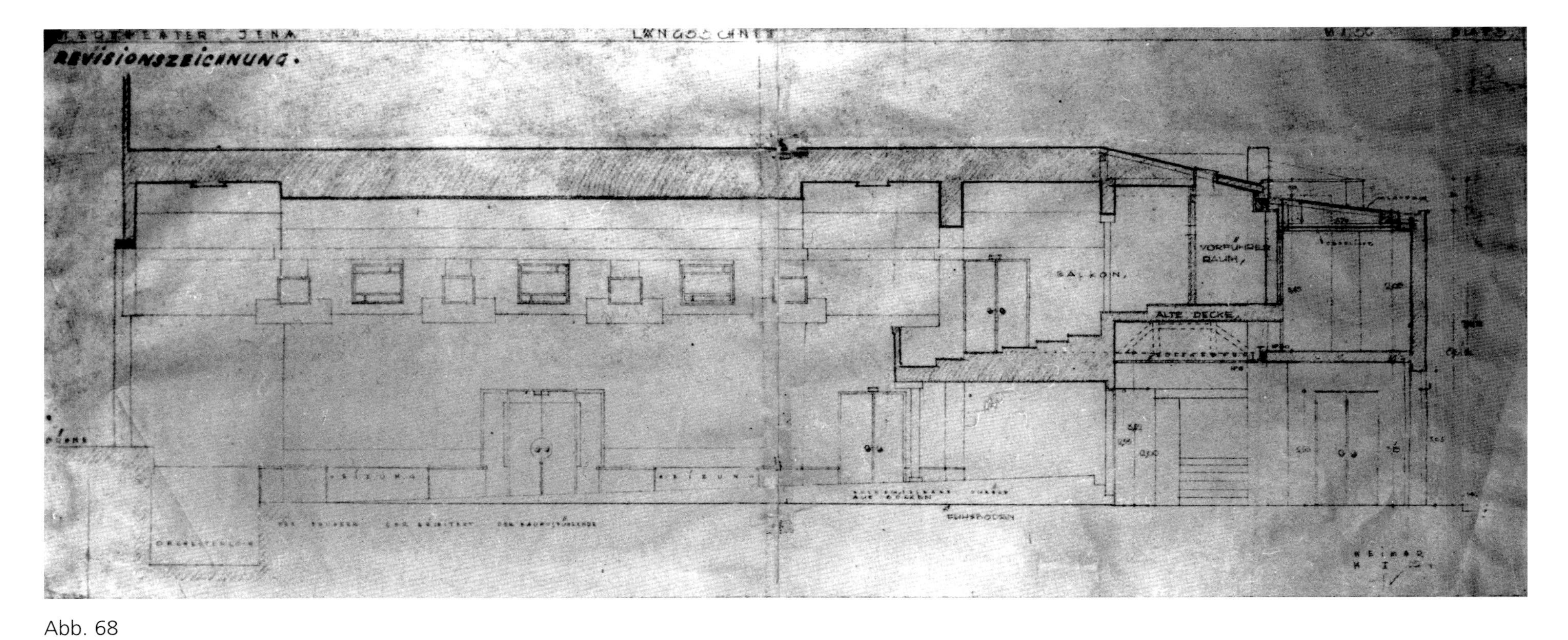

Abb. 68
Bauatelier Walter Gropius, Stadttheater Jena, Längsschnitt mit Wandaufriß, 14. 2. 1922, Zeichnung, Blatt 3, M 1:50, Lichtpause, 28,0 x 66,2 cm, (Revisionszeichnung), Bauaktenarchiv der Stadt Jena, Schillergäßchen 1, Umbau Stadttheater 1921 / 22, Mappe 1, Passepart.-Nr. 19

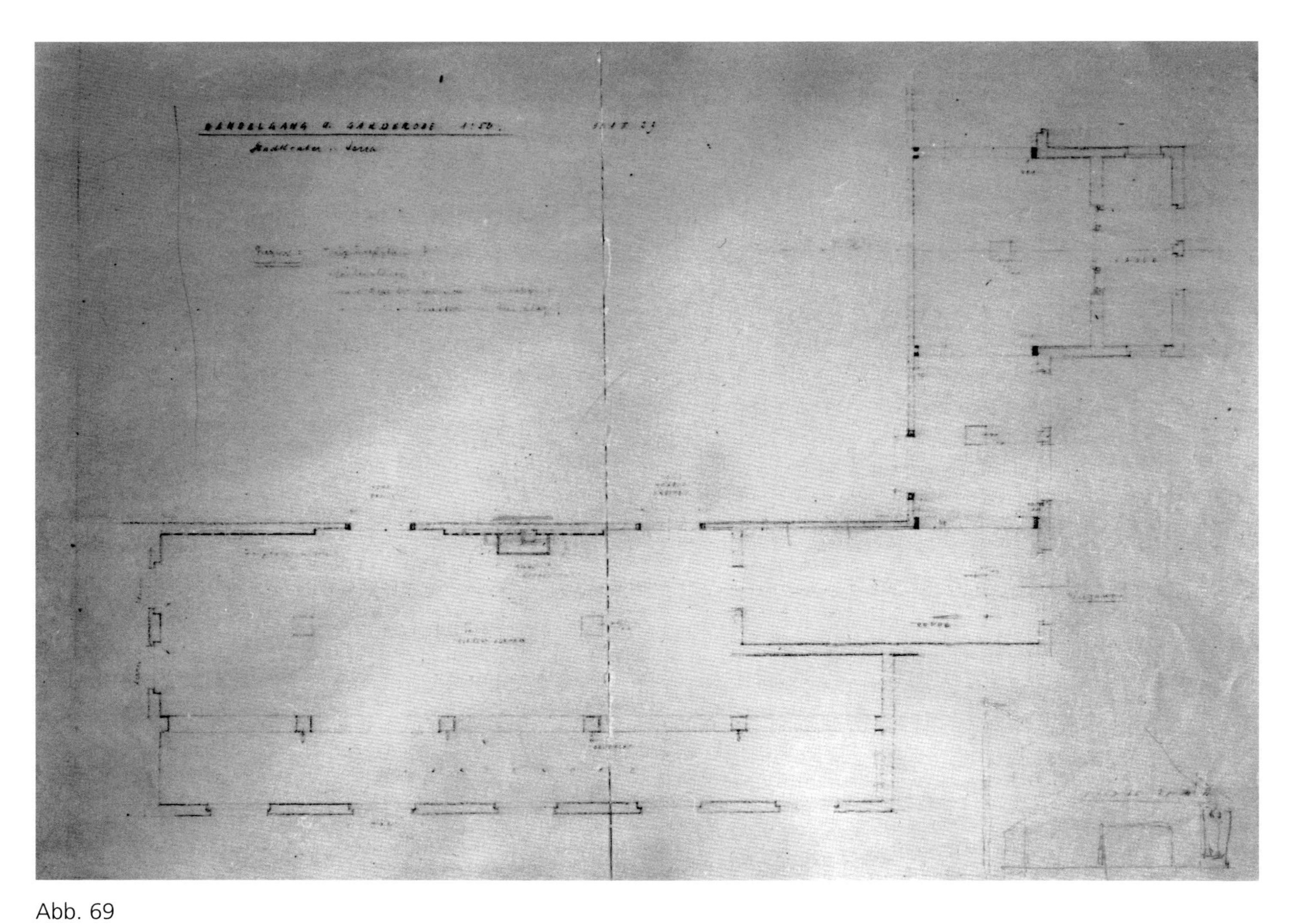

Abb. 69
Bauatelier Walter Gropius, Stadttheater Jena, Grundriß Wandelgang und Garderobe, 28. 7. / 8. 1921, Zeichnung, Blatt 23, M 1:50, Lichtpause, 45,5 x 65,5 cm, Bauaktenarchiv der Stadt Jena, Schillergäßchen 1, Umbau Stadttheater 1921 / 22, Mappe 1, Passepart.-Nr. 5

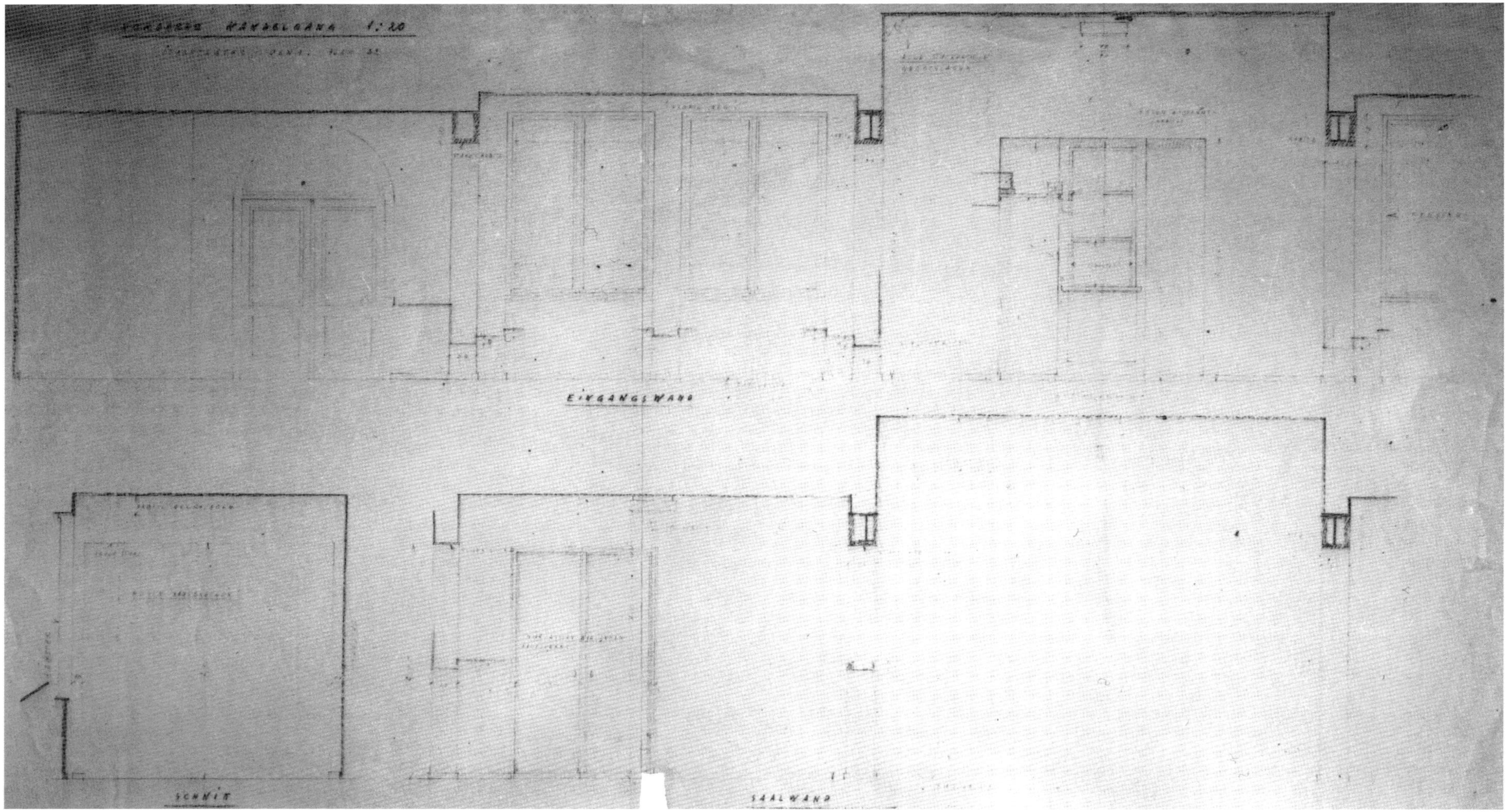

Abb. 70
Bauatelier Walter Gropius, Stadttheater Jena, Aufriß vorderer Wandelgang, o. D., Zeichnung, Blatt 22, M 1:20, Lichtpause, 50,0 x 88,5 cm, Bauaktenarchiv der Stadt Jena, Schillergäßchen 1, Umbau Stadttheater 1921 / 22, Mappe 1, Passepart.-Nr. 15

Abb. 71
Stadttheater Jena, Anbauten nach Plänen von Oskar Bandtlow, Januar / Februar 1922, Stadtarchiv Jena, Fotomappe Schillergäßchen, Nr. 1-2-213

Abb. 72
Stadttheater Jena, Umbauarbeiten nach den Plänen von Walter Gropius, März / April 1922,
© Courtesy of the Busch-Reisinger Museum, Harvard University Art Museums, Gift of Walter Gropius,
Inv.-Nr. BRGA. 16. 1

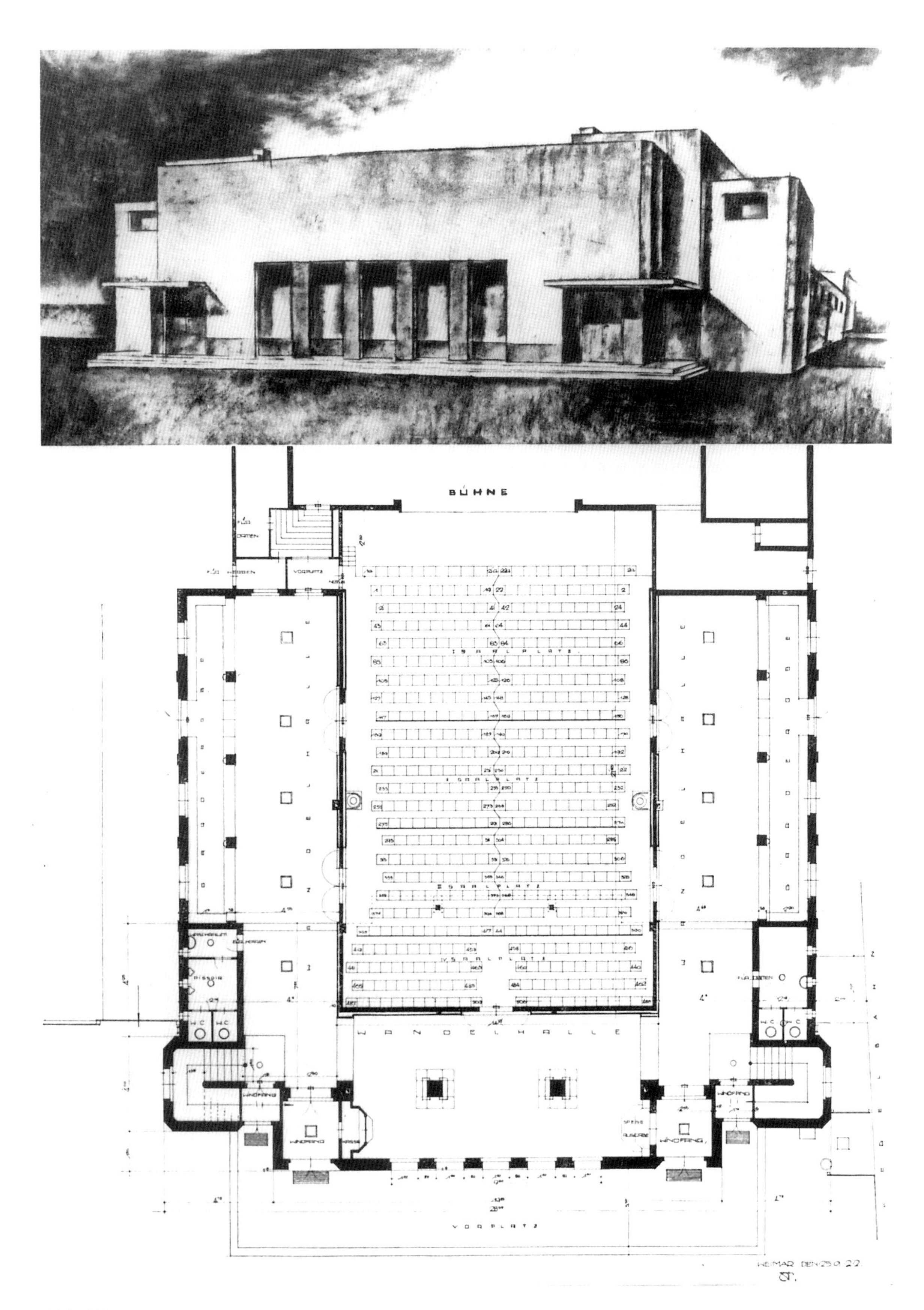

Abb. 73
Bauatelier Walter Gropius, Stadttheater Jena, Perspektivische Ansicht und Grundriß des Erdgeschosses, 25. 9. 1922, Foto: Lehrstuhl für Kunstgeschichte mit Kustodie, Friedrich Schiller-Universität Jena

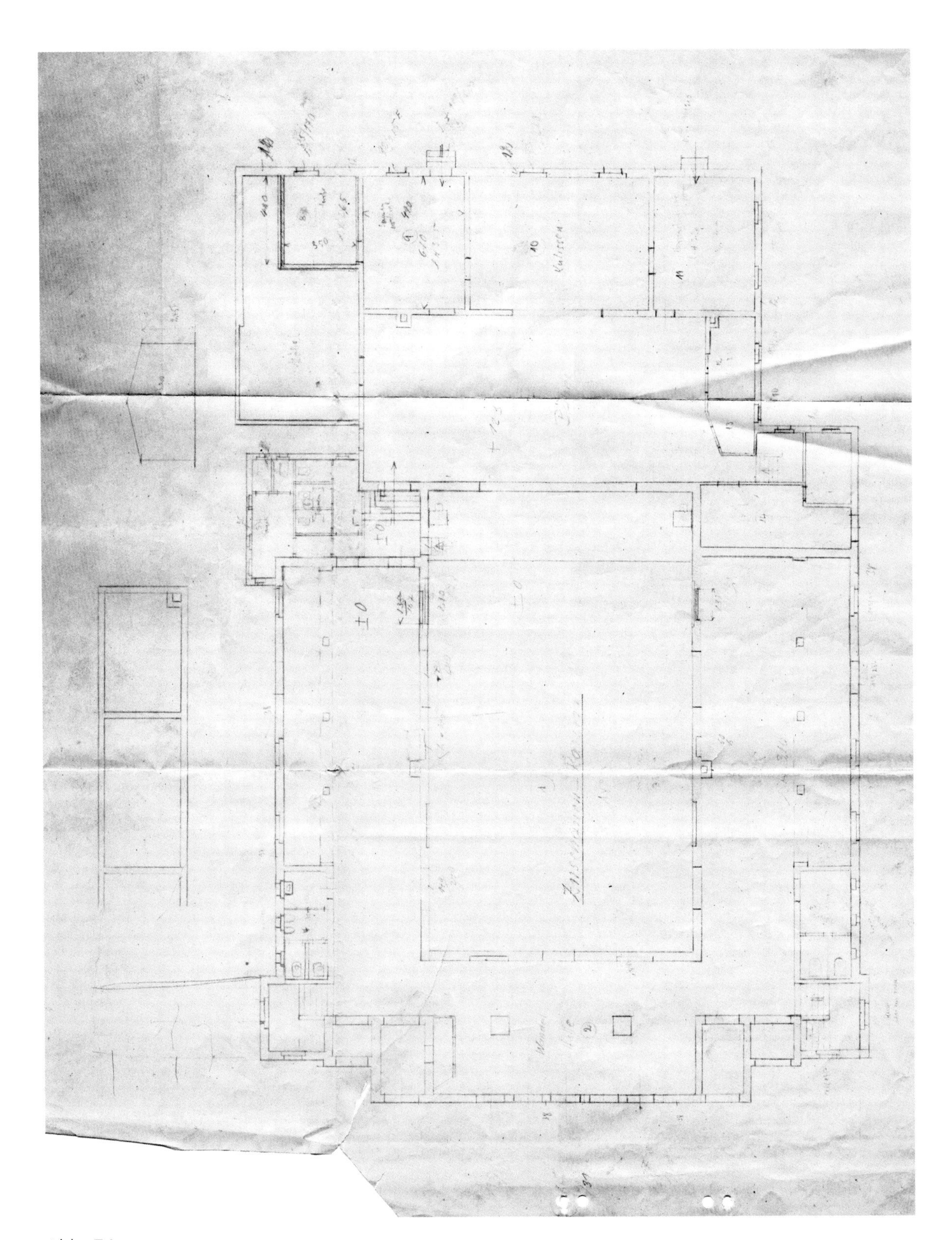

Abb. 74
Bauatelier Walter Gropius, Stadttheater Jena, Grundriß des Erdgeschosses, 1921 / 22, Zeichnung, M 1:100, Lichtpause, 45,8 x 55,0 cm, Bauaktenarchiv der Stadt Jena, Schillergäßchen 1, Akte Theater 1872 – 1946, Bl. 36

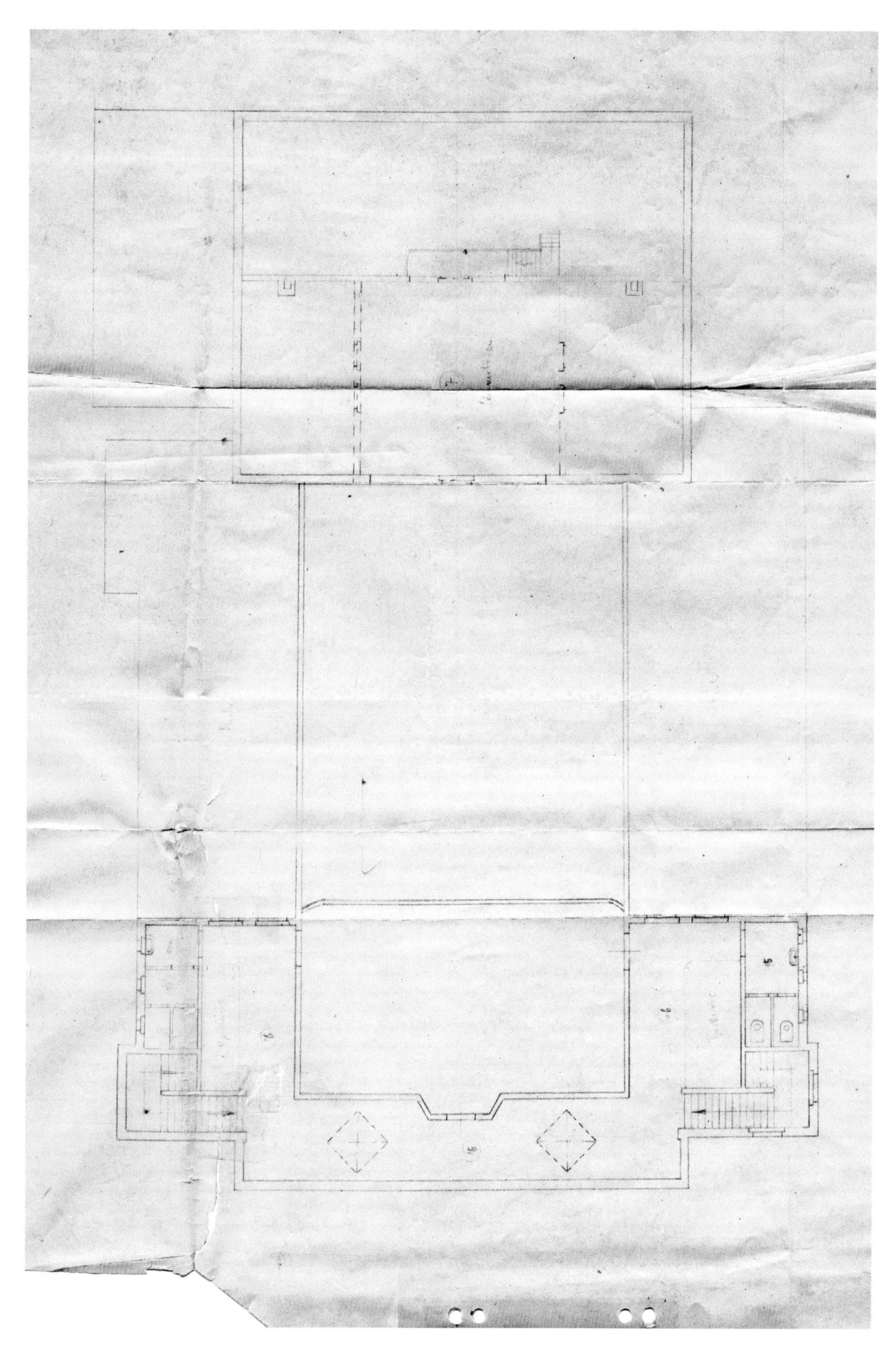

Abb. 75
Bauatelier Walter Gropius, Stadttheater Jena, Grundriß des Obergeschosses, 1921 / 22, Zeichnung, M 1:100, Lichtpause, 39,3 x 55,5 cm, Bauaktenarchiv der Stadt Jena, Schillergäßchen 1, Akte Theater 1872 – 1946, Bl. 35

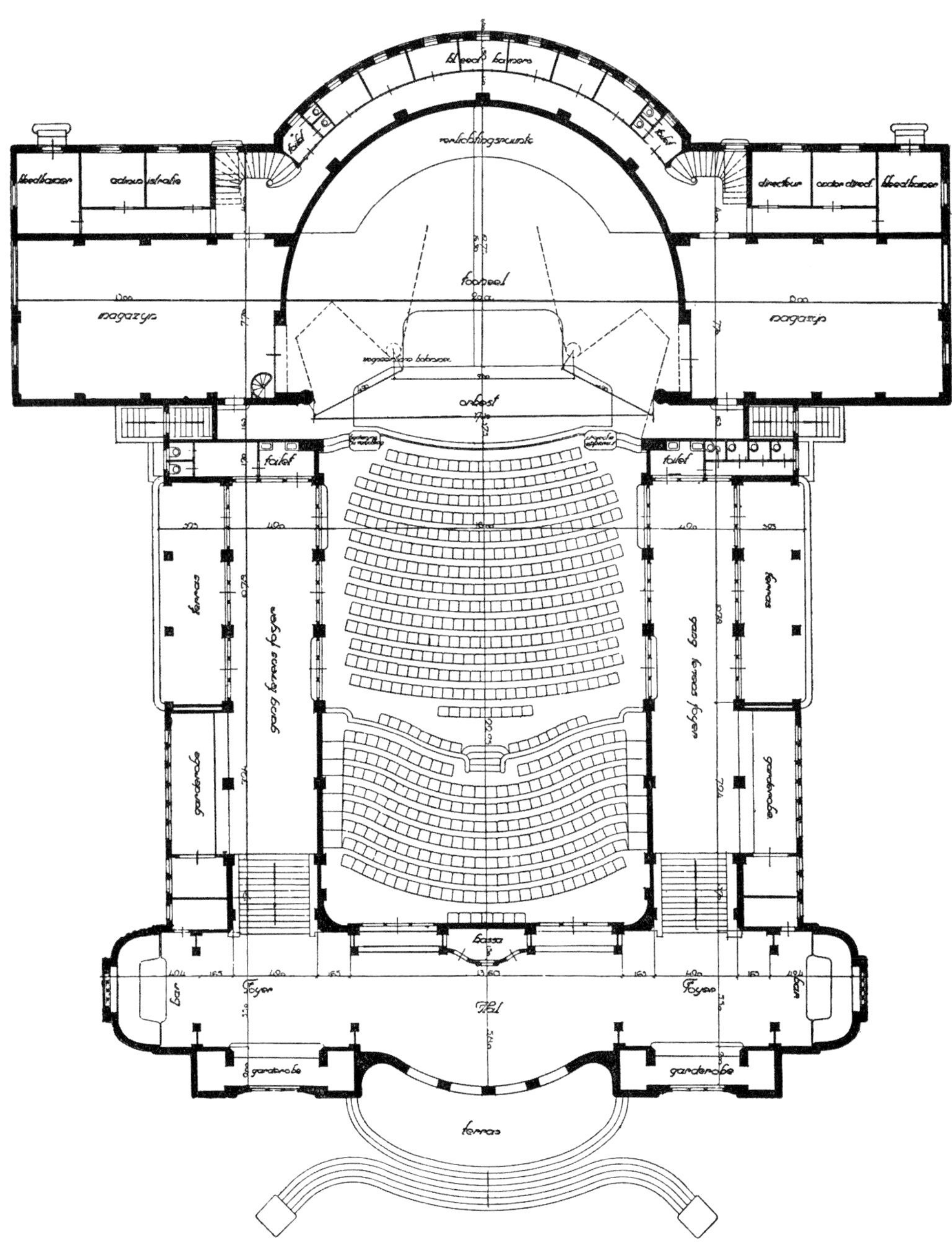

Abb. 76

Henry van de Velde, Werkbundtheater Köln, 1914, Ansicht und Grundriß,

Foto: Lehrstuhl für Kunstgeschichte mit Kustodie, Friedrich Schiller-Universität Jena

Abb. 77
Bauatelier Walter Gropius, Stadttheater Jena, Fassadenentwurf, 1921 / 22, Zeichnung, Bleistift und Graphit auf Transparent, 39,8 x 66,7 cm (mittleres Maß), Stadtmuseum Jena, JenaKultur, Inv.-Nr. F 5, 2324

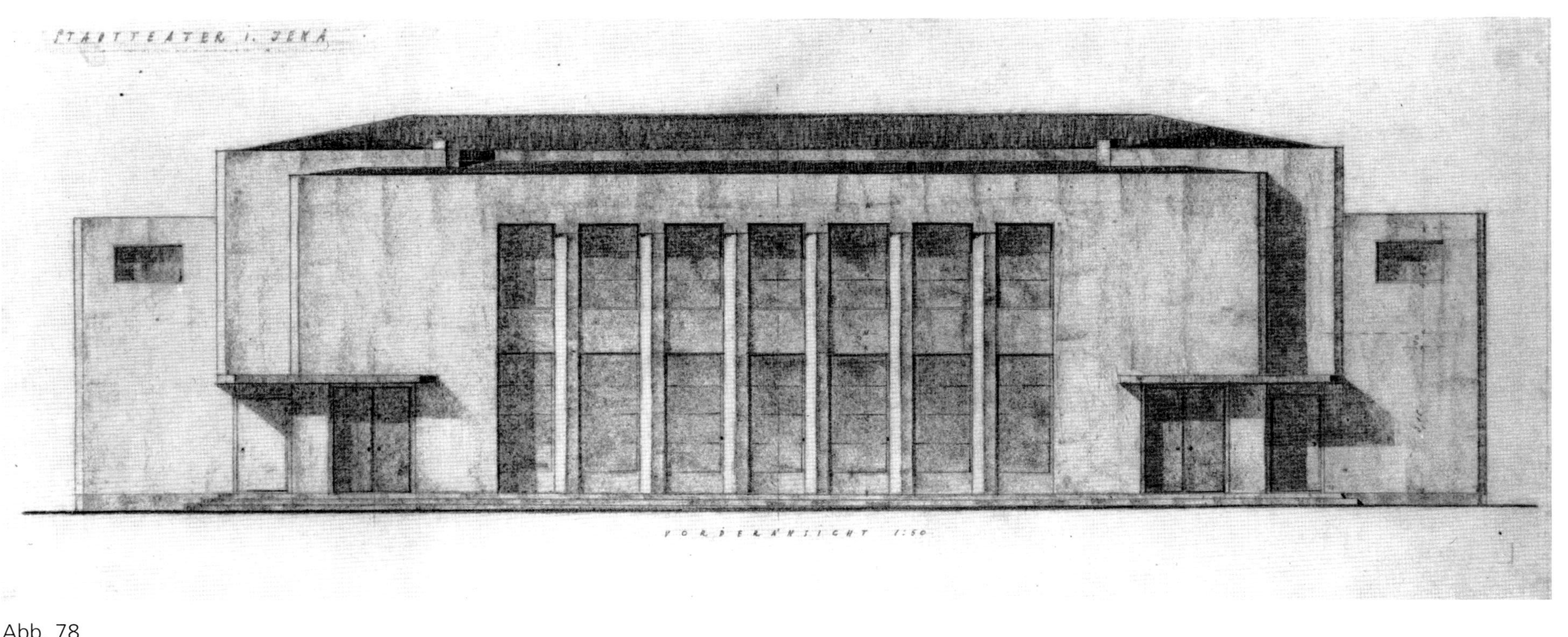

Abb. 78
Bauatelier Walter Gropius, Stadttheater Jena, Fassadenaufriß, 1921 / 22, Entwurf, Bleistift und Kohle auf Transparent, 26,0 x 67,0 cm,
Foto: Bauhaus-Archiv Berlin, Inv.-Nr. 12651

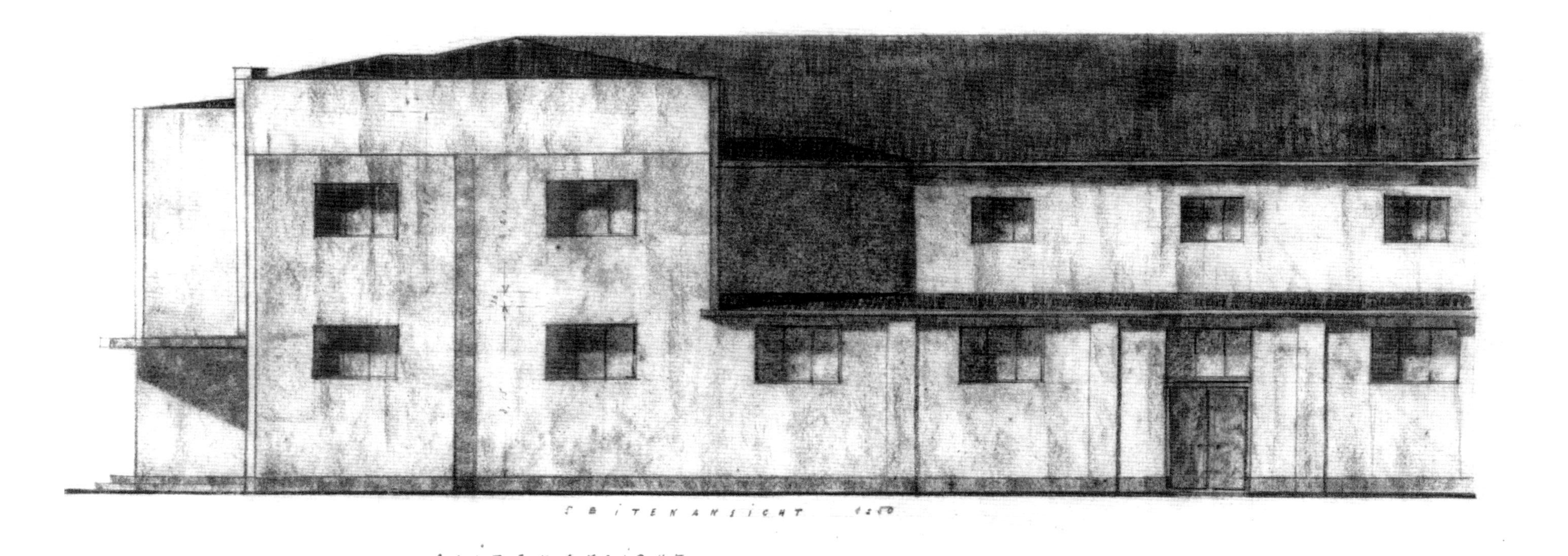

Abb. 79
Bauatelier Walter Gropius, Stadttheater Jena, Seitenansicht, 1921 / 22, Zeichnung, M 1:50, Bleistift und Graphit auf Papier, 28,1 x 56,9 cm, Stadtmuseum Jena, JenaKultur, Inv.-Nr. F 5, 2323

Abb. 80
Bauatelier Walter Gropius, Stadttheater Jena, Fassadenentwurf, 1921 / 22, Zeichnung, Bleistift und Kohle auf Transparent, 29,5 x 51,3 cm,
Foto: Bauhaus-Archiv Berlin, Inv.-Nr. 12652

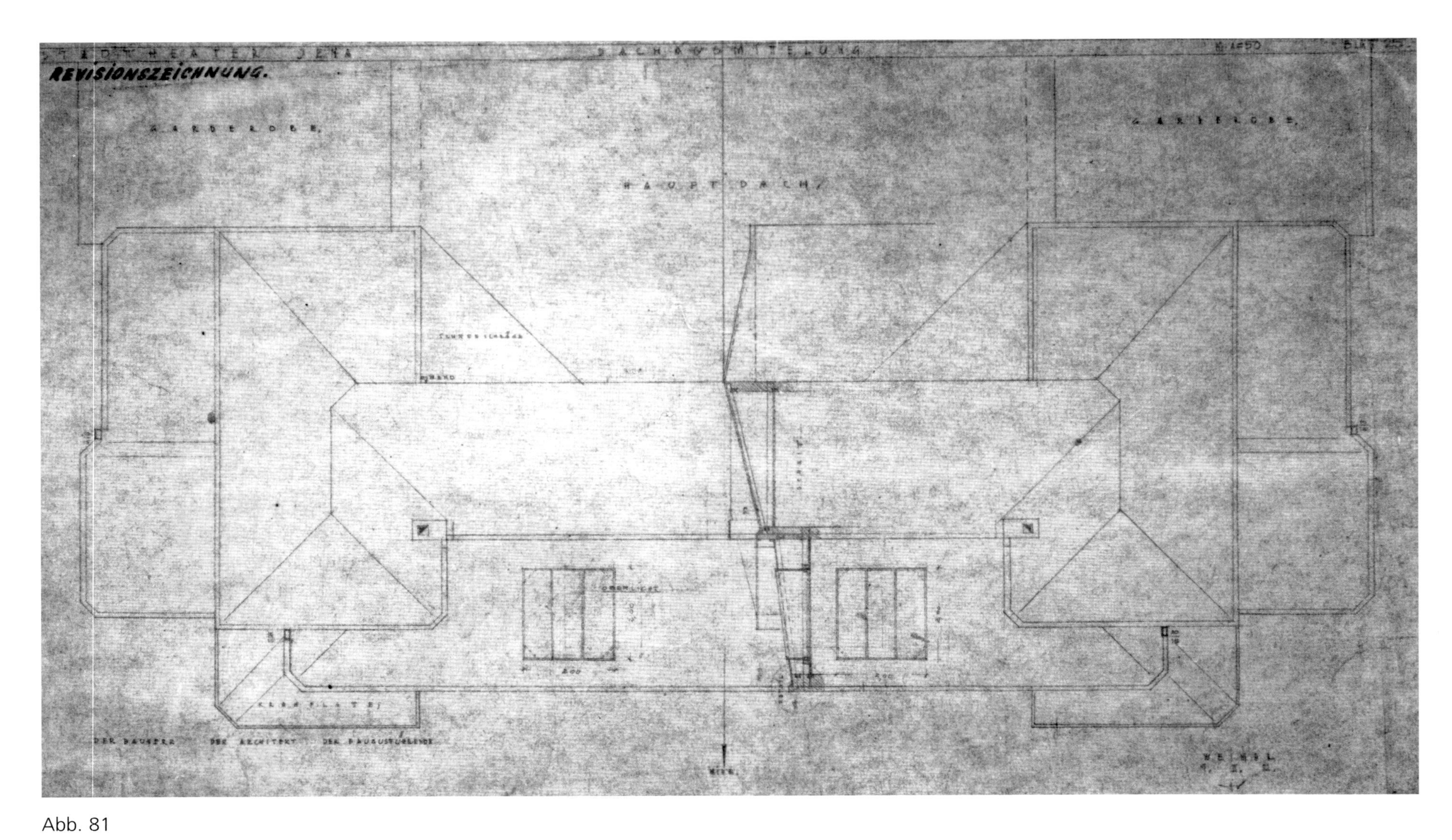

Abb. 81
Bauatelier Walter Gropius, Stadttheater Jena, Dachausmittelung, 9. 2. 1922, Zeichnung, Blatt 25, M 1:50, Lichtpause, 37,0 x 64,0 cm, (Revisionszeichnung), Bauaktenarchiv der Stadt Jena, Schillergäßchen 1, Umbau Stadttheater 1921 / 22, Mappe 1, Passepart.-Nr. 20

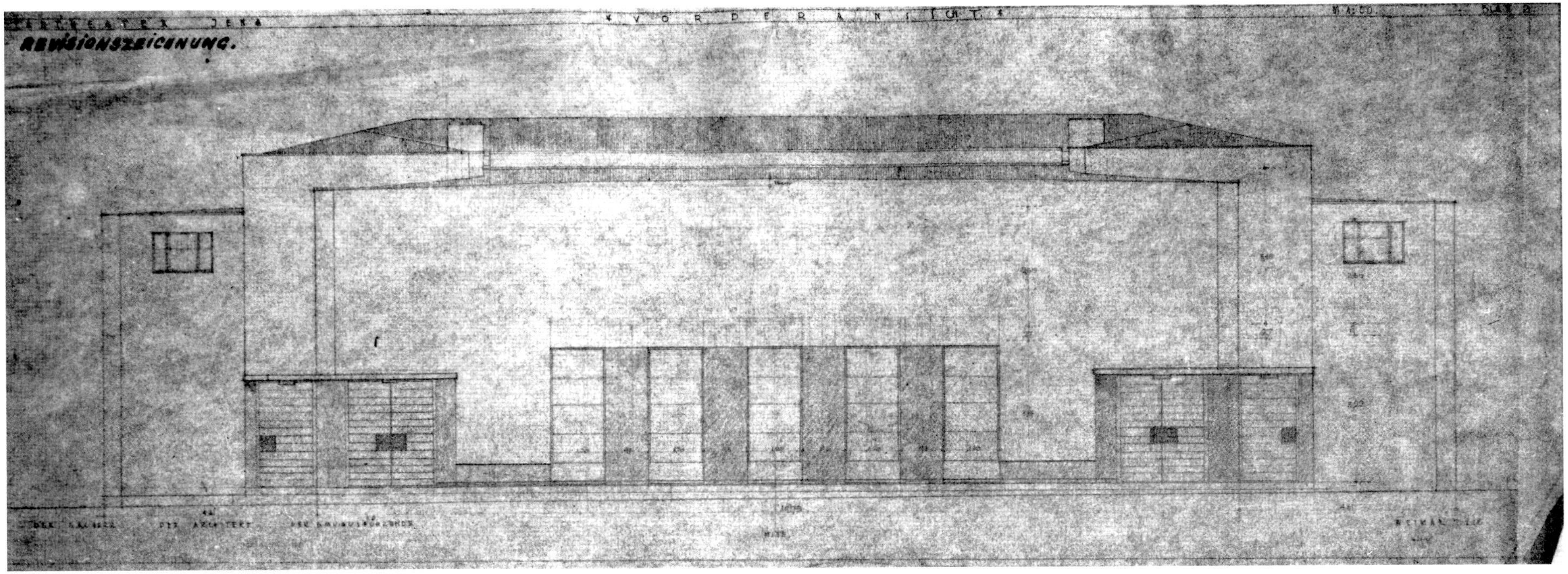

Abb. 82

Bauatelier Walter Gropius, Stadttheater Jena, Aufriß der Eingangsseite, 7. 2. 1922, Zeichnung, Blatt 2, M 1:50, Lichtpause, 26,2 x 68,5 cm, (Revisionszeichnung), Bauaktenarchiv der Stadt Jena, Schillergäßchen 1, Umbau Stadttheater 1921 / 22, Mappe 1, Passepart.-Nr. 17

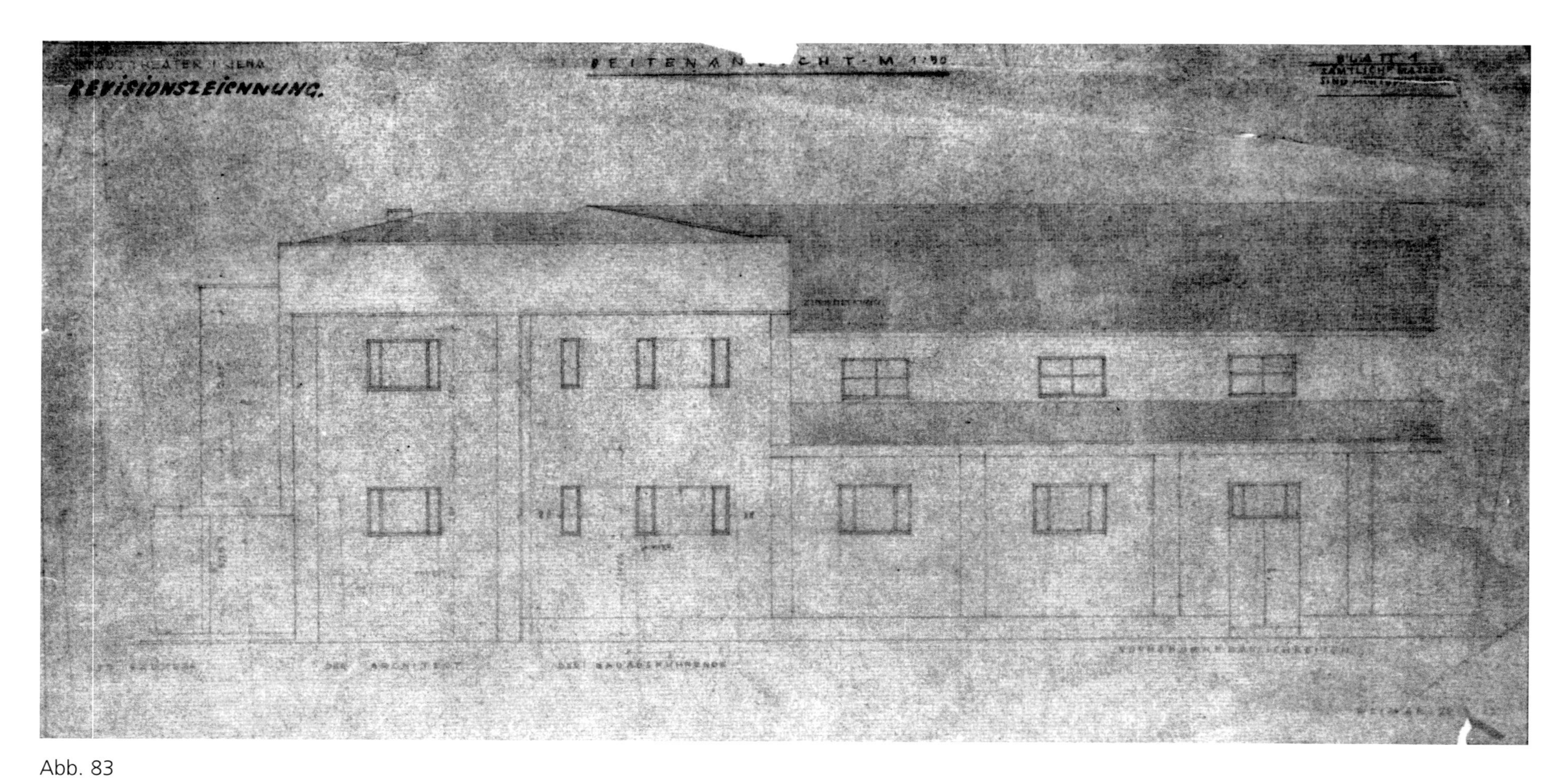

Abb. 83
Bauatelier Walter Gropius, Stadttheater Jena, Seitenansicht, 22. 3. 1922, Zeichnung, Blatt 1, M 1:50, Lichtpause, 28,5 x 55,5 cm, (Revisionszeichnung), Bauaktenarchiv der Stadt Jena, Schillergäßchen 1, Umbau Stadttheater 1921 / 22, Mappe 1, Passepart.-Nr. 18

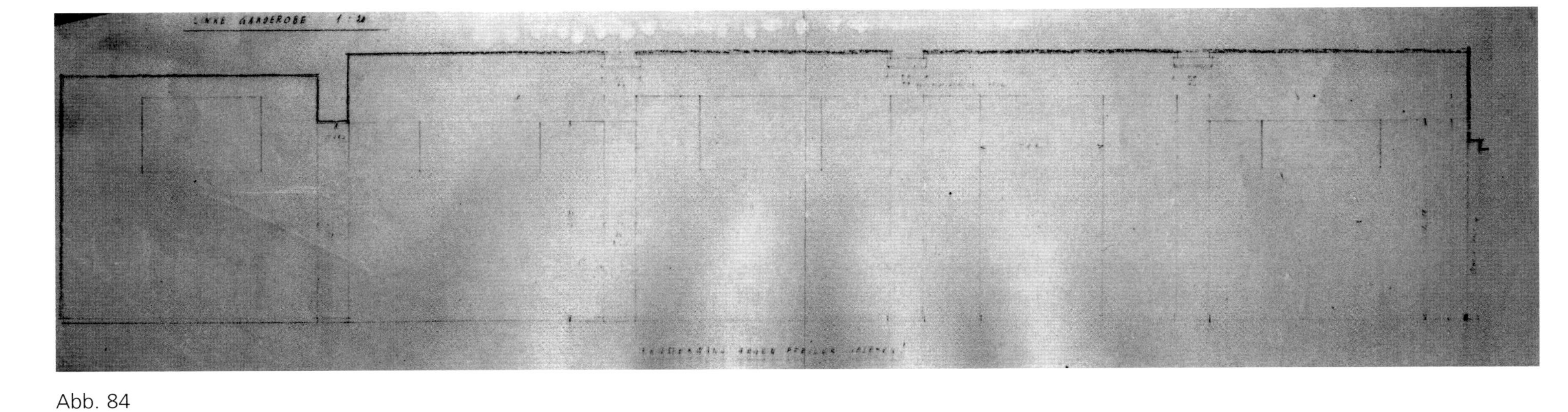

Abb. 84
Bauatelier Walter Gropius, Stadttheater Jena, Aufriß der Garderobe, links, o. D., Zeichnung, M 1:20, Lichtpause, 32,0 x 95,5 cm, Bauaktenarchiv der Stadt Jena, Schillergäßchen 1, Umbau Stadttheater 1921 / 22, Mappe 1, Passepart.-Nr. 16

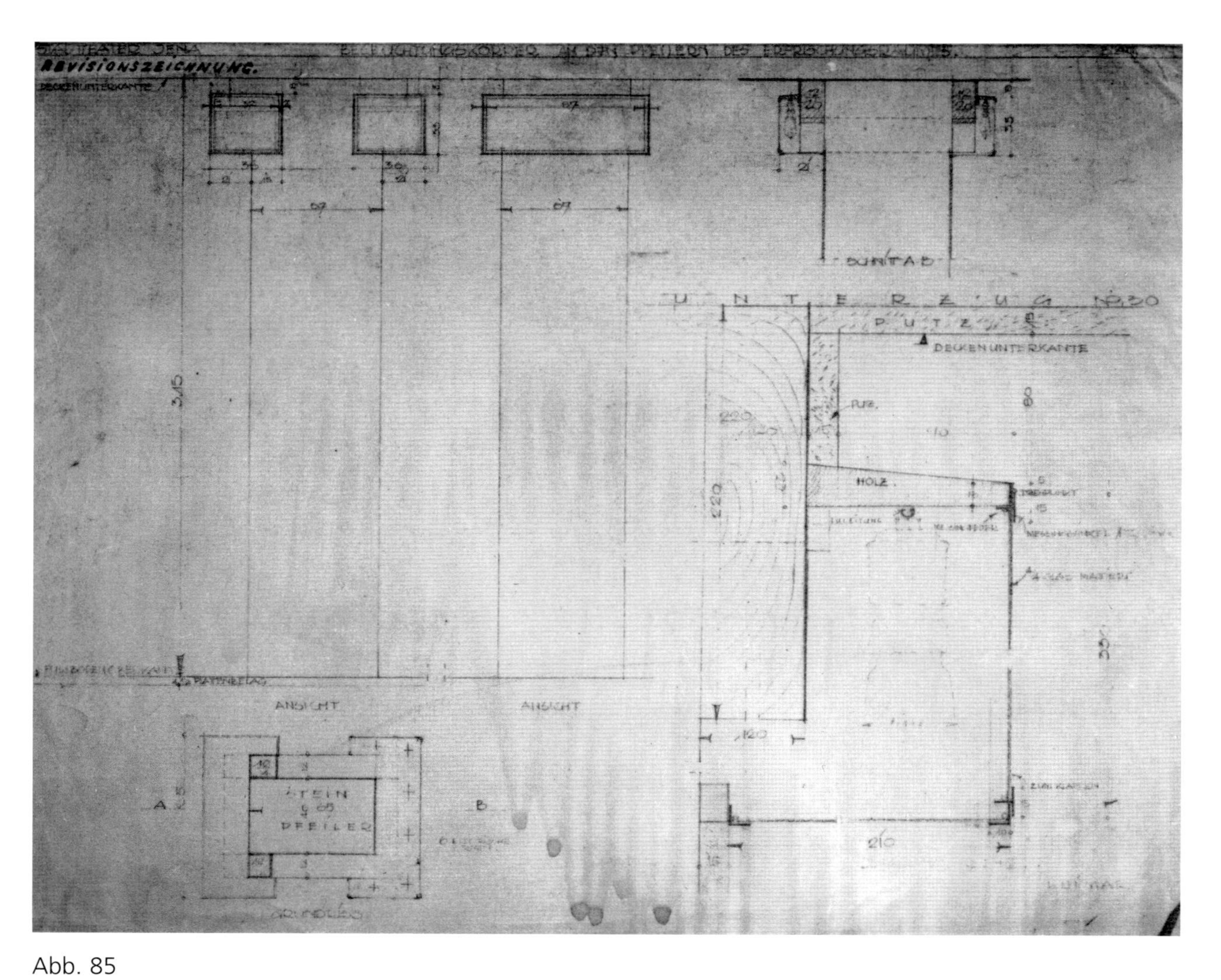

Abb. 85
Bauatelier Walter Gropius, Stadttheater Jena, Beleuchtungskörper an den Pfeilern des Erfrischungsraumes, o. D., Zeichnung, M 1:1, 1:10, Lichtpause, 48,8 x 60,0 cm, (Revisionszeichnung), Bauaktenarchiv der Stadt Jena, Schillergäßchen 1, Umbau Stadttheater 1921 / 22, Mappe 1, Passepart.-Nr. 21

Abb. 86
Bauatelier Walter Gropius, Stadttheater Jena, Perspektivische Ansicht, Foto: Bauhaus-Archiv Berlin, Inv.-Nr. F 8256 / 1

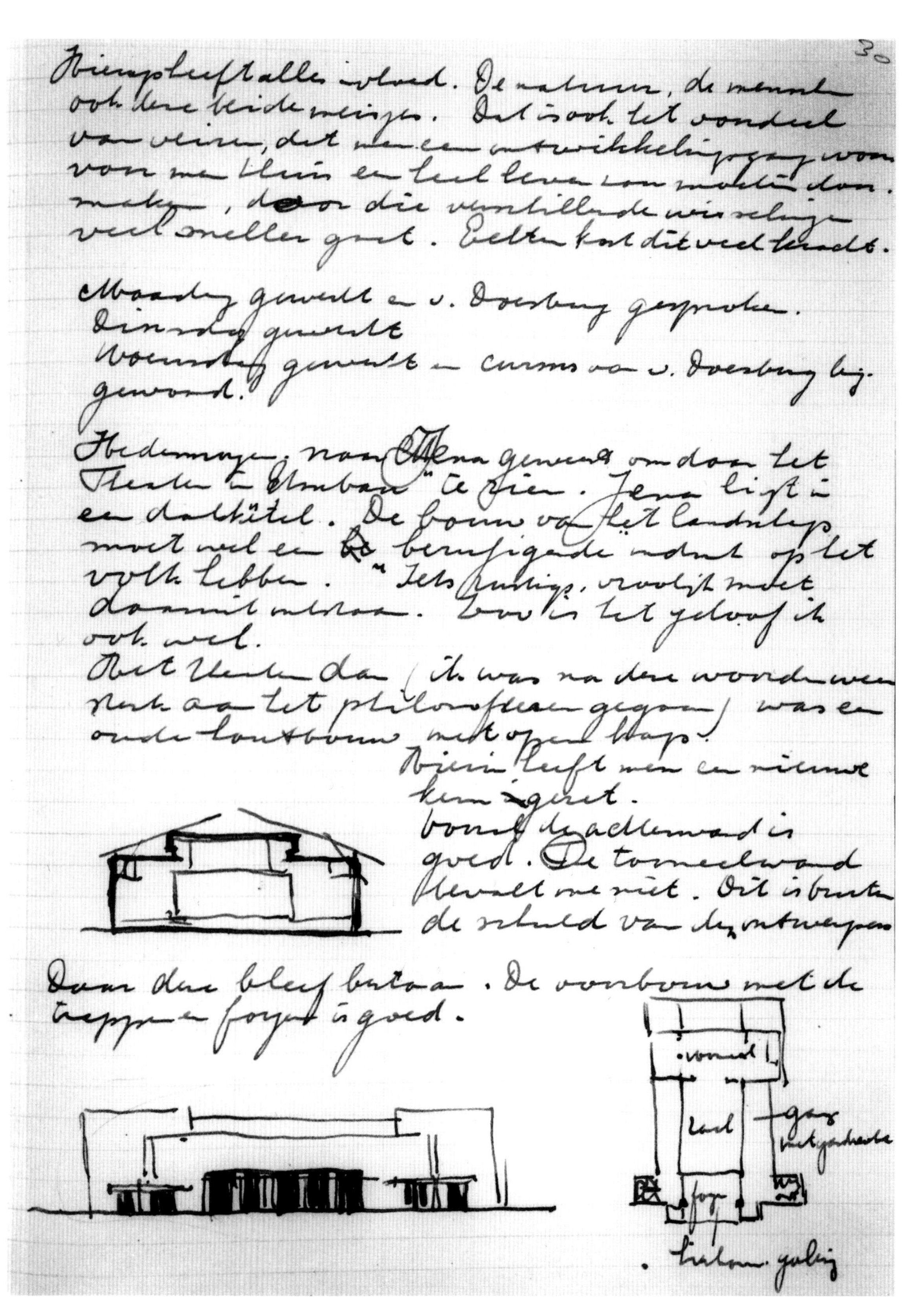

Abb. 87
Cornelis van Eesteren, Stadttheater Jena, 3 Skizzen, Schnitt, Ansicht, Grundriß, Tagebucheintrag vom 11. 5. 1922, Nederlands Architectuurinstituut, Rotterdam, Collection Van Eesteren-Fluck en Van Lohuizen-Foundation

Abb. 88
Bauatelier Walter Gropius, Stadttheater Jena, Eingang am Engelplatz, Foto: Bauhaus-Archiv Berlin, Inv.-Nr. F 8256 / 2

Abb. 89
Bauatelier Walter Gropius, Stadttheater Jena, Eingang am Engelplatz, Foto: Bauhaus-Archiv Berlin, Inv.-Nr. 6457 / 13

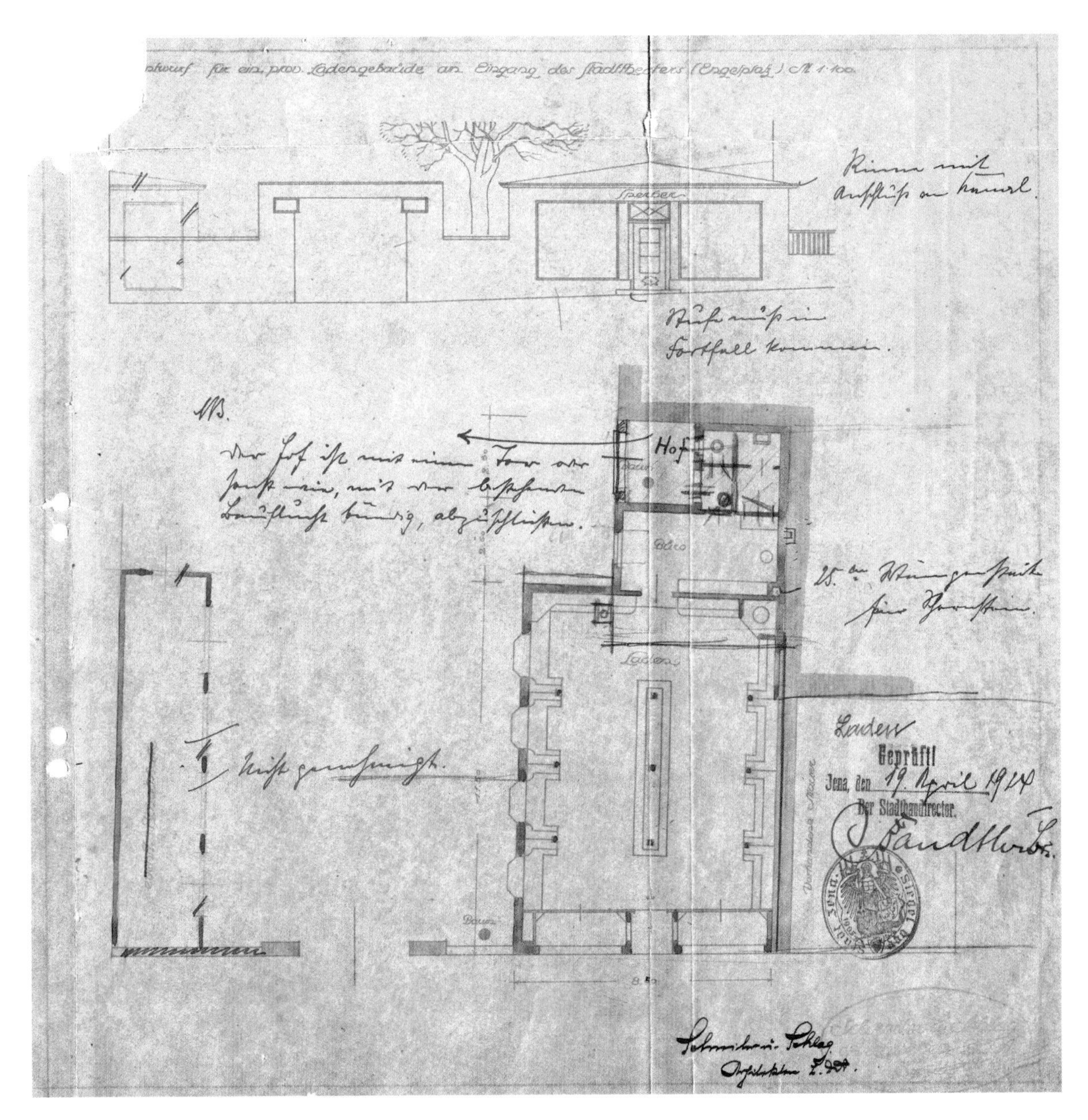

Abb. 90
Johannes Schreiter und Hans Schlag, Entwurf für ein prov. Ladengebäude am Eingang des Stadttheaters, April 1924, Grundriß und Ansicht, M 1:100, Lichtpause, 32,5 x 33,4 cm, Bauaktenarchiv der Stadt Jena, Schillergäßchen 1, Akte Stadttheater Jena, Ladenanbau zu Engelplatz 5, Gem. Jena, Flur 5 / Flst. 19 / 3, Bl. 4

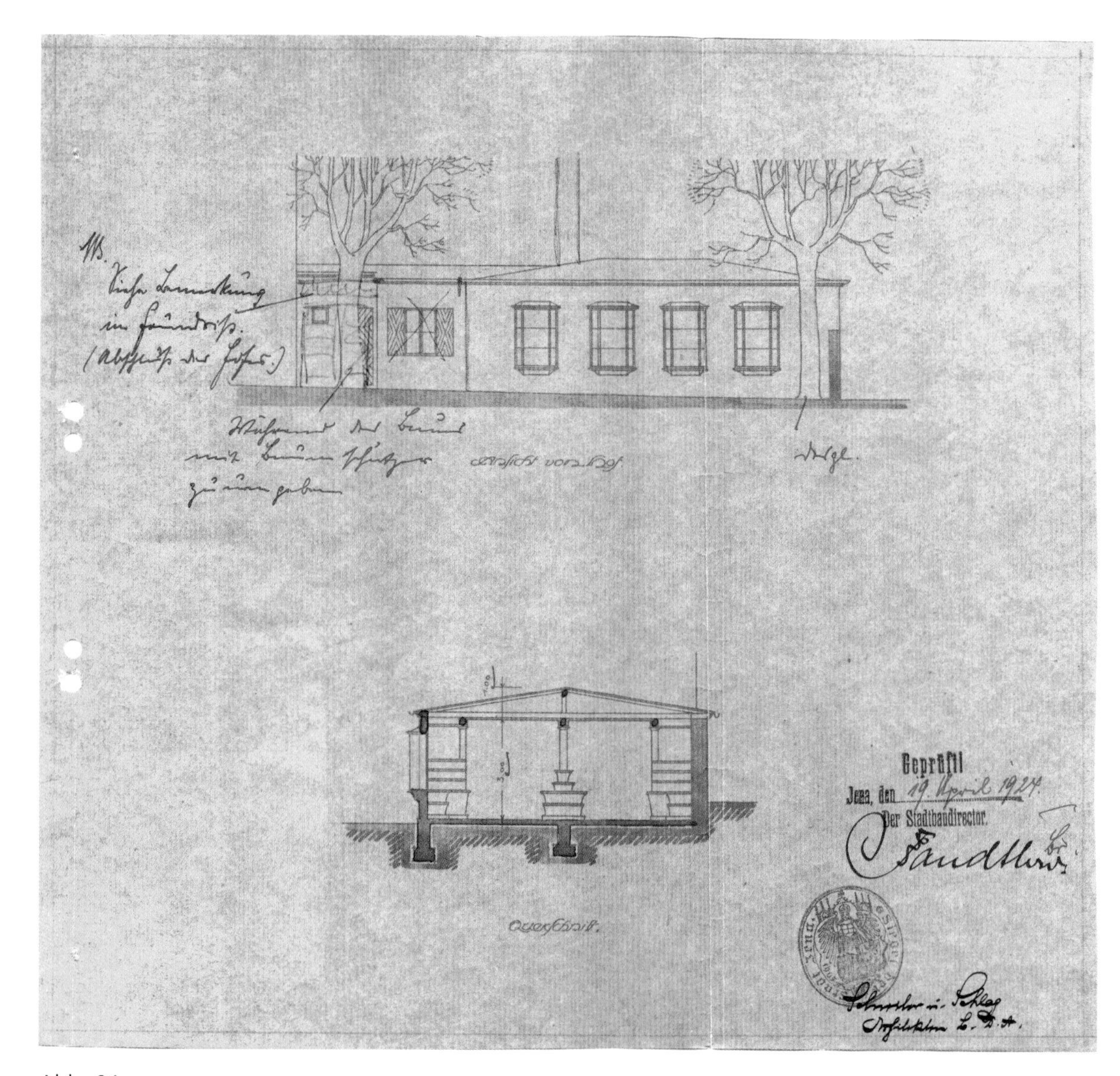

Abb. 91
Johannes Schreiter und Hans Schlag, Entwurf für ein prov. Ladengebäude am Eingang des Stadttheaters, April 1924, Seitenansicht und Schnitt, M 1:100, Lichtpause, 29,7 x 32,8 cm, Bauaktenarchiv der Stadt Jena, Schillergäßchen 1, Akte Stadttheater Jena, Ladenanbau zu Engelplatz 5, Gem. Jena, Flur 5 / Flst. 19 / 3, Bl. 3

Abb. 92
Stadttheater Jena, Eingang mit Ladengebäude, Februar 1933, Foto: Hans Fischer, Stadtmuseum Jena, JenaKultur

Abb. 93
Oskar Schlemmer, Farbentwurf für den Zuschauerraum des Jenaer Theaters, März 1922, Aquarell auf Transparent, 27,3 x 20,2 cm, © Bühnenarchiv Oskar Schlemmer, Sekretariat: IT – 28824 Oggebbio (VB)

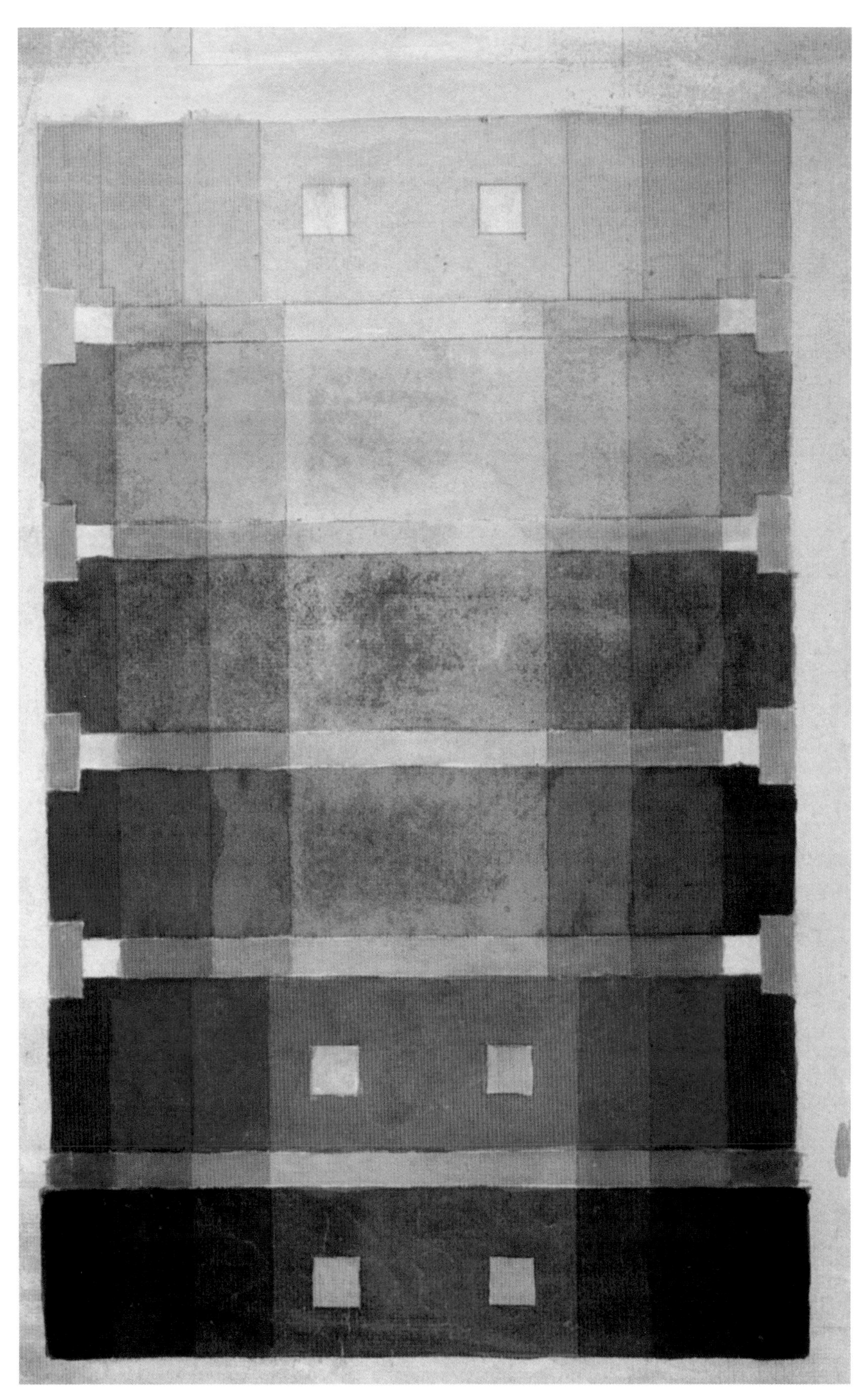

Abb. 94
Hinnerk Scheper, Farbentwurf für die Decke des Zuschauerraums im Jenaer Theater, 1921 / 22, Aquarell auf Papier, 29,8 x 46,5 cm, Privatbesitz, Nachlaß Hinnerk Scheper

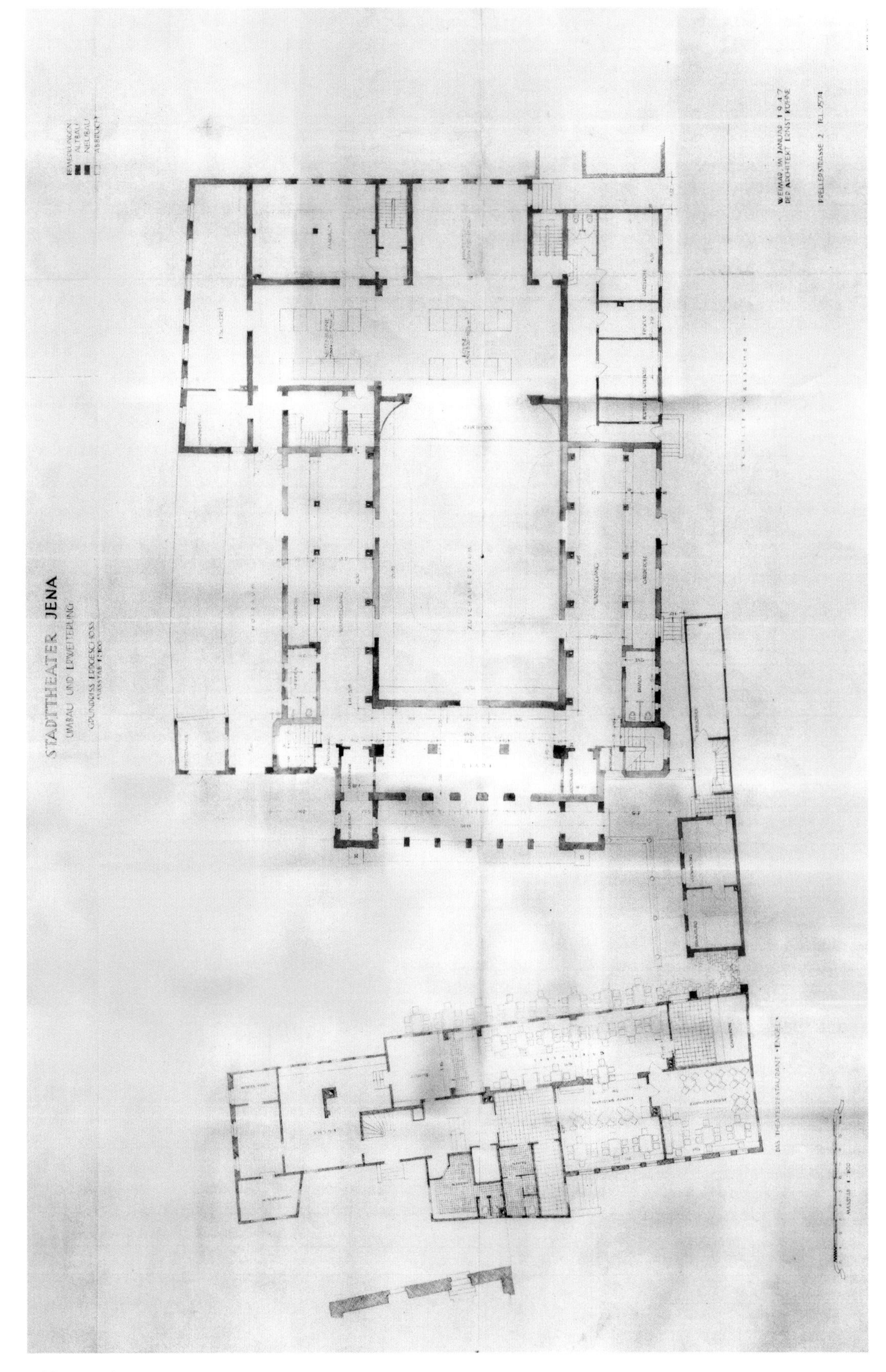

Abb. 95
Ernst Kühne, Stadttheater Jena, Umbau und Erweiterung, Grundriß des Erdgeschosses, Januar 1947, Entwurf, Zeichnung, M 1:100, Lichtpause, koloriert, 65,0 x 98,8 cm, Stadtarchiv Jena, Akte Wc Nr. 1, Theaterumbau 1947, Bl. 4

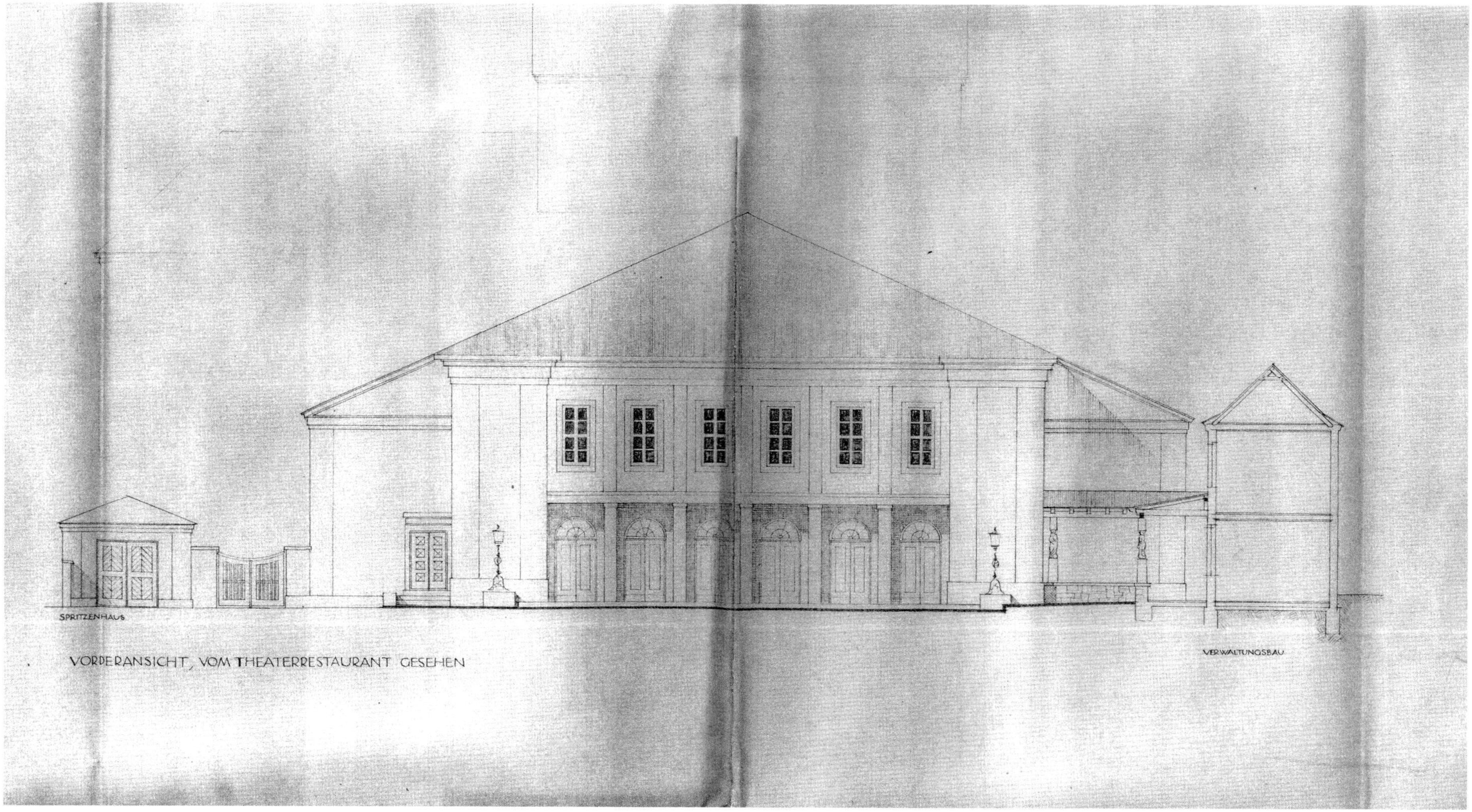

Abb. 96
Ernst Kühne, Stadttheater Jena, Fassadenentwurf, Februar 1947, Zeichnung, M 1:100, Lichtpause, 65,3 x 86,5 cm, Ausschnitt, Stadtarchiv Jena, Akte Wc Nr. 14, Baupläne, Umbau vom Stadttheater 1947, Bl. 6

Abb. 97
Stadttheater Jena, Zuschauerraum nach den Umbauarbeiten 1947 – 1948, Foto: Stadtmuseum Jena, JenaKultur

Abb. 98
Stadttheater Jena, Eingangsseite, Ansicht von Nordwesten, Dezember 1957,
Foto: F. W. Richter, Jena, Stadtarchiv Jena, Fotomappe Schillergäßchen 1, Nr. 2-5-49

Abb. 99
Stadttheater Jena, Eingangsseite, Ansicht von Nordwesten, Ende 1950er Jahre,
Foto: Stadtmuseum Jena, JenaKultur

Abb. 100
Theaterhaus Jena, Ansicht des Bühnenhauses von Norden nach der Sanierung, April 2003,
Foto: Lehrstuhl für Kunstgeschichte mit Kustodie, Friedrich Schiller-Universität Jena

Anonym, Lokales [Richtfest des Theaters in Köhlers Garten beim Engel], in: Jenaische Zeitung vom 31. 7. 1872

„Zur allgemeinen Freude, glauben wir, wird es für jeden Jenenser gereichen, daß nunmehr wieder wenigstens eine passende Lokalität für ein Theater, sowie für größere Konzerte geschaffen worden, denn seitdem die ohnehin nicht entsprechenden Räume des vormaligen Ballhauses durch den Umbau geändert worden, fehlte hier zu einem Theater etc. jeder Platz. – Welchen Genuß ein Theater gerade für alle Kreise der menschlichen Gesellschaft bietet, glauben wir hier nicht erst auseinandersetzen zu müssen; wir wollen durch diese Zeilen vielmehr nur darauf aufmerksam machen, daß jetzt in ‚Köhler's Garten' beim Engel durch dessen Besitzer, Herrn Braumeister C. Köhler hier, ein Gebäude errichtet wird, welches in Bezug auf Raum sowohl, wie auch in seiner inneren Einrichtung allen Anforderungen für größere Bälle, Konzerte, und hauptsächlich auch für ein Theater zu entsprechen geeignet sein soll. Es wird für ganz Jena durch diesen Bau eine Lokalität geschaffen, welche wir hier gerade schon lange schmerzlich vermissen mußten. Dieses neue Gebäude wird heute gerichtet und bringen wir hierzu dem Bauherrn unsern besten Glückwunsch und verbinden damit, sicher im Einverständnis mit einer großen Zahl der Bewohner Jena's, den Ausdruck des Dankes an den Gründer eines so allgemein erwünschten Lokals."

Anonym, Lokales [Das neue Theater in Köhlers Garten], in: Jenaische Zeitung vom 8. 10. 1872

„Jena, 7. Okt. Das neue Theater in Köhlers Garten am Engel ist in seinem Bau und seiner Einrichtung nunmehr vollendet und zeigt die schöne Ausstattung der Bühne, die prächtigen Dekorationen, die gute Beleuchtung [und] wie gerechtfertigt die Sympathien sind, welche diesem Unternehmen von allen Seiten entgegengebracht werden.

Noch in den letzten Tagen dieses Monats soll, wie verlautet, schon ein Vorstellungs-Cyclus von einer sich guten Rufs erfreuenden Truppe in dem neuen Theater beginnen, die Eröffnung des Theaters aber wird, wie man hört, schon in der nächsten Woche durch einen Dilettantenkreis der Gesellschaft ‚Grüne Couleur' stattfinden, welcher Gesellschaft der Erbauer selbst mit angehört und in welcher er von jeher schon die dramatische Unterhaltung mit pflegte und gab wohl diese Liebe zur dramatischen Kunst mit die Grundlage zur Erbauung des Theaters und so zur Erschaffung eines für unsere Stadt so lange schon gewünschten Musentempels.

Dem Vernehmen nach soll die erste öffentliche Vorstellung nicht nur eine genußbringende sein, sondern mit derselben auch noch ein guter Zweck verbunden werden, indem der Ertrag aus derselben zum Besten des Kriegerdenkmals auf dem Forste bestimmt sein soll. Genußreich dürfte diese Vorstellung durch die Wahl der zur Aufführung kommenden Stücke werden, denn, wie gesagt wird, sollen die reizende Gesangsposse ‚Auf eignen Füßen' [Montag, den 14. Okt. 1872] und das prächtige Stück ‚Das Stiftungsfest' [Mittwoch, den 16. Okt. 1872] (dessen wiederholte Aufführung schon früher in diesem Blatte leider vergeblich von dem gedachten Dilettantenkreise erbeten wurde) dazu in Aussicht genommen sein. – Möge das Unternehmen sich des besten Erfolgs zu erfreuen haben!"

Anonym, Ueber die Feuersicherheit des Theaters, in: Hallische Zeitung vom 6. 7. 1887

„Das Privattheater in Jena, in welchem gestern die sogen. Luther-Aufführungen, deren 8 in Aussicht genommen sind, wieder begonnen haben, hat im vorigen Jahre einen Umbau erfahren und nimmt jetzt – inclusive des Balkons, sonstige Gallerien sind nicht vorhanden – gegen 700 Personen auf. Man sollte meinen, daß mit diesem Umbau von bautechnischer und baupolizeilicher Seite alle diejenigen Sicherheits-Vorrichtungen verbunden worden seien, welche die großen Theaterbrände der neuesten Zeit als unbedingt erforderlich, leider erst nachträglich, haben erkennen lassen. Dem ist aber hier noch nicht so. Denn es sind nicht nur die beiden Treppen, welche den Verkehr zwischen Balkon und Parterre vermitteln, hölzerne anstatt steinerne oder eiserne, sondern es schlagen auch drei Thüren, welche hauptsächlich den Ausgang ins Freie vermitteln, nach innen anstatt nach außen auf! – Das ganze Gebäude enthält 6 Ausgänge, aber alle indirekte, theils durch Vorzimmer führend, theils, wie an der Stirnseite, in einen Corridor mündend. Die drei Außenthüren des letzteren sind es, welche hier in Frage kommen; diese hat man aus architektonischem Schönheitsgefühl nach innen schlagend angelegt. In den Sommermonaten werden diese wohl regelmäßig aufgeschlagen sein; das genügt aber nicht: sie haben keine Vorrichtung zum Festhalten an der Rückwand, gerathen in Folge dessen bei etwaigem Drängen nach dem Ausgang in gefahrvolle Bewegung und müssen deshalb unbedingt, so lange eine Theater-Vorstellung dauert, auch bei stark besuchten Concerten etc. ausgehängt sein. – Es ist aber geradezu unbegreiflich, wie man bei Revision der Baurisse und polizeilichen Abnahme des Baues diese wichtigen Faktoren für die Sicherheit des Publikums hat außer Acht lassen können. Soll hier auch erst ein Unglück die Veranlassung zur Beseitigung dieser groben Baufehler geben? Hoffentlich wird noch rechtzeitig Abhülfe geschaffen."

Anonym, Die Theaterfrage, in: Volkszeitung vom 1. 3. 1913

„Auf Freitagabend hatte der ‚Ausschuß für die Errichtung eines Theater-Neubaues in Jena', alle diejenigen, die Beiträge für den Theater-Neubau gezeichnet haben oder sich sonst für diese Angelegenheit interessieren, in den kleinen Saal des Volkshauses eingeladen. Allzuviele waren es nicht, die dem Rufe Folge leisteten und dadurch über Interesse für die Rechnungslegung und die Organisation des zu begründeten Theatervereins bekundeten. Nach einigen einleitenden Worten des Herrn Prof. Linck, gab der provisorische Schatzmeister einen finanziellen Ueberblick. An Beiträgen sind gezeichnet 103 924,05 Mark; davon sind 15 841,61 Mark eingezahlt. In der Diskussion herrschte Einigkeit darüber, daß erneut die Werbetrommel gerührt werden muß und die gezeichneten Beiträge einzufordern sind. Die Mehrzahl der Stimmen erhob sich zugunsten eines Neubaues, auch Oberbürgermeister Dr. Fuchs ist der Auffassung. GR [Gemeinderat] Berlinghoff trat für einen Umbau ein, der billiger sei und der Gemeinde für andere Zwecke nicht Mittel entziehe. Angeschnitten wurden auch Fragen, die zu lösen nicht am vordringlichsten sind, wie die Beschaffung des Dekorations- und Kostümfonds für das neue Haus. Die Platzfrage, Bildung eines Künstlerbeirats, Veranstaltung einer Geldlotterie, deren Ergebnis für den Theaterneubau Verwendung finden soll, wurden angeschnitten. Nachdem Genosse Rudolph u. a. auch einige Unklarheiten des vorgelegten Statutenentwurfs besprochen hatte, deren Beseitigung Prof. Linck liebenswürdig zusagte, machte unser Redner auch auf das Bedenkliche des Mehrstimmenrechts für größere Geldgeber in Kunstfragen aufmerksam. Das rief merkwürdiger Weise den Fortschrittsmann und Geschäftsführer der Firma Zeiß, Herrn Fischer, auf den Plan, der das Mehrstimmenrecht verteidigte und aus dessen Gemurmel auch noch herauszuhören war, daß die Arbeiter zwar viele Stimmen, aber wenig Hirn haben. So was ist halt sehr freisinnig.

Das Ergebnis der Aussprache – das Statut soll in einer späteren Versammlung gründlich behandelt werden – faßte Prof. Linck dahin zusammen, daß die Beitragszeichner ersucht werden sollen, die Gelder baldigst abzuführen und eine Anfrage an den Gemeinderat zu richten ist, ob er baldigst eine endgültige Entscheidung über den Neubau bezw. Umbau des Theaters herbeizuführen gedenkt und in welcher Höhe mit einem Beitrag zu dem eventuellen Neubau gerechnet werden kann. Damit schloß die Aussprache."

Anonym, [Die Winterspielzeit des Jenaer Stadttheaters], in: Das Volk vom 18. 5. 1921

„Die Winterspielzeit des Jenaer Stadttheaters erreichte am 15. Mai ihr Ende, und wenn auch die Theaterfrage dem Brennpunkt des öffentlichen Interesses heute entrückt ist, ist es nicht ohne Bedeutung, einen kurzen Rückblick auf die Verhältnisse zu werfen, die typisch für die Theatermisere an kleinen Bühnen sind.

Die Idee des Städtebundtheaters, die im vergangenen Herbst der Neuregelung der hiesigen Theaterverhältnisse zugrunde lag, ist an sich wohl durchführbar, wenn eine Subvention der beteiligten Städte und ein gut organisiertes Publikum ein derartiges Unternehmen finanziell garantieren. Fehlen diese Voraussetzungen, so ist es keinem Direktor möglich, selbst wenn er über bedeutende Mittel verfügt, unter den gegenwärtigen Verhältnissen sich auf die Dauer zu halten. Kommt das Fehlen einer Theatertradition, wie in Jena hinzu, so müssen naturnotwendig die Verhältnisse jene chaotische Form annehmen, wie sie sich im Februar dieses Jahres hier zeigten. Daß auch die Kunst unter den gegebenen Umständen schwer litt, darf nicht weiter wunder nehmen, und daß trotzdem eine Anzahl guter Vorstellungen zu stande kam, möge als Beweis dienen, daß wohl der gute Wille vorhanden war, der sich aber bei den unsagbar schwierigen wirtschaftlichen Verhältnissen nicht durchringen konnte. Direktor Rudolph als Wallenstein, ferner die Herren Prof. Winds, Keßler, Wolf und Hahn boten beachtliche Einzelleistungen. Außer Nadja Sendahl, Frl. Winkler und Frl. Winds, befand sich unter den Damen des Schauspiels leider keine, die über die Mittelmäßigkeit hinausragte. Der Besuch nahm ständig ab und erfuhr erst wieder eine kleine Belebung, als Ende Februar Dir. Horsten die Direktion übernahm und die Operette im Spielplan dominierte. Durch die selbstlose Uebernahme des Schauspielpersonals in jener kritischen Zeit, das sonst ohne Zweifel auf die Unterstützung der Stadt angewiesen war, wurde Dir. Horsten allerdings in seiner Bewegungsfreiheit stark behindert und finanziell außerordentlich belastet. Trotz aller Bemühungen künstlerisch zu arbeiten, wobei er durch Frl. Krull, Herrn Roussell und neuerdings durch Herrn Carlo wirksam unterstützt wurde, mußte auch Dir. Horsten mit Unterbilanz arbeiten, und schließlich auch die Hoffnung im nächsten Jahre das Stadttheater zu erhalten, aufgeben. So ergibt sich am Schluß der Spielzeit die bedauerliche Tatsache, daß trotz aller aufgewandter Mühe und des besten Willen Direktoren und Schauspieler eine Unsumme von Arbeits- und Nervenkraft opferten, ohne daß Kunst und Publikum dabei auf ihre Rechnung kamen. Den Rückgang der deutschen Theaterkultur und den wirtschaftlichen Niedergang der Künstler dokumentiert am deutlichsten dieses Jahr Jenaer Theatergeschichte, aus dem hoffentlich Lehren für die Zukunft gezogen werden."

Anonym, Vom Umbau des Stadttheaters, in: Jenaer Volksblatt vom 8. 10. 1921

„Im Vorjahre seines 50jährigen Bestehens ist das bescheidene Jenaer Stadttheater-Gebäude, das im Jahre 1872 vom verstorbenen Theaterfreund Kommerzienrat Karl Köhler errichtet wurde, nach manchem Für und Wider doch noch einem gründlichen Umbau unterzogen worden. Die Ziele waren bekanntlich weiter gesteckt: ein Neubau sollte mit allen Unzulänglichkeiten aufräumen. Aber dies Ideal der Theaterfreunde Jenas hat sich leider nicht erreichen lassen; schon in der Vorkriegszeit begegnete das Unternehmen großen Schwierigkeiten, die unter den gegenwärtigen Zeitverhältnissen kaum überwindbar sind. Und so mußte man sich mit einem Umbau bescheiden, der nicht nur die schlimmsten Mängel beseitigt, sondern auch mancherlei Annehmlichkeiten schafft. Es mußte freilich tief in den Beutel gegriffen werden: man schätzt den Kostenaufwand auf rund 200 000 M.

Gegenwärtig sind noch viele fleißige Handwerker auf dem Grundstücke tätig; man wird sich sputen müssen, wenn in dem Arbeitsplan von etwa 6 bis 8 Wochen das Werk glücklich unter Dach und Fach gebracht werden soll, bevor Witterungsunbilden der rauhen Jahreszeit den Arbeiten ein Halt [sic] gebieten. Aber schon jetzt läßt sich das künftige Bild des Stadttheaters mühelos übersehen. Neben den beiden Haupteingängen wurde zunächst ein Vorbau eingefügt, der die Theaterkasse aufnehmen soll. Die Abfertigung erfolgt natürlich im Innern; zwei Fenster, die nach dem Garten ausmünden, spenden dem Raum Licht und Luft. Der frühere kleine Kassenwinkel ist verschwunden. Der rechtsseitige eiserne breite Treppenaufgang wurde seitlich verlegt, wodurch ein bequemer Aufstieg und eine bessere Uebersicht erzielt wurden. Mit Wohlbehagen stellt das Auge nach Ersteigen der Treppe fest, daß das Balkengewirr der Decke, das dem Jenaer Stadttheater einen recht anzüglichen Beinamen eingebracht hatte, restlos beseitigt worden ist. Dasselbe Schicksal ereilte die beiden Ecklogen. Auf dem Balkon und den ‚allerhöchsten Höhen' werden auch mancherlei Annehmlichkeiten geschaffen. Die beiden Kleiderablagen sind durch Ausbau wesentlich verbreitert worden; sie ermöglichen nunmehr eine schnelle Abfertigung der Theaterbesucher. Neugeschaffene breite Eingänge nach dem Theatersaal erleichtern den Verkehr. Die Bühnenverhältnisse dagegen bleiben unverändert; Theatermeister Koch, der nunmehr seit über zwanzig Jahren mit Umsicht seines verantwortungsvollen Amtes waltet, hofft zuversichtlich, auch fernerhin allen Ansprüchen gerecht zu werden und mit der bestehenden Ausrüstung auszukommen. Im Theatergarten soll die altersschwache Laube und ein stiller Winkel verschwinden, die schon lange überflüssig sind. Das Theatergebäude selbst wird durch Anstrich ein schmuckes Gewand erhalten, die Zugangswege und Beleuchtung vor dem Grundstück sollen verbessert werden.

Somit ist – soweit es die Zeitverhältnisse gestatten – alles getan worden, um allen billigen Wünschen Rechnung zu tragen und den Theaterbesuchern einen Aufenthalt zu schaffen, um einen ungetrübten Genuß der Darbietungen der Weimarer Künstler zu ermöglichen. Möchte das Geschaffene verdiente Würdigung und Unterstützung finden."

Anonym, Freie Volksbühne Jena, in: Jenaer Volksblatt vom 18. 10. 1921

„Nachdem das Jenaer Stadttheater vom Deutschen Nationaltheater in Weimar übernommen worden ist und auch die Freie Volksbühne Jena ein Abkommen mit Weimar getroffen hat, konnte man annehmen, daß der für Montag abend nach dem kleinen Volkshaussaal einberufenen außerordentlichen Mitgliederversammlung der Freien Volksbühne ein starker Besuch beschieden gewesen wäre. Stand doch auf der Tagesordnung als erster Punkt ein Vortrag des Generalintendanten Hardt über die Volksbühnenbewegung und die Theaterfrage Jenas. Die Versammlung war aber nur schwach besucht. Umso notwendiger dürfte es sein, die Ausführungen des Herrn Hardt einem weiteren Kreise zugänglich zu machen.

Herr Hardt begann seine Ausführungen mit der Bemerkung, daß er schon vor drei Jahren vergeblich eine Verbindung mit Jena gesucht habe. Nun ist doch eingetreten, was er voraussah, daß nämlich die Freie Volksbühne in Jena und das Nationaltheater zusammenkommen mußten.

Was bedeutet nun der Begriff ‚Freie Volksbühne'? Wer sie als eine billige ‚Gelegenheit' auffaßt, mehr oder weniger schlechte Stücke, insbesondere Operetten, zu sehen, wird nicht befriedigt werden. Im Sinne eines billigen Ausverkaufs von Kunst wird die Weimarer Bühne mit ihren Mitgliedern Jena nicht dienen können.

Die erste Freie Volksbühne vor der Revolution in Deutschland, die Freie Volksbühne in Berlin, war vollkommen eine Angelegenheit des Berliner Arbeiters. In Kampf um die politische Macht und die wirtschaftliche Besserstellung merkten die Arbeiter, daß das Begreifen der Welt mit dem Verstande allein nicht genügt, daß dazu ein Begreifen mit dem Herzen gehört. Das kann nur durch die Kunst, insbesondere das Drama, geschehen. Mit Gerhard Hauptmann, dem stärksten deutschen Dramatiker, der in dem schlichten Mann aus dem Volke seinen Helden entdeckt hat, setzte die sozialistische Bewegung im Drama ein. Nun hat aber die Freie Volksbühne, die ursprünglich eine reine Arbeiterbewegung gewesen ist, eine viel größere Bedeutung. Sie ist berufen, aus der Revolution, die bei uns zu einer Lohnbewegung geworden ist, eine geistige Bewegung zu machen. Eine wirkliche Revolution muß auch geistig befreien. Die Arbeiterschaft ist durch die Beseitigung des monarchischen Regierungssystems zu einem großen Teile politisch mitbestimmend geworden und wird es bleiben. Daraus erwächst ihr eine Verpflichtung. Sie darf nicht in denselben Fehler verfallen, wie die alte Regierung, die die Seele der Minderheit nicht verstanden hat. Davor kann nur die Volkshochschule und die Freie Volksbühne bewahren. Diese beiden Wege führen zu einer Welt- und Volksüberschau. Es handelt sich also um eine ernste Angelegenheit, nicht um amüsante Theaterstücke.

Nur ein von der Regierung stark subventioniertes Theater bietet unter den heutigen Verhältnissen Gewähr für Dauer. Wenn wir aus Weimar jetzt nach Jena kommen, so ist das nicht etwa ein kleiner Nebenverdienst für die Weimarer Künstler. Denn die technischen Schwierigkeiten und die Kosten sind so groß, daß er (Hardt) immer fürchte, die Regierung könnte ihm einen praktischen Strich durch seine idealistische Rechnung machen. Es ist absoluter Idealismus, der mit der Auffassung zusammenhängt, daß man in Deutschland endlich aufhören müsse mit der Kleinstädterei innerhalb der Kleinstaaten. Weimar und Jena, Apolda und Erfurt könnten sich auf diesem Gebiete vertragen und brauchten nicht eifersüchtig aufeinander zu sein.

Hardt erzählte dann, daß es, als er vor zwölf Jahren nach Thüringen kam, großen Eindruck auf ihn gemacht hätte, was Ernst Abbe für die Arbeiterschaft geleistet hat. Er hätte oft Gelegenheit gehabt, mit Czapski über Abbe zu sprechen. Er sei überzeugt, daß Abbe, wenn ihm eine längere Lebensdauer beschieden gewesen wäre, für die künstlerische Ausbildung und Entwicklungsmöglichkeit der Arbeiterschaft noch viel mehr getan hätte, als schon das Bestehen der Universität und des Volkshauses gewährleistet. Es ist also eine Vollziehung des Abbeschen Testaments, sagte Hardt wörtlich, wenn Sie in Jena für Geld, das etwa im Bereiche der Möglichkeit liegt, Theatervorstellungen sehen können, die nur ein Theater zu bieten vermag, das zu den fünf oder zehn bestsubventionierten deutschen Bühnen zählt.

Eine Bühne besteht nicht nur aus den Menschen, die spielen, sondern auch aus dem Publikum. Nur wenn zwischen dem Publikum und der Bühne eine wirklich enge Verbindung besteht, ist das Blühen der Bühne möglich. Ebenso wie Sie von uns sehr Vieles und sehr Schönes erwarten, so erwarten wir von Ihnen das gleiche, nämlich Entgegenkommen und Verständnis für die sehr schwierigen praktischen Verhältnisse. Sie dürfen nicht über uns schimpfen, wenn einmal eine Vorstellung abgesagt, verschoben oder durch eine andere ersetzt werden muß. Wir erwarten, wiederholte Hardt zum Schluß, ein wirklich freudiges und einsichtsvolles Verständnis für die ideale Aufgabe, die wir erfüllen sollen.

Der kurze Vortrag fand allseitige Zustimmung. Eine Aussprache kam nicht zustande. Generalintendant Hardt, Oberbürgermeister Fuchs, Stadtbaudirektor Bandtlow, Beigeordneter Döpel und Sekretär Paga [wünschten] zu einer Sonderbesprechung zusammenzutreten, die sich gleichfalls mit der Jenaer Theaterfrage beschäftigte.

Unterdessen setzte die Freie Volksbühne ihre Versammlung fort, über die wahrscheinlich noch von anderer Seite berichtet werden wird."

Anonym, Der Theaterumbau in Jena, in: Das Volk vom 10. 11. 1921

„Nächstes Jahr werden es 50 Jahre, daß der Kommerzienrat Köhler im Garten des Engel einen Theatersaal errichten ließ, um das Devrientsche Lutherfestspiel auf einer für Jena ungewöhnlich großen Bühne zur Aufführung bringen zu können; möglichst schnell und billig mußte gebaut werden: vier glatte Wände, eine einfache Bühne, ein Balkendach darüber – und das kleinstädtische Nest brauchte sich nicht mehr auf das Ballhaus oder den Rosensaal zu beschränken. Das Theater war ein Provisorium – das eigentliche Jenaer Theater stand in Weimar: dahin pilgerten die Studenten zu Fuß und zu Schlitten, dahin fuhren die Bürger mit der Bahn in solchen Scharen, daß für das Jenaer Publikum besondere Spieltage eingerichtet und Preisermäßigung im Theater und auf der Eisenbahn zugestanden wurden. Weimar und seine Geschäftswelt wußte warum! Jena wuchs: Die Zeißfabrik, das Schottwerk, die Universität erstanden in für Jena ungeahnter Größe, nur die Bürger blieben klein; denn wo immer ein neues Flügelrauschen der Zeit vernehmbar wurde, da standen auch die Philister Jenas prompt auf und verkündeten ihr ‚Wehe!' Nur einer kümmerte sich nicht um die Bierbankpolitiker, er setzte ihnen ein so gewaltiges Haus als Festsaal und Versammlungsraum hin, daß Jena von da erst wuchs. Die Jenaer Geschäftswelt hatte ja noch gar keine Ahnung, von welch' finanzieller Bedeutung ihr das Volkshaus geworden ist: Die Weimarer aber wissen die Bedeutung ihres neuen Theaters zu würdigen.

Gerade der Gegensatz der Theater Weimar und Jena und in Jena der zwischen Volkshaus und Stadttheater ist so niederschmetternd, daß er auf die Dauer kaum zu ertragen ist – von denen, die darauf angewiesen sind, das Stadttheater infolge der hohen Fahrpreise und sonstigen Unkosten besuchen zu müssen. Nicht jeder kann wie die wohlhabenden Bürger oder Geschäftsleute das Nationaltheater besuchen, denen die Fahrt vom 1. Dezember ab für 12 M., das Billett für 20 M., eine Einkehr im Café und nach dem Theater im Hotel keine Schmerzen im Geldbeutel bereiten. Einsichtige Bewohner unserer Stadt haben schon vor Jahren den dunklen Punkt im geistigen Leben Jenas durch Gründung eines Theaterbauvereins verwischen wollen; die wirtschaftlichen Verhältnisse haben diese Entwicklung verhindert. Alle kulturellen Einrichtungen von Jena, Schulen und Lesehalle usw., trugen auch in ihrem Aeußeren der Bedeutung Jenas Rechnung – nur das Theater blieb unberührt; ja, je mehr die geistige Bedeutung wuchs, desto geringer wurden die Leistungen seiner Bühne; damit schwand auch in den einsichtsvollen Kreisen das Interesse für das Theatergebäude überhaupt.

Alle Versuche, Jena ein eigenes Theater zu erhalten, schlugen fehl. Jena kann sich rühmen, alle Wege, die aus der Theatermisere herauszuführen schienen, gegangen zu sein – jeden ohne Erfolg, bis auf den letzten, den selbst der frühere Theaterdirektor Dr. Erdmann als den einzig vernünftigen bezeichnet und von dem Meyer-Wöhrden im ‚Volksblatt' behauptet, er komme einem wirklich vor wie das Ei des Kolumbus: nämlich der Vertrag, worin die Stadtgemeinde Jena dem Deutschen Nationaltheater in Weimar das hiesige Stadttheater als Kammerspielhaus überläßt. In einem solchen intimen Theater will man aber nicht jeden Regentropfen auf das Dach prasseln hören oder sich in vorsintflutlichen Garderoben abwürgen lassen und ähnliche Scherze mehr. Was war natürlicher, als für Abstellen dieser Mißstände zu sorgen? Was war natürlicher, als daß sich die Spieler ihr Heim selbst ihren Zwecken entsprechend einrichten konnten? Bescheiden – aber Weimars Vergangenheit und Gegenwart entsprechend: künstlerisch! Bühne und Haus, Spieler und Hörer sollten eine Einheit bilden. Dieser zwingenden Logik konnte sich niemand entziehen, und so setzte man einen Paragraphen in den Vertrag, der bestimmt, daß die Stadt 100 000 M. zum Umbau des Stadttheaters zur Verfügung stellt und daß die Innenräume nach Vorschlägen des Deutschen Nationaltheaters oder dessen Sachverständigen umgestaltet werden sollten. Als solcher wurde dann der Direktor des Staatlichen Bauhauses zu Weimar ernannt: Prof. Gropius; derselbe Gropius, der in der Genter Weltausstellung die Repräsentationsräume des Deutschen Werkbundes, die Ausstellungsräume der Vereinigten Werkstätten für Kunst und Handwerk in Berlin, für die Werft in Wilhelmshaven die Kabinen, für die große Deutzer Waggonfabrik einen neuen Schlafwagentyp, der die berühmte Kölner Fabrik erbaute, die als eine der besten Leistungen des Deutschen Werkbundes gerühmt wurde; derselbe Gropius, der Vorstand des Deutschen Werkbundes ist, der die ,Durchgeistigung der Nutzform' erstrebt. Und das alles und noch viel mehr leistete Gropius – weil er, nach Ansicht reaktionärer Kreise, vom Handwerk und vom Bauen nicht das Geringste versteht!

Dieser Mann hat die Innenräume des Stadttheaters umzugestalten unternommen. Das kniffIichste Problem war, die Decke unserer Kunstscheune der eines Theaterraumes ähnlich zu machen – es ist gelöst: zur Einweihung kann jeder Leser sein Urteil selbst abgeben. – Mittlerweile sah man ein, daß man doch ganze Arbeit leisten könne, wenn noch Geld zu erhalten sei. Bei der Stadt lagerte ein Rest von dem früheren Theaterbaufonds; er wurde vom Gemeinderat angefordert, um die Garderobenverhältnisse gründlich zu verbessern; von dritter Seite gab es ebenfalls vor langen Jahren versprochene, aber nie ausgezahlte 100 000 M. Und nun baute das Stadtbauamt außen nach seinen und Prof. Gropius innen nach seinen Plänen – bis, ja bis man dann einsah, daß doch nur eine Hand die Arbeiten leiten könne, und zwar die künstlerische. Als der Innenraum seiner Vollendung entgegengeführt werden sollte, erklärte das Stadtbauamt, dazu seien keine Gelder mehr da. Es gab Verhandlungen in mehreren Aufzügen, mit verschiedenen Schauplätzen und den nötigen dramatischen Höhepunkten, bis alle Teilnehmer einsahen: so kann und darf der Bau nicht stehen bleiben; es muß Geld beschafft werden.

Dichter haben Phantasie, und so erklärte der Generalintendant Hardt, er wolle versuchen, Geld zu suchen. Das Stadtbauamt hatte den Plan, sich jährlich 50 000 M. als Rücklage bewilligen zu lassen, bis eine halbe Million zusammen sei; Hardt kam mit dem umgekehrten Plan: eine halbe Million zu beschaffen, von der man heute wisse, daß es 500 000 M. seien, und 10 Jahre lang die Summe abzutragen, und zwar durch einen ganz geringen Aufschlag auf die Eintrittspreise. In kurzer Zeit war der Plan greifbar: die Gebietsregierung von Weimar war gewillt, das Geld zu leihen, die Zeiß-Stiftung, es zu verzinsen. Staatsminister Paulssen, Oberregierungsrat Dr. Ortloff verhandelten mit den Vertretern der Stadt Jena und machten als Vertreter der Regierung folgenden Vorschlag:

,1. Zur Aufbringung der zum weiteren Ausbau des Stadttheaters erforderlichen Mittel gibt das Gebiet Weimar der Stadtgemeinde Jena ein unverzinsliches Darlehen von 500 000 Mark, das in 10 Jahren mit je 10 Prozent = 50 000 M. von der Stadtgemeinde Jena zu tilgen ist. Eine frühere Rückzahlung des Darlehens – ganz oder teilweise – ist der Stadt Jena unbenommen.
2. Die Zusage zu 1. geschieht unter der Voraussetzung, daß die Gebietsregierung Weimar und die in Betracht kommenden Instanzen des Landes Thüringen dem Gebiete Weimar die Genehmigung zu dieser Darlehnshingabe geben und daß die Zeiß-Stiftung es übernimmt, dem Gebiete Weimar zur jährlichen Verzinsung des Darlehns von 500 000 M. die erforderlichen Zinsbeträge zu 4 1/2 Prozent zur Verfügung zu stellen.
3. Die Hingabe des Darlehens an die Stadtgemeinde Jena erfolgt unter der Bedingung, daß der Ausbau des Stadttheaters unter der Leitung der General-Intendanz des Deutschen Nationaltheaters benannten Sachverständigen stattfindet. Dieser Sachverständige hat auch die künstlerische und finanzielle Verantwortung für den Bau der Stadtgemeinde gegenüber zu übernehmen.
4. Solange das Darlehen nicht zurückgezahlt ist, kann die Stadtgemeinde Jena die Vereinbarung über die Spieltätigkeit des Deutschen Nationaltheaters im Stadttheater zu Jena nicht einseitig kündigen. Auf Grund der in den einzelnen Spielzeiten gemachten Erfahrungen behält sich die Generalintendanz vor, Abänderungen des jeweils geltenden Vertragsverhältnisses (z. B. Vertrag vom 20. April 1921) vorzuschlagen. Eine Zusage bezüglich finanzieller Mehrbelastung der Stadt Jena kann hierbei seitens der Stadtverwaltung nicht gegeben werden.
5. Die Tilgung des Darlehens wird von der Stadtgemeinde in der Weise geregelt, daß auf jede Eintrittskarte aller im Stadttheater vorgesehenen Veranstaltungen ein Aufschlag erhoben wird, dessen Höhe für die Vorstellungen des Deutschen Nationaltheaters mit der Generalintendanz vereinbart werden muß.
6. Die Gebietsregierung ist an diese Vorschläge nur bis zum 11. November d. J. gebunden.'

Die Gebietsregierung hat ihren Verschlag, der Stadt 500 000 M. zinslos zu leihen, sofort der eben versammelten Gebietsregierung unterbreitet und heute erfolgt die Abstimmung über die Annahme des Anerbietens im Gemeinderat. Wir glauben, daß der gesunde Sinn der Einwohnerschaft es begrüßt, wenn im Stadttheater endlich ganze Arbeit gemacht wird. Wer da glaubt, die Summe sei verloren, der vergißt, daß unser Stadttheater nach dem Umbau zu einem der begehrtesten Fest-, Versammlungs-, und Vortragslokale zu werden verspricht und der Stadt als werbendes Kapital dient. Engherzige Menschen verhinderten vor dem Kriege den Theaterumbau, mögen weitsichtige trotz ‚Jenaischer' und ‚Mitteldeutscher Zeitung' jetzt das Goethewort zur Erfüllung bringen:

‚Wohin soll ich mich wenden?
Nach Weimar–Jena, der großen Stadt,
die an beiden Enden
viel Gutes hat.'"

Anonym, Oeffentliche Sitzung des Jenaer Gemeinderat, Donnerstag, den 10. November 1921. Theaterangelegenheit, in: Allgemeine Thüringische Landeszeitung Deutschland vom 14. 11. 1921

„Zum 1. Punkt der Tagesordnung zur Theaterangelegenheit nahm GR. [Gemeinderat] Trier das Wort. Er gab zunächst einen kurzen Ueberblick über die Entwicklung der Theaterfrage bis zu dem Zeitpunkt, wo die Stadt mit dem Deutschen Nationaltheater zu Weimar einen Spielvertrag abschloß und damit die Frage des Theaterumbaues aktuell wurde. Der Ausbau der Innenräume wurde seitens des Nationaltheaters Professor Gropius, dem Leiter des Staatlichen Bauhauses in Weimar, übertragen. Die äußere Umgestaltung, Garderobenräume, Kasse usw. wurde vom hiesigen Stadtbauamt vorgenommen. Aus Gründen, über die wir noch ausführlich berichten werden, verlangte Professor Gropius, daß sämtliche Arbeiten in einheitlichem Stil gehalten und in eine Hand gelegt werden sollen. Da sich ferner herausgestellt hatte, daß die zur Verfügung stehenden Mittel, insgesamt 328 000 M. zu einem Umbau in der Weise, wie er vom Nationaltheater geplant war, nicht ausreichen, fand am 29. Oktober eine Besprechung zwischen Vertretern der Weim. Gebietsregierung, dem Intendanten Hardt und Vertretern der Stadt Jena statt, deren Zweck die Beschaffung von 500 000 M. zum Theaterumbau war. Das Ergebnis dieser Verhandlung war der Vorschlag der Gebietsregierung, den wir bereits in Nr. 263 des ‚Volk' unter eingehender Schilderung aller Umstände ausführlich behandelten. Gegen diesen Vorschlag führte GR. Trier eine Reihe Gründe ins Feld, wobei er besonders hervorhob, daß die Interessen der Stadt ungenügend berücksichtigt seien. Ferner wollte er die Annahme des Darlehns von einer Anzahl Bedingungen abhängig machen, die den Theaterumbau in der von Weimar geplanten Ausführung unter Umständen unmöglich, zum mindesten auf lange Zeit hinausgezögert hätten. Die Anträge GR. Trier fanden bei der Mehrheit des Hauses keinen Anklang, wie sich bald aus der umfangreichen Aussprache feststellen ließ. Seitens des Gemeindevorstandes lag nachstehender Beschluß der Sitzung vom 30. Oktober d. J. vor:

‚Der Gemeindevorstand erachtet unter den gegenwärtigen Verhältnissen die Annahme des angebotenen Darlehens von der Weimarischen Gebietsregierung vom 29. Oktober für geboten. Um künftige Differenzen zu vermeiden, muß der Sinn der Vorschläge, insbesondere die Ziffer 3, im Wege der Verhandlung klargestellt werden. Die Annahme der Offerte seitens der Stadt darf nicht als Subventionierung des Stadttheaters angesehen werden. Ueber die Verwendung der Mittel hat der Gemeinderat auf Grund eines von den Sachverständigen aufgestellten Bauprogramms und Voranschlages Entschließungen zu treffen. Die Tilgung beginnt am 1. April 1922; es ist also der erste Tilgungsbetrag am 1. April 1923 fällig.'

Oberbürgermeister Dr. Fuchs begründete den Standpunkt des Gemeindevorstandes näher und wies darauf hin, daß Intendant Hardt unter Umständen von dem Vertrag zurücktreten könne. Das Darlehen rette die Stadt aus einer unhaltbaren Situation. Es sei auch selbstverständlich, daß bei der Ausführung der Arbeiten die hiesigen Handwerker zu allererst berücksichtigt würden. Jeder, der Einsicht in die Pläne Prof. Gropius' genommen habe, sei von der Vortrefflichkeit derselben überzeugt. Die Bedenken, daß die Steuerzahler durch das Theater belastet würden, wußte Oberbürgermeister Dr. Fuchs zu zerstreuen und empfahl eindringlichst die Annahme des Gemeindevorstandsbeschlusses, der noch nachstehende Ergänzung erfuhr:

,Der Gemeinderat nimmt das Anerbieten der Gebietsregierung vom 29. Oktober an. Er beauftragt zugleich den Gemeindevorstand, im Wege der Verhandlung die Berücksichtigung der Vorschläge des Gesamtgemeindevorstandes in dessen Protokoll vom 30. Oktober zu erwirken. Der Antrag des Referenten GR. Trier wird dem Gemeindevorstand als Material überwiesen.'

Den Standpunkt unserer Fraktion vertreten die Genossen Perner und Reuschel. Ersterer wandte sich energisch gegen die von GR. Trier für die Annahme des Darlehns aufgestellten Bedingungen, die eine Verzögerung der Angelegenheit und sicher eine damit verknüpfte spätere Kostenerhöhung bedeuten. In Anbetracht der verhältnismäßig geringen Ausgaben, die der Stadt erwachsen, empfahl Gen. Perner die Annahme des Gemeindevorstands-Beschlusses. Aehnlich äußerte sich Gen. Reuschel, der betonte, daß das Werk einheitlich gestaltet werden müsse; ginge es nach den Anträgen Trier, so bekäme Jena überhaupt kein Theater. Von zahlreichen Rednern wurden Gründe und Gegengründe noch angeführt, bis endlich in namentlicher Abstimmung mit 26 gegen 13 Stimmen der Beschluß des Gemeindevorstandes Annahme fand."

Paul Klopfer, Bauhaus-Ausstellung, in: Allgemeine Thüringische Landeszeitung Deutschland vom 3. 5. 1922

„Walter Gropius hat in diesen Tagen sein Versprechen eingelöst: die Oeffentlichkeit mit seinem Bauhaus bekannt zu machen. In drei Sälen finden wir Arbeiten der ,Bauhäusler', jener Schüler und Schülerinnen, die wie ihre Meister den Mut in sich fühlten, einmal von Anfang an zu beginnen – vom Bau an oder genauer ausgedrückt, vom Werkstoff und seinen technischen und ästhetischen Forderungen an. ...

Im Torhaus an der Belvederer Allee endlich finden wir die Malerei. Auf dem Tische liegen Entwürfe für die Ausmalung des Jenaer Theaters, sie stellen einmal Versuche an einer der großen Aufgaben dar, die dem Bauhaus leider viel zu wenig gestellt werden und die doch das Ziel der Erziehung bilden, das sich jeder Lehrling ersehnt: einmal auf ein Vierteljahr oder länger hinausgeschickt zu werden in ein Haus, und dort Glasfenster, Holzschnitzereien, Möbel, Teppiche und Vorhänge oder Wandmalereien zu schaffen!"

Anonym, „Die Weihe des Hauses". Zur Wiedereröffnung des Stadttheaters in Jena, in: Jenaische Zeitung vom 26. 9. 1922

„Stattlich in seinem Aeußeren und schmuck im Innern steht jetzt das ,Theater der Stadt Jena' vollendet da nach seinem Umbau, den Gropius, der Leiter des staatlichen Bauhauses in Weimar nach seinen künstlerischen Ideen ausgeführt hat, um einmal an einer selbständigen, größeren Aufgabe zu zeigen, was das Bauhaus, sein Leiter und seine Schüler zu leisten vermögen. Wie schon in der Schilderung des umgewandelten Theaters gesagt, wird der Unbefangene die Anerkennung nicht zurückhalten können, daß diese Aufgabe im großen und ganzen eine glückliche Lösung gefunden hat, und das fällt umso mehr ins Gewicht, als jener Aufgabe sich die mannigfachsten Schwierigkeiten entgegenstellten, deren Ueberwindung Mühe und Sorge genug gekostet hat. Mag man sich zu dem architektonischen Vierkant-Stil Gropius' stellen wie man will, selbst der Gegner wird zugeben müssen, daß die einheitliche, folgestrenge Durchführung im Aeußeren – hier abgesehen vielleicht von der im oberen Teil noch auszugestaltenden Fassade – sowohl als auch im Innern durchaus künstlerisch wirkt und nur wenig Anlaß bleibt, Aenderungen oder Verbesserungen anzuregen.

Zur Eröffnung des neuen Theaters, die zugleich den Beginn der Winterspielzeit bedeutet, war eine Festvorstellung von Goethes Tasso durch das Deutsche Nationaltheater in Weimar auf Sonntag, den 24. September anberaumt worden, also fast genau auf den Zeitpunkt, an dem vor einem halben Jahrhundert der Besitzer des Gasthofgrundstückes zum goldenen Engel, der damalige akademische Braumeister und spätere Kommerzienrat Karl Köhler das von ihm erbaute Theater, unser nachmaliges Stadttheater, seiner Bestimmung übergeben und damit Jena die erste derartige Kunststätte geschaffen hatte. Dafür, sowie für spätere uneigennützige käufliche Ueberlassung des Engelgrundstückes mit dem Theater und der Stiftung eines Theaterfonds gebührt dem Verewigten ein dankbares Gedenken, wie nicht minder für seine so ersprießliche Tätigkeit als langjähriges Mitglied und Vorsitzender des Gemeinderates zum Wohle unseres Gemeinwesens.

Die neuen Räume des Theaters füllten sich allgemach von einer Zuschauermenge, unter der sich mehrere hundert geladene Gäste befanden, wie Vertreter der Gemeinde, des Staates, der Wissenschaft und Kunst, der Industrie, Gewerkschaften, kurz aller Volkskreise, und kurz vor dem akademischen Viertel war auch der letzte Platz des Zuschauerraumes besetzt. Dieser, wie schon der Vorraum, die Vorhalle und Wandelgänge schufen in den meisten der Erschienenen schon die feierliche Stimmung, deren Erzeugung ja in der Absicht Gropius' gelegen hat; man merkte, wie sich auch bei so manchen Gegnern der Stilrichtung doch die Anerkennung der künstlerischen Leistung nach und nach durchrang, wenn natürlich auch hier und da noch Anlaß zu Ausstellungen genommen wurde. So erschien z. B. die Beleuchtung der Kleiderablagen auf dem Balkon an sich recht gefällig, aber doch nicht ausreichend genug, um den Garderobenfrauen das rasche Lesen der Kartennummern zu ermöglichen; im Zuschauerraum wurde zwar als zweckmäßig anerkannt, daß die rechte Seite die geraden, die linke die ungeraden Eintrittskarten-Nummern enthält, aber man bemängelte die ungünstige Lesbarkeit der weißen Sitznummern in ihrer jetzigen vierkantigen Gestalt, ebenso das Fehlen der früher am Ende jeder Sitzreihe an der Rückseite des letzten Platzes angebrachten Nummern-Reihe bis zur Mitte, die ein schnelles Zurechtfinden möglich machte. Manch ein Balkonbesucher empfand auch die dunkele, graue Farbe als etwas drückend, wenn auch sonst, wie die Form so auch die Farbe, gut in Einklang standen. Wenn von verschiedenen Seiten stellenweise das Organ der Sprechenden, z. B. des Tasso, etwas zu laut, dagegen das anderer, wie der Prinzessin, gar nicht verstanden, und nur deren Mundbewegungen wahrgenommen wurden, so ist das wohl darauf zurückzuführen, daß es erfahrungsmäßig gar nicht so leicht für die Darsteller ist, sich ohne weiteres auf einen neuen Raum ganz anderer Größe als das Nationaltheater in Weimar oder der große Volkshaussaal in Jena, so recht einzustimmen. Doch ist anzunehmen, daß man schon in den nächsten Vorstellungen den richtigen Ton besser treffen wird – denn an der Akustik des Raumes scheint es nicht zu liegen, da man im übrigen die Sprache der Darstellenden gut, ja besser als vorher im alten Theatersaal verstand. Ein abschließendes Urteil läßt sich natürlich erst später bilden.

Vor Beginn trat zunächst Oberbürgermeister Geheimrat Dr. Fuchs hinter das links vor der Bühne errichtete Rednerpult zu folgender Ansprache:

‚Hochansehnliche Festversammlung, werte Gäste, liebe Mitbürger!
Es ist in der Tat ein Fest, das wir heute in Jena feiern dürfen. Wenn auch sonst für unsere ernste Zeit Goethes Wort gilt: ‚Sonne, Du mühst Dich vergebens, durch die dunklen Wolken zu scheinen', so ist heute in das Dunkel dieser Tage ein Lichtstrahl von Freude und Hoffnung gefallen. Für unsere Stadt und

ihr geistiges Leben ist es ein wichtiges Ereignis, daß die Theaterfrage für Jena in einem Augenblick eine vorläufige Lösung gefunden hat, in dem andere Städte vielfach durch die Verhältnisse gezwungen sind, die Pforten ihrer Stadttheater zu schließen.

Es sei zunächst ein kurzer Rückblick gestattet, der denjenigen, die den Verhältnissen ferner stehen, einen Einblick gewährt, welchen Umständen wir dieses erfreuliche Ereignis zu verdanken haben. Als ich vor 10 Jahren zum ersten Male hier in der Oeffentlichkeit zu sprechen Gelegenheit hatte, führte ich aus, daß es für mich als Stadtoberhaupt kaum eine interessantere Aufgabe gebe, als die, einen Theaterbau in Jena zu fördern. Natürlich dachte ich damals nur an einen Neubau, und ich suchte und fand die Gelegenheit, in Deutschland mustergültige Theaterbauten aus neuerer Zeit, wie z. B. das Osnabrücker Stadttheater und das prächtige Theater, das Theodor Fischer der Stadt Heilbronn errichtet hat, in Augenschein zu nehmen. Aber alle diese Hoffnungen und Entwürfe hat der Krieg und sein unglücklicher Ausgang zunichte gemacht, und so schien es auf lange Jahre hinaus unmöglich, in Jena ein Theater, das diesen Namen verdient, zu erlangen. Aber von anderer Seite sollte der Stadtverwaltung Hilfe kommen. Während der Kriegszeit hatte in immer steigendem Maße das Komitee für Volksunterhaltungsabende, verständnisvoll unterstützt von der Carl Zeiß-Stiftung, in Ernst Abbes Volkshaus Gastspiele auswärtiger Bühnen veranstaltet. Unvergeßlich schöne Opernabende, herrliche Konzerte und auch große wohlgelungene Schauspielaufführungen fanden im Volkshaus statt. Auch in der Nachkriegszeit – sogar in steigendem Maße – hat das Komitee dem Jenaer Theaterpublikum prächtige Kunstgenüsse im Volkshaus geboten. Während in der Kriegszeit häufiger die Künstler aus Gera und Dresden bei uns in Jena zu Gaste waren, hat sich in der Nachkriegszeit das Band mit dem Deutschen Nationaltheater in Weimar immer enger geknüpft. Was vor einem Jahrzehnt wohl auf unabsehbare Zeit unmöglich erschien: eine regelmäßige Verbindung der Weimarer Bühne mit Jena, ist jetzt unter den veränderten Verhältnissen nicht nur möglich, sondern geradezu ein Bedürfnis für beide so eng verbundenen Städte geworden. Dazu kommt ein weiteres, das nämlich immer mehr zutage trat, daß das Volkshaus zwar für Opern und Konzerte – also für musikalische Darbietungen – sich eignete, daß dagegen für das Schauspiel die gewaltigen Ausmaße des Volkshauses viel zu groß sind und daß intime künstlerische Wirkungen dort einem großen Hörerkreis verloren gehen. Die Voraussetzungen waren mithin gegeben für eine Verständigung über ein Zusammengehen mit Weimar auf künstlerischem Gebiet und zugleich für einen Zusammenschluß der Jenaer am Kunstleben interessierten Kreise: der Freien Volksbühne, des Komitees für Volksunterhaltungsabende und der Stadtverwaltung. Für die Folge werden zwar die großen Opern noch im Volkshause stattfinden, dagegen wird das Schauspiel in den Räumen des Theaters der Stadt Jena gepflegt werden, die zur würdigen Aufnahme des Theaterbetriebs trotz der Ungunst der Zeiten in einen besseren Stand gesetzt worden sind.

Als wir vor mehr als Jahresfrist mit kleinen Mitteln eine bescheidene Instandsetzung der Innenräume des Theaters begannen, um ein vertragliches Verlangen der Generalintendanz des Deutschen Nationaltheaters zu erfüllen, da waren wir uns wohl des Umfanges und der Schwere der übernommenen Aufgabe nicht voll bewußt. Sehr bald zeigte es sich, daß hier kleine Mittel nicht ausreichten, auch die Notwendigkeit einheitlicher künstlerischer Leitung des Bauunternehmens machte sich geltend, und so häuften sich Schwierigkeiten auf Schwierigkeiten, die nur dank der Förderung des Jenaer Theaterumbaues durch den Staat, der einen beträchtlichen Teil der Mittel lieh, namentlich aber durch die Carl Zeiß-Stiftung, welche die Verzinsung der Anleihe übernahm, überwunden werden konnten. Das alles liegt nun hinter uns, und ich darf denjenigen Amtsstellen und Persönlichkeiten, die sich um das geschaffene Werk ein besonderes Verdienst erworben haben, den aufrichtigsten Dank der Stadtverwaltung aussprechen. Ich erwähne hier vor allem Herrn Generalintendant Hardt, Herrn Walter Gropius vom staatlichen Bauhaus in Weimar, Herrn Staatsminister Paulssen, Herrn Dr. Bauersfeld, Herrn Architekt Adolf Meyer sowie Herrn Stadtbaurat Dr.-Ing. Elsner, der die Interessen der Stadt bei dem Werke mit Umsicht vertreten hat. Auch allen denen, die ich hier mit Namen nicht nennen konnte, die durch Mitarbeit, Materiallieferung oder durch die Beschlüsse ihrer Körperschaften das Werk gefördert haben, gebührt unser herzlicher

Dank. Fehlte doch in Jena seit langer Zeit eine gute und in ihrer Ausstattung einer Universitätsstadt würdige Bühne. Jetzt ist dieser Wunsch, den Jahrzehnte hindurch weite Kreise Jenas hegten, zwar in bescheidenerer Weise als man vor dem Kriege hoffte, aber doch so in Erfüllung gegangen, daß wir sagen dürfen, Jena besitzt von heute an eine würdige eigene Kunststätte, in der Schauspiele, Konzerte und kleine Opern erfolgreich zur Geltung gebracht werden können.

Besonders erfreulich ist, wie hier betont werden muß, die Verbindung von Jena und Weimar in künstlerischer Hinsicht. Hochverehrte Anwesende! Zwischen den beiden benachbarten so verschiedenen und doch einander so gut ergänzenden Städten hat sich im Laufe der letzten 50 Jahre eine Art Arbeitsteilung herausgebildet, bei der Jena etwas zu kurz gekommen ist. Immer mehr trat Weimar – schon durch die Veranstaltungen der Goethe-Gesellschaft – als Stadt der großen Erinnerungen an unsere klassische deutsche Dichterzeit in den Vordergrund. Jena wurde mehr als die nüchterne Stätte des Lernens und der Arbeit gewertet, und doch darf Jena neben Weimar ebenbürtig seinen Platz auch in der Pflege großer Erinnerungen einnehmen. Wer in die Geschichte Jenas auch nur oberflächlich eindringt, muß erstaunen über die Fülle gewaltiger Persönlichkeiten, die im Laufe der Zeit in dieser Stadt geweilt haben. Wenn wir nur die beiden letzten Jahrhunderte überblicken, so reihen sich an die Namen der großen Philosophen Leibniz, Fichte und Schelling, die Namen unserer großen klassischen Dichter Schiller und Goethe an. Von den Fenstern des Rathauses in Jena blickt man am unteren Markt auf das Haus, in dem Goethe zum ersten Male in Schillers Wohnung als Gast eingetreten ist, und wo – soweit sich Derartiges feststellen läßt – die für die deutsche Literatur so bedeutsame enge Freundschaft unserer großen Geistesheroen örtlich und zeitlich ihren Anfang nahm. Von den gleichen Rathausfenstern aus erblickt man aber auch die Gedenktafel des Hauses, in dem Alexander und Wilhelm von Humboldt in Jena wohnten. Soll ich Ihnen die anderen Dichter alle aufzählen, die in Jena heimisch waren? Die Brüder Schlegel, Ludwig Tieck, Novalis, Hölderlin, Friedrich Rückert, sie alle haben Jenas Geistesleben gefühlt und befruchtet. Auch Fritz Reuter und Gerhart Hauptmann waren Jenaer Musensöhne. Die Stätte selbst, an der wir uns befinden, grenzt unmittelbar an Schillers Gartenhaus und wenige Schritte von hier ist die Gedenktafel, die an die Schaffung des Wallenstein erinnert. Wir dürfen kühnlich behaupten, daß Jena und sein Geistesleben zu der Entwicklung unserer großen Dichter ebensoviel beigetragen hat, wie Weimar. So ist das Band des Kunstlebens, das heute – und hoffentlich auf recht lange Zeit – die beiden Kunststädte verbindet, ein durch hehre Tradition geheiligtes.

Diese Kunsttradition zu pflegen, die Keime, die hier gelegt sind, weiter zu entwickeln, ist die Aufgabe Jenas und seiner Einwohnerschaft. Ein Volkstheater im besten Sinne des Wortes soll unser Jenaer Theater sein. Es soll uns, wenn wir hier eintreten, zum Bewußtsein kommen, daß der Mensch nicht vom Brot allein lebt und daß er ein Glied in einer großen Kette von Zusammenhängen bildet, die auch zeitlich weit über die Lebensspanne des Einzelnen hinausgehen, nicht um die Gegenwart zu vergessen, sondern um Kraft zu finden, ihren großen Aufgaben gerecht zu werden, wollen wir in dem Theater der Stadt Jena die Kunstwerke alter und neuer Zeit auf uns wirken lassen und dieses bescheidene, aber schöne Heim als einen kostbaren Schatz behüten.'

Als Vertreter der Wissenschaft hielt hiernach Se. Magnifizenz der Rektor der Landesuniversität Jena, Professor der Philosophie Dr. Bruno Bauch eine Rede, in der er nachstehendes ausführte:

‚Als Festversammlung hat uns soeben unser Stadtoberhaupt begrüßt. Ich möchte uns eher eine Festgemeinde nennen; und das heute noch in einem besonderen Sinne. Festlich, feiertäglich sind wir immer gestimmt gewesen, so oft Künstler bei uns Einkehr hielten, insbesondere auch, wenn die Weimarer Künstler zu uns herüberkamen. Wer in einer Stadt lebt, in der er das Theater alle Tage haben kann, der neigt nur allzu leicht dazu, es einfach hinzunehmen, wie man eben alltägliche Dinge hinnimmt. Zwar ist das, was man alle Tage haben kann, an sich durchaus nicht immer eine Sache des Alltags, aber es wird dem Menschen sehr leicht zum Alltäglichen. Bei uns in Jena war das anders. Uns war das Theater nicht

Alltag, es war uns Fest- und Feiertag. Uns hatte Herr Paga das seiner eigentlichen Bestimmung nach dazu zwar nicht besonders geeignete Volkshaus zum Festspielhause gemacht. Und ich möchte es bezweifeln, ob andere Festspielhäuser immer eine weihevoller gestimmte Gemeinde in ihren Mauern vereinigt haben, als unser Volkshaus, ob dort Künstler je offenere Sinne und offeneres Sinnen für ihre Kunst gefunden haben, als bei uns.

So haben wir eine Festgemeinde hier immer gebildet, wenn uns nach des Tages Arbeit, ob wir diese auf dem Katheder, oder an der Drehbank, oder im Büro, oder wo immer sonst abgeschlossen hatten, des Abends die gemeinschaftliche Hingabe an die Kunst verband. In welchem besonderen Sinne aber sind wir heute eine Festgemeinde? Der heutige Tag bedeutet in gewisser Hinsicht einen Wendepunkt im geistigen Leben unserer Stadt: Jena hat nun sein eigenes Theater; und das in doppeltem Sinne: einmal im Sinne dieses von Künstlerhand neu hergerichteten Baues, und dann in dem Sinne, daß dieser Bau zur dauernden Heim- und Pflegestätte wahrer Theaterkunst werden soll, die die Weimarer Künstler uns nach Jena bringen wollen. In anderem Sinne war dieses Haus auch früher schon Theater. Der neue Sinn, der diesem Hause eine neue Weihe, ja eigentlich erst die rechte Weihe gibt, ist das geschichtlich Denkwürdige dieses Tages seiner heutigen Eröffnung. Wenn ich das nun auch einen Wendepunkt im geistigen Leben unserer Stadt nennen konnte, so wird damit doch zugleich eine große Entwicklung des allgemeinen Geisteslebens des deutschen Volkes aufgenommen und zukunftverheißend fortgesetzt, eine Entwicklung, die durch die Namen Jena und Weimar bezeichnet ist. Es wird von neuem ein Band geknüpft zwischen der Stadt der Kunst und der Stadt der Wissenschaft, das schon einmal eine Einheit zwischen ihnen hergestellt hatte. Daß wir heute den Tasso hören werden, das kann uns das ohne viele Worte zum Bewußtsein bringen. Denn der Dichter des Tasso war es, dem als Minister in Weimar die Fürsorge für die Universität Jena anvertraut war, und der diese Fürsorge wahrhaftig fürsorglich übte, ein Vorbild für alle, die nach ihm gekommen sind und kommen werden, wenn sie mit heiligem Verantwortungswillen die Sache der Universität verwalten sollen. Aus dem unerschöpflichen Reichtum seines allumfassenden Geistes heraus und aus der warmen Liebe seines großen Herzens für die Universität hat es Goethe verstanden, die erleuchtetsten Geister seines Zeitalters an unsere Hochschule heranzuziehen. Noch eine zweite Tatsache möge uns jene Einheit zwischen Weimar und Jena vor die Seele stellen: Der Dichter des Tasso hat einen Mann, der auch hier in Jena als Professor gewirkt hat, als die stärkste dramatische Kraft der Deutschen bezeichnet. Dieses Urteil möchte ich auch noch als heute gültig erklären, selbst auf die Gefahr hin, altmodisch zu scheinen. Denn hier handelt es sich um Dinge, die über alle Mode erhaben sind. Jener Mann aber war Schiller, der den Dramatiker und den Philosophen in seiner Person vereinigte.

Diese Tatsachen seien uns Sinnbild und Ansporn zugleich für das in neuer Gestalt zu gewinnende Verhältnis zwischen der Stadt der Kunst, die man einst mit Athen verglich, und der Stadt der Wissenschaft, die man die Hauptstadt der Philosophie genannt hat. In einer ungeheuer schweren Zeit schließen sie einen neuen Bund. Wie schwer die wirtschaftliche Not gerade auf Kunst und Wissenschaft lastet, davon macht sich der Außenstehende kaum eine auch nur annähernd zutreffende Vorstellung. Welche Schwierigkeiten die wirtschaftliche Not jedem Versuche, künstlerische oder wissenschaftliche Werte in die Wirklichkeit zu überführen, entgegentürmt; das kann nur der ganz und voll ermessen, der selber entweder im künstlerischen oder wissenschaftlichen Leben mitten innesteht. Verstärkt werden diese Schwierigkeiten noch durch den kranken Geist der Zeit, der sich lieber einem Kunstersatze und einem Wissenschaftsersatze offen hält, als echter Wissenschaft und echter Kunst. Wie der Kork im Wasser, so schwimmt in der wässerigen Geistesverfassung unserer Zeit die leichte Ersatzware oben auf. Auch von der wirtschaftlichen Seite aus gesehen, kann darum der wirtschaftliche Dienst an echtem künstlerischen und echtem wissenschaftlichen Leben und Leisten niemals bloß Sache kaufmännischer Geschäftstüchtigkeit sein. Er ist, angesichts des wirtschaftlichen Risikos, immer auch Sache des Mutes zur Kulturtat, eines Mutes, der oft genug auch ein Opfermut sein wird. Daß solcher Mut auch heute noch nicht erstorben ist, dafür zeugt auch die heutige Veranstaltung als Eröffnung einer neuen Kunststätte. Dieser Mut aber möge lebendig werden und lebendig wirken in uns allen. Dann dürfen wir auch wieder auf bessere Zeiten für unser Geistesleben und für unser Wirtschaftsleben hoffen.

In die Hand des Künstlers ist, nach Schillers bekanntem Worte, der Menschheit Würde gegeben. Er soll sie bewahren. Aber das kann er nur, wenn der Menschheit selber die Kunst eine heilige Sache ist. Sonst könnte auch die Menschheit gar nicht Menschheit im tiefsten Sinne dieses Wortes sein. Wir dürfen darum nicht einseitig vom Künstler fordern; wir müssen ihm auch geben. Gewiß dürfen wir und sollen wir wahre und echte Kunst von ihm fordern. Aber seiner wahren und echten Kunst müssen wir auch eine wahre und echte Seele schenken. Wir dürfen des Künstlers Gaben nicht einfach hinnehmen und uns gefallen lassen und, wenn wir sie empfangen haben, ihn im Stiche lassen. Der Kunst unsere Seele schenken, heißt zu ihr stehen, stets Herz und Kopf für sie offen halten und ihr Treue bewahren, auch in dieser Zeit der Not; ja in ihr erst recht, auch dann, wenn das von uns Opfer verlangen sollte. Aber diese Opfer würden nicht vergeblich gebracht sein. Sie würden uns selber zugute kommen, Leben werden in unserem eigenen Leben und Frucht werden in unserer Seele.'

Nach diesen Ansprachen empfing das Haus seine weitere Weihe durch die Aufführung von Goethes ‚Tasso' in der Einrichtung und unter der Spielleitung des Generalintendanten Ernst Hardt. ‚Tasso' ist bekanntlich ein Drama, das Goethe aus seinem eigenen inneren Erleben heraus geschaffen hat; er hat darin eine dramatische Spaltung des eigenen Ich vollzogen: aus Tasso spricht der ringende Jüngling, aus Antonio der gereifte Mann. Der Schluß aber ist im Grunde tragisch, denn das Sichfinden bringt keinen vollen Akkord, sondern läßt einen Mißklang – Tasso bleibt aus seinem Paradies vertrieben. Es erübrigt sich hier, näher auf das Stück einzugehen, da es bei dieser Gelegenheit vermutlich aus berufener Feder noch eine eingehende literarische Würdigung finden wird. Darstellung und Inszenierung bildeten im Wesentlichen einen wundervollen Zusammenklang. Gerade für das feierlich-erhabene [sic] ist die Stilbühne wie geschaffen und hier brachte sie mit schlichten, aber mit seinem künstlerischen Empfinden angewandten Mitteln Wirkungen hervor, die im Verein mit der herrlichen Plastik der Gebärde der Darstellenden und der entzückenden Farb- und Stoffwirkung der Renaissance-Gewandungen Bühnenbilder zustande, die jeden künstlerisch Empfindenden in Bann schlagen mußten. Nur eines war an der Inszenierung auszusetzen: das Zimmer Tassos; hier wollten weder die Farben recht zueinander stimmen, noch die viereckigen großen Fenster in der Rückwand zu einem herzoglichen Renaissancepalast recht passen, doch vermochte dies den Gesamteindruck nicht erheblich zu beeinträchtigen. Den Tasso gab Rudolf Rieth voll verhaltenem Temperament und in innerlich glühender Beseelung, und meisterhaft war sein Spiel auf der Skala der Empfindungen. In einen Kontrast von zwingender Wirkung stellte Max Bach den kühlen Staatsmann Antonio und vermied es glücklich, ihn so wiederzugeben, daß er beim Zuschauer gegenüber Tasso allzusehr verliert. Das Edele, Gütige des Herzogs kam bei Hans Illiger überzeugend zum Ausdruck – so gab der Dreiklang der Männerrollen einen harmonischen Akkord. Diese Harmonie erstreckte sich aber auch auf das Gesamtspiel durch die Art, wie Kaete Radel und Erika Kristen die beiden Leonoren wiedergaben. Auch hier kam, wenn auch gedämpfter, die Verschiedenheit der Charaktere so zur Geltung, daß das Zusammenwirken den Zuschauer fesseln mußte. Reizvoll war auch Kaete Radel in ihrer blonden Erscheinung, auch äußerlich in wirkungsvollem Gegensatz zur dunklen Leonore Sanvitale Erika Kristens. So wurde durch alle jene Momente die Aufführung zu einem Genuß der Zuschauer, würdig des Stückes und des Dichters und würdig des Anlasses, aus dem es jetzt aufgeführt wurde. Diesem Gefühl verliehen auch am Schlusse die Zuschauer durch lauten, anhaltenden Beifall Ausdruck.

Nach alledem ist man zu der Erwartung berechtigt, daß nunmehr, nachdem wir ein künstlerisch ausgestaltetes Theater haben, in dem ein Schauspielpersonal wie das des Deutschen Nationaltheaters spielt, auch die Theaterfreunde und –Freundinnen das neue Haus zu jeder Vorstellung füllen, damit die begonnene Arbeitsgemeinschaft zwischen Weimar und Jena weiter sich entwickeln, blühen und Frucht tragen möge zum Segen unserer Kultur."

R. Seubert, Theater der Stadt Jena. Eröffnung am 24. September mit Goethes „Torquato Tasso", in: Das Volk vom 26. 9. 1922

„In einer Welt der Widersprüche ist es nicht weiter verwunderlich, daß in einer Zeit schwerster wirtschaftlicher Not, die besonders den geistigen Gütern der Kultur stärksten Abtrag tut, in Jena eine neu geschaffene Stätte der Kultur ihrer Bestimmung übergeben werden konnte. Die Eröffnung des Theaters der Stadt Jena zu einer Zeit, wo fast alle Theater um ihre Existenz ringen und viele, wie jetzt wieder das Stadttheater in Koblenz, ihre Pforten schließen müssen, ist das erfreuliche Ergebnis einer Reihe besonders günstiger Umstände, aber auch einer seltenen Tatkraft und Opferwilligkeit der an der Schaffung beteiligten Kreise und Persönlichkeiten. In seiner Begrüßungsansprache zur Eröffnung des Theaters wies Oberbürgermeister Dr. Fuchs in einem Rückblick auf die Geschichte des umgewandelten Hauses auf diese Zusammenhänge hin, die ja der breitesten Öffentlichkeit bekannt sind.

Als sich das Haus mit den geladenen Festgästen füllte, erwiesen sich die neuen großen Räume, die um das alte Theater geschaffen wurden, fast noch als zu klein. 700 Personen faßt der Zuschauerraum, die in einem Parterre und auf einem Balkon, die nur Sitzplätze enthalten, bequem untergebracht werden. Es ist gar kein Zweifel, daß die Zukunft die Berechtigung des Umbaus, der mit für die heutige Zeit sehr bescheidenen Mitteln durchgeführt wurde, erweisen wird. Wenn hier nie ein ausreichendes, gutes Stammpublikum für das Stadttheater gewonnen werden konnte, so lag das doch zweifellos an den unerfreulichen baulichen Zuständen des Hauses. Die wenigsten Menschen bringen soviel Kunstenthusiasmus auf, daß sie auch in einer Scheune sich an den Werken der Dichtkunst begeistern können. Für die meisten ist das Theater eine Stätte geselligen Vergnügens, an der sie sich nur unter der Voraussetzung eines gewissen Komforts wohl fühlen. Es ist müßig, darüber zu rechten, ob das ein erfreulicher Zustand ist oder nicht; wollte man das Jenaer Theater wieder in Gang bringen und populär machen, so mußte man damit rechnen. Wenn es freilich nach den Plänen der Stadtverwaltung unter der Leitung des Stadtbaurates Bandtlow gegangen wäre, so wäre sogar die abscheuliche Jenaer Kunstscheune noch verschändet worden. Wer sich des – Gott sei Dank! – wieder beseitigten Produktes der Bandtlowschen Bautätigkeit am Jenaer Stadttheater erinnert, beneidet diesen Fachmann nicht um die ganz erstaunliche Fähigkeit – sich unsterblich zu blamieren. Wer sich so etwas leisten konnte, wie den Bandtlowschen Theateranbau, muß für alle Zeiten ein erledigter Mann sein.

In dem Augenblick, wo die unselige Bandtlowsche Schildbürgerei ihr Ende erreicht hatte, – nachdem allerdings eine hübsche Bausumme zwecklos vergeudet war, für die man sehr wohl stabilere Sitzgelegenheiten hätte schaffen können als die ganz unzulänglichen neuen Sitze – und der Leiter des Staatlichen Bauhauses in Weimar Gropius zu dem inneren Umbau auch den äußeren übernahm, war die Voraussetzung für eine sinn- und stilvolle Veränderung des Hauses, wie sie sich nunmehr dem Beschauer darstellt, gegeben.

Das schwierigste Problem bot der Innenbau mit seiner unglücklichen Dachkonstruktion. Hier setzte die grundlegende Arbeit von Gropius ein, und von diesem Punkte entwickelte sich der stilistische Umbau in folgerichtiger Entwicklung. Die Balken des Daches wurden durch Kassetten verkleidet, die damit die Grundform für alle Bauteile ergaben, bis in die rechteckigen Beleuchtungskörper hinein. Der überaus schwierige Ausgleich in den ganz unproportionierten Raumverhältnissen des Zuschauerraums wurde durch die farbige Abtönung der Flächen erreicht. Ein dunkles Grau läßt den unverhältnismäßig großen Balkonraum zurücktreten, ein leuchtendes Lachsrot hebt den Mittelraum hervor, von dem sich wieder in einem Grau die Bühne scheidet. Die Umbauten gliedern sich harmonisch an und schaffen weite Garderobenräume und Wandelgänge. Als Schmuck des Hauses dient lediglich die Farbe. Mit erlesenem Geschmack sind die einzelnen Räume in ihrer Farbgebung aufeinander abgestimmt, intime Beziehungen, wie zwischen dem Blau des Eingangs und dem Blau des Vorhangs, werden geschaffen. Zur Vervollständigung des intimen, behaglichen Eindrucks fehlen noch Läufer in den

Wandelgängen und Spiegel an Wänden und Pfeilern, deren Schaffung ein Werk privater Gebefreudigkeit sein sollte.

Die Festgemeinde, zu der der derzeitige Rektor der Jenaer Universität, Dr. Bauch, sprach, sah mit gesammelter Erwartung dem Aufgehen des Vorhangs entgegen. Es zeigte sich in dem grauen Rahmen des Bühnenausschnitts eine in Wiederholung der Farbe des Zuschauerraums lachsrot getönte Seitenszenerie, die im wesentlichen während der ganzen Aufführung unverändert blieb. Es handelt sich um die Einführung der stehenden Seitenbühne nach Art der Münchener Künstlertheaters; veränderlich ist nur der Hintergrund – eine sehr glückliche Lösung der bei dem gänzlichen Fehlen eines Fundus in Jena schwierigen Frage der Szenerie durch den Spielleiter des Abends und Leiter des Theaters, Generalintendant Hardt vom Deutschen Nationaltheater in Weimar. Die Ausstattung zeigte in wenigen betonten Linien einen Garten, im Hintergrund die Hermen von Virgil und Ariost – den Schauplatz des 1. Aktes von Goethes ‚Torquato Tasso'. Die persönlichste Dichtung Goethes, die freilich nur schwer bühnenlebendig wird, strömte den Geist deutscher Dichtung in ihrer höchsten Erhebung aus. Kristallisationspunkt der Vorstellung war der unvergleichlich schöne und große Wiedergabe der Fürstin durch Käte Radel. Das eigentliche schauspielerische Problem des völligen Sichdeckens von seelischem Ausdruck, Sprache und Geste war hier in einem Umfang gelöst, daß der Eindruck des schlechthin Absoluten davon ausging. Die Resonanz bei den übrigen Darstellern war der Gesamtwirkung auf glücklichste eingeordnet.

Man kann an der Stätte Schillers und Goethes ein Theater nicht wohl anders eröffnen als mit einem ihrer Werke, das heißt mit der großen Tragödie. Selbstverständlich ist sich die Leitung des Theaters ebenso wie der kundige Zuschauer darüber klar, daß die Ausmaße der Bühne nicht ausreichen zur Entfaltung der für die große Tragödie erforderlichen großen Linie. Es wird bei einem derartigen Versuch stets ein Mißverhältnis zwischen Werk und Darstellung bleiben. Wir erwarten von den Spielen der Weimarer im Theater der Stadt Jena auch keine weiteren Versuche in dieser Richtung (der Spielplan kündigt auch als nächste Vorstellung ‚College Crampton' von Hauptmann an.) Das Theater der Stadt Jena kann nichts andres sein als die notwendige Ergänzung der großen Bühne in Weimar im Sinne eines Kammerspielhauses. Ein Ausbau des Spielplans beider Bühnen in diesem Sinne wird für Weimar und Jena die glücklichste Lösung sein. Wenn wir Jenaer uns auch weiterhin die große Tragödie in Weimar werden ansehen müssen, so darf es die Weimarer auch nicht verdrießen, wenn in den Jenaer Kammerspielen geeignete Werke ihre Erstaufführung vor Weimar erleben. Das sogenannte bürgerliche Drama der klassischen und nachklassischen Zeit, das moderne Schauspiel, das Lustspiel aller Zeiten und Völker bieten ein reiches Repertoir [sic]. Wir warten auf seine Verwirklichung. R. Seubert"

Oskar Rhode, Das neue Jenaer Theater, in: Magdeburgische Zeitung vom 27. 9. 1922 und Kölner Volkszeitung vom 28. 9. 1922

„Vom Architekturbüro des Staatlichen Bauhauses in Weimar unter der Leitung der Architekten Prof. Gropius und Adolf Meyer ist in Jena ein kleines Theater von 750 Sitzplätzen geschaffen worden, das berechtigtes Aufsehen erregt. Es ist ein Werk des wegen seiner modernen Auffassung schon öfters in den Zeitungen genannten Bauhauses zu Weimar.

Mag man die fertige Erscheinung beurteilen wie man will, man wird den Geist, aus dem sie entstanden ist, bewundern müssen. An diesem ganzen Hause ist weder innen noch außen auch nur die geringste Schmuckform zu entdecken. Nichts als ehrliche, sorgfältige Abwägung aller Verhältnisse hat hier gestaltend gewirkt, und ebenso abstrakt wie die so entstandenen Formen ist die Farbgebung der Räume: ohne irgendein Muster, ohne irgendeine absetzende Linie.

Es handelt sich um den Umbau eines primitiven Saalbaues mit offenem Dachstuhl, der weitgehend benutzt werden mußte, um in heutiger Zeit ein solches Unternehmen überhaupt möglich zu machen. Auch diese Sparsamkeitsleistung muß um so mehr anerkannt werden, da sie am fertigen Bau nicht zu erkennen ist. Die unerhörte Schlichtheit des Theaters gibt sich in einer Vornehmheit der Erscheinung, die sich auch einem den Gedankenrichtungen der Erbauer Fremden gegenüber schnell Geltung verschafft.

Man muß in der Tat erst umlernen, um diesen Bau zu erfassen.

Eine Beschreibung des abseits der Straße in einem stillen Gartenhof liegenden intimen Theaters wäre ohne Bilder nicht verständlich. Zwei leitende Grundgesetze lassen sich aber als richtunggebend andeuten: Einerseits sind innen wie außen die einzelnen Bauglieder nicht in der gebräuchlichen statisch gerichteten Auffassung nur nebeneinander gesetzt oder durch Pilaster, Bogen oder sonstige Zwischenglieder zueinander in Verbindung gebracht, sondern sie durchdringen einander in dynamischer Weise, wodurch für den auf statischer Grundlage Denkenden ein fast an Beunruhigung grenzendes Leben in die Baumassen kommt, dessen starker Wirkung er sich aber bald nicht mehr entziehen kann. Andererseits bauen im Innern Gropius und seine Mitarbeiter bewußter als je nicht nur die Wände eines Raumes, sondern den von ihnen eingeschlossenen Luftraum, der losgelöst von seiner Umhüllung, eine wirksame Form und nicht nur ein Negativ bleibt.

Nach der Ueberzeugung der Bauhäusler beruht auf dieser grundlegenden Auffassung die Zukunft der neuen Architektur, die mehr sein dürfte als Modesache. Oskar Rhode, DWB."

148

Oskar Rhode, Das neue Theater der Stadt Jena, in: Jenaische Zeitung vom 2. 10. 1922

„Um den vom Staatlichen Bauhaus unter der Leitung von Walter Gropius und Adolf Meyer ausgeführten Bau unseres neuen Stadttheaters richtig zu beurteilen, bedarf es eines weitgehenden Umstellens der Anschauung. Die Eigenheit dieses Hauses liegt so abseits von allem Gewohnten, daß nicht nur der Laie, sondern selbst der Fachmann ihm zunächst ohne Anhaltspunkte ein wenig fassungslos gegenübersteht. Es gelingt erst nach und nach, sich in diese Welt hineinzutasten.

Es ist aber durchaus lohnend, diesen Versuch zu machen, und ich will sehen, dazu in etwas den Weg zu weisen.

Weder innen noch außen ist am ganzen Bau ein einziger ‚Schmuck' zu entdecken, weder in den Bauformen noch selbst in den Farbgebungen, die ohne das leiseste Ornament oder auch nur eine absetzende Linie einfach ‚an sich' dastehen. Trotzdem aber gibt sich das Haus mit seiner geradezu unerhörten Schlichtheit in einer Vornehmheit der Erscheinung, die bei näherer Betrachtung mehr und mehr gewinnt.

Auf einer breiten, zwei Stufen hohen Plattform baut sich die weiße, völlig ungegliederte Mittelfläche der Ansicht auf, oben in einer profillosen Geraden sich unmittelbar gegen den Himmel abhebend. Die sich den Sinnen aufzwingende Körperlichkeit der Ansicht beruht aber auf einem nicht ohne weiteres erkennbaren Geheimnis. Der obere Abschluß ist nämlich nur optisch gerade und stellt in der Tat einen gespannten Bogen von einer Ueberhöhung von vollen 15 Zentimetern dar. Eine wirkliche Gerade würde optisch in der Mitte eingesunken erscheinen, was durch den feinen Kunstgriff der Erbauer vermieden wird, die damit alten Grundgesetzen der Griechen und auch der Inder wieder Geltung verschaffen.

Die gleiche liebevolle Hingabe, die sich in dieser Behandlung der Dachlinie zu erkennen gibt, zieht sich als ein roter, bei sorgsamer Betrachtung überall zu verfolgender Faden durch den Bau. Es handelt sich bei der gänzlich schmucklosen Formgebung nirgends um eine reine ‚Zweckmäßigkeit', sondern um ein schöpferisches Erwecken toter Massen zu einem ungeahnten Leben. Damit also um das köstlichste Können der Architektur.

Während sich der Mittelteil nur im Sommer mit seinen fünf aneinandergereihten Glastüren nach der Plattform zu öffnet, liegen in den beiden zweifach zurückspringenden Seitenteilen die ständigen Eingänge für Saal und Rang. Sie sind von einem Schutzdach überspannt, das sich um die gebrochenen Ecken des Mittelteils herumklammert und ihn so lebendigerweise zu einer Einheit zusammenschweißt. Auch in dieser Lösung zeigt sich sofort die grundlegende Auffassung entgegen der durch alle sonstige Architektur hindurchgehenden Art, benachbarte Bauglieder durch Lisenen, Pilaster betont voneinander abzuheben. – Nicht voneinander abheben, sondern einander durchdringen läßt man hier die Bauglieder. Statisches und dynamisches Wollen stehen hier gegeneinander. Die Frage, ob die eine oder die andere dieser beiden Auffassungen die alleinseligmachende ist, liegt zu tief, um in diesen kurzen Zeilen erledigt werden zu können. Sie erscheinen mir beide berechtigt, und ich gehe mit großer Freude der mir ungewohnten ‚dynamischen' an unserem Theater nach.

Die grau gehaltenen seitlichen Eingangstüren sind über den Unterrand des Mittelteiles hinweg durch ein schmales graues Band miteinander ‚verspannt', das sich in den fünf ebenfalls grau herausgehobenen Glastüren nochmals zu der gleichen Höhe aufdehnt wie die Seitentüren. Aber nicht nur einfach farbig sind diese grauen Flächen auf die Gesamtmasse der weißen Ansicht gesetzt, sondern sie sind aus ihrem Fleisch förmlich herausgeschnitten, so daß die Außenfläche wie eine kräftige Haut über der nur an den Schnittflächen sichtbaren Körpermassen liegen bleibt. Man sehe sich daraufhin den zwischen Seiten- und Mitteltüren hinlaufenden zurückspringenden Sockel an sowie die schrägen Schnittflächen der Haupttüren und die Art, wie die Haut noch um die Ecken herumgelegt ist beim Anschluß der Schutzdächer.

Rechts und links geht man durch einen kleinen blau gemalten Windfang hindurch in die weiten Umgänge ein, die nicht mehr getrennt wie in ihrem bisherigen primitiven Zustand sind, sondern durch einen kleinen Vorsaal miteinander verbunden, der auch die Kasse und eine Erfrischungsstelle beherbergt.

Für Fremde muß hierbei erwähnt werden, daß das Theater einen Umbau eines einer Schützenbude nicht unähnlichen alten Saalbaues darstellt, der bei den heutigen Baupreisen weitgehend genutzt werden mußte. Daß das in sparsamster Weise so erreicht wurde, daß dabei nicht ein hilfloses Stückwerk herauskam, sondern eine künstlerische Einheit, in der man die eingearbeiteten alten Dinge kaum noch irgendwo erkennen kann, darf als ein besonderes Verdienst der Bauleitung nicht vergessen werden.

Der Erfrischungsraum ist der lichteste des ganzen Hauses in einer freudigen, gelblichen Tönung; zwei Pfeiler, die von der alten Hauswand stehen bleiben mußten, sind geschickt zu Lichtträgern genutzt worden, um die sich Sitzbänke mit silbergrauen Bezügen herumlegen. Hier wie im ganzen Hause liegt das Licht in schlichten kubischen Mattglaskasten, und es ist hervorzuheben, daß auch diese keinerlei Zierat haben. Ihre Schönheit ist das Licht ‚an sich'. Rechts und links des Erfrischungsraumes schließen die schon erwähnten Vorräume vor den Kleiderablagen den gesamten Umgang. Sie sind in einem matten Violett gemalt und haben an der Decke in ruhiger Folge auch ihre Lichtkasten. Leider haben diese weiße Holz-‚zargen' (wenn man diesen Fachausdruck vom Stuhl übernehmen will). Mir erschiene es wesentlich günstiger, wenn diese senkrechten Flächen ebenfalls aus Mattglas gebildet wären. Nicht nur die Lichtwirkung würde dadurch gehoben, sondern auch ein dem im Erfrischungssaale ähnlicher festlicher Eindruck besser erzielt. Vornehm wirken die ohne jeden Rahmen an den Wänden mit Nickelschrauben befestigten Kristallspiegel.

Die beiden neuen, zum Rang führenden Treppenhäuser sind terrakottafarben und über dem Erfrischungsraum durch einen weiten Gang miteinander verbunden, der mit zwei großen Oberlichtern versehen zu Ausstellungen kleinerer Bilder und Graphiken auch außerhalb der Vorstellungen benutzt werden soll. Ueberall wachsen diese einzelnen Raumgebilde ineinander, statt bestimmt voneinander abgehoben zu sein. Besonders klar ist dies Prinzip zu erkennen, wenn man auf dem oberen Umgang stehend in eines der Treppenhäuser hineinschaut. Ueber Oberkante der Tür zum Zuschauerraum und Fenster läuft die gleiche Horizontale über die kubische Umfassung der Kleiderablage hinweg in die Decke des Treppenhauses hinein, in die dessen Fenster ohne Sturz eingreift. Dazu kommt die ebenfalls horizontal abgedeckte Zwischenwand der Treppe und das frei um die Ecke der Kleiderablage herumgreifende Treppengeländer. Wenn man dann beim langsamen Heruntergehen beobachtet, wie auch beim unteren Austritt der Treppe, deren Decke sich wieder in die Decke des unteren Umgangs einschiebt, so wird sich einem die außerordentliche Lebendigkeit dieser Formgebung, die den Weiterschreitenden geradezu begleitet und fortführt, in erfreuender Weise kundgeben. Die unteren Saaltüren sind derart in flache, breite Wandnischen eingefügt, daß sie auch geöffnet einen Rahmen behalten. Sie sind übrigens mit einem modernen Panikverschluß versehen, der sie ohne Hebel von innen mit einem Drucke im Falle der Gefahr öffnen läßt.

Ist eine der seitlichen Türen weit geöffnet, so zeigt sich ein sehr schönes Bild des Innern mit seinem rötlichen Mittelteile und der von ihm umfaßten gegenüberliegenden Tür mit ihrem kreisrunden Kupferbeschlag. Weiter eintretend erkennt man dann, wie dieser Mittelteil wie eine Schabrackendecke über dem sonst grau gehaltenen Raum liegt, rechts und links von je 4 mächtigen Lichtkasten gekrönt. Diese Lichtkasten stellen eine außerordentlich geschickte Verkleidung der Binder des alten offenen Dachstuhles dar: diese laufen unsichtbar schräg durch die Lichtkasten hindurch. Mächtige Blöcke unter den Lichtträgern ergeben einen riesenhaften Zahnschnitt. Die Decke zeigt groß angelegte Abtreppungen, die einige Meter vor den Stirnwänden absetzen und um einiges zurückspringend sich grau gestrichen bis zum Aufhören fortsetzen. Damit ist das Prinzip der Renaissance, die Decke durch einen Rahmen zu umfassen, endgültig verlassen. – Auch hier stehen wieder Statik und Dynamik in einem bedingungslosen Gegensatz. – Aus den grauen Stirnteilen des Saales heben sich auf der einen Seite der ruhige Bühnenrahmen mit einem tiefblauen Samtvorhang heraus und auf der anderen Seite der auf zwei Böcken festaufgesetzte Rang.

Die Tiefe oberhalb und unterhalb des Rangbodens fängt wieder die tiefblaue Farbe des Vorhanges auf. Das Grau der Bühnenstirnwand und des Raumteiles bis zu dem Rücksprung der Decke kehrt auch an der Rangbrüstung wieder und an dem nebenliegenden Wandteil. Unterhalb aber des rötlichen Mittelteiles sind die beiden grauen Regionen der Stirnwände wieder durch ein ebenfalls graues niedriges Sockelband miteinander ‚verspannt', das sich in den mittleren Seitentüren wieder aufdehnt, geradeso wie bei der Außenansicht. Man erkennt, wie außerordentlich einheitlich, organisch das ganze Bauwerk durchgeführt ist.

Aber das geht sogar noch weiter: Die untere Abschlußkante der einen Zahnschnitt ergebenden Blöcke unter den Lichtkasten setzt sich fort und greift in einer eigentümlichen Weise auch in den Bühnenrahmen ein. Die Bedeutung dieses Einschneidens erfährt eine verblüffende Aufklärung, wenn man bei der Bühnenausstattung der Eröffnungsvorstellung erkannte, daß auch die Bühneneinrichtung diese Linie wieder aufnahm und so die geöffnete Szene nicht mehr als das verschriene Guckkastenbild zeigt, sondern sie mit dem Zuschauerraum zu einem Ganzen zusammenwachsen ließ.

Zweifellos ist eine solche Bezugnahme der Bühnenausstattung auf die Linien des Zuschauerraumes bei allen Aufführungen das Gebotene und wird ebenso wie die ständig bleibenden Vorderkulissen ein grundlegender Akkord bleiben müssen, auf dem sich die Variationen unseres vereinfachten und stilisierten Bühnengeschmacks selbständig aufbauen.

Bisher war der vor allem weiter zurücksitzende Zuschauer eines Theaters gezwungen, seinen Blick nicht von dem kleinen Bühnenbild abweichen zu lassen, denn sowie er ihn über den Rahmen hinaus in den von der Szene her mitbeleuchteten Raum schweifen ließ, so geriet er sofort in eine Welt, die sich mit dem Bühnenbild nicht mehr vereinbaren ließ und deshalb außerordentlich störte. Alles das ist hier in so bewußter Weise vielleicht zum ersten Male zu einem Ganzen zusammengeschmolzen, und ich habe bei der Aufführung des ‚Tasso', auf dem Rang sitzend, ein weit den ganzen Zuschauerraum und das Bühnenbild umfassendes Blickfeld gehabt, wie ich es noch nirgends kennen und genießen gelernt habe.

Verläßt man das Theater, so begleiten einen die Formen des Innen und Außen selbst noch bis zu dem weit vorn an der Straße liegenden Eingangstore, wo man nach Vorbeischreiten an den ruhigen Horizontalen der jetzt noch unbewachsenen Spalierwände die Lichtkasten des Zuschauerraumes noch einmal wiederfindet.

Es klingt eine ruhige, in ihrer stillen Gesetzmäßigkeit wohltuende Musik durch dieses schlichte, im besten Sinne wohnliche Theater, der sich seine Besucher nach anfänglich vielleicht begreiflichem Widerstreben nicht werden entziehen können. Wir wollen uns seines Besitzes freuen und es hoffentlich zu einer wirklichen Kulturstätte werden lassen.
Oskar Rhode, Architekt, DWB."

Julius Koch, Wilhelm Kasten, Zuschriften aus dem Leserkreise [zum Artikel von R. Seubert, Theater der Stadt Jena, 26. 9. 1922], in: Jenaische Zeitung vom 3. 10. 1922

„Berichtigung zu dem Artikel im ‚Volk', Beilage Nr. 225, vom 26. Sept., betr. Theater der Stadt Jena.

In dem Artikel betr. Theater der Stadt Jena dürften dem Herrn Seubert wohl einige Unstimmigkeiten, infolge falscher Informationen, unterlaufen sein. Die Unterzeichneten als Mitarbeiter des Umbaues des Theaters der Stadt Jena – insbesondere des ersten Bauabschnittes – bis Anfang Dezember 1921 – halten sich verpflichtet, dieses der Einwohnerschaft gegenüber richtig zu stellen. Der Entwurf zum Umbau des Stadttheaters wurde durch die Unterzeichneten unter Herrn Stadtbaudirektor Bandtlow im Jahre 1912 ausgearbeitet. Dieser Entwurf wurde leider seinerzeit nicht zur Ausführung gebracht. Lediglich die Platzfrage brachte die Ausführung dieses Entwurfes zum Scheitern. Die Baukosten waren seinerzeit mit 35 000 Mk. veranschlagt.

Im Jahre 1921 wurde infolge Abschlusses des Vertrages mit dem Nationaltheater Weimar die Frage des Umbaues wieder aufgeworfen. Nach langen Verhandlungen der Gemeindekörperschaften mit dem Nationaltheater Weimar wurde der von den Unterzeichneten unter Herrn Stadtbaudirektor Bandtlow ausgearbeitete Entwurf des ersten Bauabschnittes in Berücksichtigung der gegebenen Verhältnisse und Mitarbeit des staatlichen Bauhauses umgearbeitet und zur Ausführung beschlossen. Derselbe sollte in drei Abschnitten ausgeführt werden. Der erste Bauabschnitt sah die Umgestaltung des Zuschauerraumes, sowie die Erweiterung der Kleiderablagen, der zweite Bauabschnitt die Erweiterung des Erfrischungsraumes, den Bau einer Kasse, den Neubau von 2 Treppenhäusern für die Balkone nebst Kleiderablagen für die Balkone und die Abortanlagen, der dritte Bauabschnitt die Erweiterung der Bühnenräume und Kleiderablagen des Theaterpersonals vor. Laut Beschluß des Gemeinderates sollte lediglich der erste Bauabschnitt, sowie der Bau des Kassenraumes vom zweiten Bauabschnitt ausgeführt werden. Für dieses Bauvorhaben standen dem Hochbauamt im ganzen 235 000 Mk. zur Verfügung. Ueberschreitungen sollten in Anbetracht der schwierigen Finanzlage der Stadt auf keinen Fall gemacht werden. Demnach standen dem Hochbauamt nur beschränkte Mittel zur Durchführung des beschlossenen Bauvorhabens zur Verfügung.

Infolge künstlerischer wie finanzieller Gegensätze zwischen dem Leiter des staatlichen Bauhauses in Weimar und Herrn Stadtbaudirektor Bandtlow wurde auf Beschluß des Gemeinderates im Dezember 1921 die Fertigstellung der Bauarbeiten unter Bewilligung weiterer nicht unerheblicher Mittel dem Leiter des staatlichen Bauhauses in Weimar übertragen. Die Bauleitung wurde durch diesen Beschluß dem Hochbauamt entzogen.

Es darf hier wohl bemerkt werden, daß, wenn dem Hochbauamt die nachträglich bewilligten Mittel zur Verfügung gestanden hätten, die der Umbau des Theaters kosten wird (rund 1 800 000 Mk.) der Vorwurf, der dem Leiter des Hochbauamtes gemacht wird, unbedingt zurückgewiesen werden muß. Auch müssen die persönlichen Anzapfungen gegen den Leiter des Hochbauamtes auf das Entschiedenste zurückgewiesen werden. Auf Kosten der Kleiderablagen (Verkleinerung derselben gegenüber dem Entwurf des Hochbauamtes) wurden die Baukosten infolge der durch die Gegensätze entstandenen Verhandlungen, sowie der Preissteigerungen künstlich verringert. Jedenfalls ist der zur Ausführung gekommene Entwurf mit Ausnahme der äußeren Gestaltung der Ansicht und der Decke im Zuschauerraum im Grundgedanken dem Entwurfe des Hochbauamtes entnommen. Daß seinerzeit der aus dem zweiten Bauabschnitt zur Ausführung beschlossene Anbau des Kassenraumes (Teilentwurf) die äußere Ansicht des Theaters nicht günstig beeinträchtigte, waren wir uns wohl bewußt. Wäre dagegen die vollständige Ausführung des zweiten Bauabschnittes seinerzeit vom Gemeinderat beschlossen worden, so würde der Umbau des Theaters nach den Plänen des Hochbauamtes der jetzigen Ausführung nicht nur ebenbürtig, sondern in den Raummaßen vorzuziehen sein. Natürlich kann man auch noch heute über die Ausgestaltung der äußeren Ansicht, sowie der Decke im Zuschauerraum verschiedener Meinung sein. Dieses sind eben Geschmackssachen. Jedenfalls hätte die Ausführung nach dem Entwurfe des Hochbauamtes der Stadtgemeinde erhebliche Kosten erspart. Bemerkt darf wohl noch werden, daß die Beschaffung der Sitzgelegenheiten nicht durch das Hochbauamt, sondern durch die Bauleitung des staatlichen Bauhauses erfolgt ist. Es kann daher also keine Rede davon sein, daß durch die ‚Bandtlowsche Schildbürgerei' eine hübsche Bausumme zwecklos vergeudet sei. Nicht nur im Laufe einiger Jahre, sondern schon in aller Kürze werden sich für die Unterhaltung des Theaters Fehler zeigen, die der Stadtgemeinde nette Summen kosten dürften.
Jul. Koch, Theaterinspektor. Wilh. Kasten, Stadtbauobersekretär, geprüfter Maurer- und Zimmermeister."

Adolf Behne, Kunst in Jena, in: Vossische Zeitung vom 8. 8. 1923

„Das Museum zeigt eine Ausstellung alter Pläne und Stadtansichten: der Kern Jenas lag im Mühltal, einer kleinen Ortschaft, deren Mauern nicht bis zur Saale herangingen, in der Hauptsache von Weinbauern bewohnt.

Seit dem 18. Jahrhundert hat Jena kulturelle Bedeutung durch die Universität. Auch als Sitz der Hochschule blieb Jena Kleinstadt, und die schnelle Erweiterung über Lache und Saale hinaus, die Höhen hinauf und die Täler hinein, in den letzten Jahrzehnten geht zurück auf die Zeiß-Werke. Jena ist Industriestadt geworden, und im Stadtbild prägt sich die Machtverteilung unmißverständlich aus.

Der Universitätsbau Theodor Fischers gefällt sich in einer friedvollen Oxford-Stimmung. Sein komplizierter Turm (warum ein Turm?) wird von der klaren Einfachheit der gotischen Stadtkirche wie der barocken Garnisonskirche (die sehr fein ist) glatt geschlagen, und innen droht die straffe Spannkraft des Hodlerbildes die klösterliche Gedrücktheit zu sprengen.

Die Kuppeln der Planetarien und die zu zehn Stockwerken aufgetürmte Zeiß-Fabrik sind die architektonische Gipfelung der Stadt. Von Jahr zu Jahr breitet sich das Werk aus, reißt die Nachbarhäuser nieder, baut neue Arbeitsräume und zwingt die Stadt, weiter und weiter auszugreifen, um Wohnraum für Arbeiter zu schaffen. Leider ist die Bebauung des Stadtgebietes aus den letzten 30 bis 40 Jahren recht traurig. Die einzige städtebaulich starke Leistung ist Theodors Fischers Camsdorfer Brücke, die, mit großem Feingefühl in das Ganze der Stadt eingefügt, ohne die pseudomittelalterliche Kapelle vorbildlich wäre.

Was bei der Erweiterung des Kernes völlig versäumt wurde, das ist die Einbeziehung der Saale in den Stadtorganismus. Ganz zufällig fließt die Saale durch zufälliges Häusergemenge, durch stehengebliebenes Buschwerk, an Fabriken vorbei, begleitet von dem Bahndamm, der jeden Blick auf die Stadt versperrt.

Zeiß ist in allem die am stärksten bewegende Macht. Zeiß stützt die Universität und die wissenschaftlichen Institute, trägt Volkshaus und Lesehalle und ermöglicht das Montessori-Heim. Die Zeiß-Stiftung wäre in ihrer kulturellen Kraft vollkommen, wenn sie bei allem neu Entstehenden auch der künstlerischen Gestaltung Beachtung schenken wollte. Die Möglichkeiten, die sie hier hätte, werden leider nicht voll ausgenutzt. (Das Volkshaus z. B. ist schlimme Architektur.)

In seinem Ausdehnungsdrange tastet Zeiß das Allerheiligste Jenas an: die korpsstudentische Feudalität, deren mannhafter Gambrinuskult rührend zeitgemäß wirkt. Das Werk schluckt jetzt das Korpshaus der ‚Thuringia' – die Architektur der Verbindungshäuser ist übrigens ein Kapitel für sich! – und baut den Herren an anderer Stelle ein Kneiplokal – hoffentlich nicht im Garten des Prinzessinnenschlößchens. Diese für Zeiß bequemste Lösung ist im Interesse des Stadtganzen unmöglich. Der Garten muß, wenn hier schon gebaut werden soll, einer Bebauung frei bleiben, die für das allgemeine Interesse bedeutungsvoller ist.

Das Prinzessinnenschlößchen ist ein liebenswürdiger Empirebau, dessen mittleres Stockwerk die Zeiß-Stiftung dem Kunstverein zur Verfügung gestellt hat. Es enthält die Sammlung des Vereins, den Grundstock eines modernen Museums, Bilder von Hodler, Nolde, Macke, Kirchner, Segal u. a., und das vollständige graphische Werk Kirchners, das Kirchner schenkte, um das Andenken seines Freundes Botho Gräf zu ehren, der, Archäologe an der Universität, der erste Leiter des Kunstvereins war. Sein Nachfolger an der Universität, Koch, wurde auch Gräfs Nachfolger in der Leitung des Vereins und setzt seine Arbeit fort, die den Jenaer Kunstverein weit über das übliche Niveau von Kunstvereinen stellt. Alle wichtigen Künstler der letzten zehn Jahre wurden durch ihn in Jena frühzeitig ausgestellt, dank der Energie und dem klaren Urteil Walter Dexels, der eben jetzt für den Kunstverein eine Ausstellung konstruktivistischer Malerei organisierte, die in der Reinheit des Materials und der Sorgfalt der Anordnung die schönste Ausstellung moderner Malerei ist, die ich in Deutschland gesehen habe. Sie enthält Arbeiten von Max Buchartz und Peter Röhl – Weimar, Erich Buchholz, Arthur Segal, Ladislaus Peri und Oskar Fischer – Berlin, Willi Baumeister – Stuttgart und Walter Dexel – Jena. (Daß einige wichtige Künstler fehlen, ist nicht Schuld der Veranstalter.) Zum ersten Male sehen wir konstruktivistische Bilder in einem Raume – dem Foyer des Stadttheaters –, der ihre Wirkung steigert, weil er aus gleichem Geiste heraus hell, klar, bestimmt und einfach gestaltet ist.

Die Stadt kann stolz sein, diesen Bau, ein Werk der Architekten Walter Gropius und Adolf Meyer, zu besitzen. Es wäre viel gewonnen, wenn seine unromantische, auf elementare räumliche Spannungen gestellte Reinheit, seine Freiheit von allen dekorativen Zutaten, zum Vorbild für alles weitere Bauen in Jena würde. Die Ausstellung des Kunstvereins in diesem Hause ist jedenfalls eine große Sehenswürdigkeit und verrät eine künstlerische Aktivität, die gewiß mehr und mehr die Jenenser überzeugen und mitreißen wird."

Bibliographie

Archivalien

Arkitekturmuseet Stockholm

Brief Adolf Meyers an Fred Forbat vom 4. 12. 1921 (Nachlaß Fred Forbat)

Bauaktenarchiv der Stadt Jena

Schillergäßchen 1 (vorm. Engelplatz Nr. 5), Akte Theater 1872 – 1946
Schillergäßchen 1 (vorm. Engelplatz Nr. 5), Akte Theater 1946 – 1987
Schillergäßchen 1 (vorm. Engelplatz Nr. 5), Akte Stadttheater 1978
Schillergäßchen 1, Umbau Stadttheater 1921 / 22, Mappe 1
Entwurf Stadttheater Sammelmappe

Preiss, W.; Stadttheater Jena. Beurteilung der konstruktiven Bausubstanz, Auftrag vom 21. 4. 1976 und 21. 3. 1977, MS, Dresden 1978, Bauaktenarchiv der Stadt Jena, Schillergäßchen 1, Akte Stadttheater 1978, Bl. 30 – 35

Bauhaus-Archiv Berlin

Fotosammlung Stadttheater Jena, Nachlaß Walter Gropius, W 24
Pressemappe 1911 – 1927
GN 22 / 15 / 276 – 297

Carl Zeiss-Archiv Jena

Akte III / 1596, Protokolle der Sitzungen des Gemeinderats Jena 1918 – 1922
Akte III / 2466, Finanzielle Unterstützung des Theaterbaus Jena durch die Carl Zeiss-Stiftung

Stadtarchiv Jena

Akte B III a, Nr. 127
Akten B IV h, Nr. 6, 7, 8, 14, 15, 16, 17, 23, 27
Akten Wc Nr. 1, 5, 6, 14
Fotomappe Schillergäßchen

Kühne, Ernst; Um- und Erweiterungsbau Stadttheater Jena, Bauantrag und Erläuterungsbericht, MS, Weimar 10. 3. 1947, Stadtarchiv Jena, Akte Wc Nr. 14, Bl. 1 – 3

Rhode, Oscar; Vom Umbau des Stadttheaterhauses, MS, in: Hans Erdmann, Stadttheater Jena. Grundlegende Gedanken über den künstlerischen Aufbau einer der Stadt angemessenen Bühne, mit Beiträgen von Paul Gebauer, Fritz Lück und Oscar Rhode, MS, Jena [1920], Stadtarchiv Jena, Akte B IV h, Nr. 6, S. 32 – 36

Technische Universität München, Architekturmuseum

Theodor Fischer, Projekt Stadttheater Jena, 1915, Zchngn.: Arch. Slg. TUM 166 / 001 – 166 / 032

Thüringisches Hauptstaatsarchiv Weimar

Staatliches Bauhaus Weimar, Akten 173, 183
Thüringisches Volksbildungsministerium, Akten C 1313, C 1314

Quellen

Anonym; Lokales [Richtfest des Theaters in Köhlers Garten beim Engel], in: Jenaische Zeitung vom 31. 7. 1872

Anonym; Lokales [Das neue Theater in Köhlers Garten], in: Jenaische Zeitung vom 8. 10. 1872

Anonym; Ueber die Feuersicherheit des Theaters, in: Hallische Zeitung vom 6. 7. 1887

Anonym; Die Theaterfrage, in: Volkszeitung vom 1. 3. 1913

Anonym; [Die Winterspielzeit des Jenaer Stadttheaters], in: Das Volk vom 18. 5. 1921

Anonym; Vom Umbau des Stadttheaters, in: Jenaer Volksblatt vom 8. 10. 1921

Anonym; Freie Volksbühne Jena, in: Jenaer Volksblatt vom 18. 10. 1921

Anonym; Der Theaterumbau in Jena, in: Das Volk vom 10. 11. 1921

Anonym; Oeffentliche Sitzung des Jenaer Gemeinderat, Donnerstag, den 10. November 1921. Theaterangelegenheit, in: Allgemeine Thüringische Landeszeitung Deutschland vom 14. 11. 1921

Anonym; Der Umbau des Jenaer Stadttheaters, in: Allgemeine Thüringische Landeszeitung Deutschland vom 26. 7. 1922

Anonym; „Die Weihe des Hauses". Zur Wiedereröffnung des Stadttheaters in Jena, in: Jenaische Zeitung vom 26. 9. 1922

Ausst.-Kat. Staatliches Bauhaus Weimar 1919 – 1923, hg. von Karl Nierendorf und dem Staatlichen Bauhaus in Weimar, München [1924]

Behne, Adolf; Entwürfe und Bauten von Walter Gropius, in: Zentralblatt der Bauverwaltung 42, 1922, S. 637 – 640

Behne, Adolf; Kunst in Jena, in: Vossische Zeitung vom 8. 8. 1923

Dexel, Walter; Jenaer Architektur, 1925, in: Walter Vitt (Hg.), Walter Dexel. Der Bauhausstil – Ein Mythos. Texte 1921 – 1965, Starnberg 1976, S. 74 – 77

Doesburg, Theo van; De invloed van de stijlbeweging in Duitsland, in: Bouwkundig Weekblad 44, 1923, Nr. 7, 17. 2. 1923, S. 80 – 83

Doesburg, Theo van; Vernieuwingspogingen der oostenrijksche en duitsche Architectuur, in: Het Bouwbedrijf 2, 1925, S. 197 – 200 [Mai] S. 225 – 227 [Juni], S. 262 – 265 [Juli]

Doesburg, Theo van; Über europäische Architektur. Gesammelte Aufsätze aus Het Bouwbedrijf 1924 – 1931, Basel 1990

Doesburg, Theo van; Data en Feiten, in: De Stijl 7, 1927, Nr. 79 / 84, S. 53 – 71

Eesteren, Cornelis van; Das Tagebuch des Cornelis van Eesteren, März 1922 bis Oktober 1926, hg. von Franziska Bollerey, in: Dies. (Hg.), Cornelis van Eesteren. Urbanismus zwischen de Stijl und C. I. A. M., Braunschweig, Wiesbaden 1999, S. 107 – 159

Elsner, Alexander; Neue Stadtbaukunst Jena, Berlin, Leipzig, Wien 1928

Fischer, Theodor; Öffentliche Bauten, Leipzig 1922

Giedion, Sigfried; Bauhaus und Bauhaus-Woche zu Weimar, in: Das Werk, Zürich, vom 21. 9. 1923, Staatliches Bauhaus Weimar (Hg.), Pressestimmen (Auszüge) für das Staatliche Bauhaus Weimar, Weimar 1924, S. 41 – 44

Gropius, Walter / Meyer, Adolf; [Weimar Bauten], in: Wasmuths Monatshefte für Baukunst 7, 1922 / 23, H. 11 / 12, S. 323 – 354

Gropius, Walter / Meyer, Adolf; Weimar Bauten, Berlin [1923]

Gropius, Walter; Internationale Architektur, Bauhausbücher Bd. 1, München 1925

Gropius, Walter; Internationale Architektur, Bauhausbücher Bd. 1, 1927(2), Reprint: Mainz, Berlin 1981

Gropius, Walter; vom modernen theaterbau, unter berücksichtigung des piscator-theater-neubaus in berlin, in: Berliner Tageblatt vom 2. 11. 1927

Klopfer, Paul; Bauhaus-Ausstellung, in: Allgemeine Thüringische Landeszeitung Deutschland vom 3. 5. 1922

Koch, Julius / Kasten, Wilhelm; Zuschriften aus dem Leserkreise [zum Artikel von R. Seubert, Theater der Stadt Jena, 26. 9. 1922], in: Jenaische Zeitung vom 3. 10. 1922

Lehmann, Friedrich; Osnabrück. Deutschlands Städtebau, Berlin 1925

Littmann, Max (Hg.); Das Grossherzogliche Hoftheater in Weimar. Denkschrift zur Feier seiner Eröffnung, München 1908

Müller-Wulckow, Walter; Bauten der Gemeinschaft, Leipzig 1928

Piacentini, Marcello; Corrispondenze dalla Germania, in: Architettura e Arti Decorative 2, 1922 – 1923, S. 496 – 500

Platz, Gustav Adolf; Die Baukunst der neuesten Zeit, Berlin 1927

Rhode, Oskar; Das neue Jenaer Theater, in: Magdeburgische Zeitung vom 27. 9. 1922

Rhode, Oskar; Das neue Theater der Stadt Jena, in: Jenaische Zeitung vom 2. 10. 1922

Scheffauer, Herman George; The Work of Walter Gropius, in: Architectural Review 56, 1924, S. 50 – 54

Schlemmer, Oskar / Moholy-Nagy, Laszlo / Molnar, Farkas; Die Bühne im Bauhaus, 1925, Bauhausbücher Bd. 4, Reprint: Mainz, Berlin 1985

Seubert, R.; Theater der Stadt Jena. Eröffnung am 24. September mit Goethes „Torquato Tasso", in: Das Volk vom 26. 9. 1922

Staatliches Bauhaus Weimar (Hg.); Pressestimmen (Auszüge) für das Staatliche Bauhaus Weimar, Weimar 1924

Stein, Erwin; Görlitz. Monographien deutscher Städte, Berlin 1925

Wattjes, Jannes Gerhardus: Moderne Architectuur, Amsterdam 1927

Wolfradt, Willi; Berlin: Juryfreie Kunstschau [Besprechung der Ausstellung], in: Das Kunstblatt 6, 1922, S. 543 – 544

Zucker, Paul; Theater und Lichtspielhäuser, Berlin 1926

Literatur

Anonym [Uttikal, Walter (Red.)]; Zur Geschichte des Theaters in Jena, Darstellung in 20 Folgen, in: Theatermosaik. Mitteilungen für unsere Besucher, hg. vom Stadttheater Jena, Juni 1966 bis Juli 1968

Argan, Giulio Carlo; Gropius und das Bauhaus, Braunschweig, Wiesbaden 1992

Arndt, Alfred; Erinnerungen an das Bauhaus, 1968, in: Ausst.-Kat. In der Vollendung liegt die Schönheit. Der Bauhaus-Meister Alfred Arndt 1898 – 1976, Bauhaus-Archiv Berlin, Berlin 1999, S. 72 – 75

Arndt, Alfred; Das Leben am Bauhaus und seine Feste, in: Ausst.-Kat. 50 Jahre Bauhaus, Württembergischer Kunstverein Stuttgart, Stuttgart 1968, S. 313 – 314

Ausst.-Kat. Andor Weininger. Vom Bauhaus zur konzeptuellen Kunst, hg. vom Kunstverein für die Rheinlande und Westfalen Düsseldorf, Stuttgart 1990

Ausst.-Kat. Dexel in Jena, hg. von Maria Schmidt in Zusammenarbeit mit der Kulturstiftung Jena und den Städtischen Museen Jena, Jena 2002

Ausst.-Kat. Farbenfroh! Colourful! Die Werkstatt für Wandmalerei am Bauhaus. The Wallpainting Workshop at the Bauhaus, hg. von Renate Scheper für das Bauhaus-Archiv Berlin, Berlin 2005

Ballerstein, Astrid; Das Stadttheater in Osnabrück. Ein Bauwerk des Jugendstils, MS, Osnabrück 1980

Bayer, Herbert / Gropius, Walter / Gropius, Ise (Hg.); Bauhaus 1919 – 1928, Stuttgart 1955

Berdini, Paolo; Walter Gropius, Zürich, München 1984

Bothe, Rolf (Hg.); Das frühe Bauhaus und Johannes Itten. Katalogbuch anläßlich des 75. Gründungsjubiläums des Staatlichen Bauhauses in Weimar, Ostfildern-Ruit 1994

Busignani, Alberto; Walter Gropius, Luzern, Freudenstadt, Wien 1972

Dexel, Walter; Bericht über den Kunstverein Jena III, 1965, in: Walter Vitt (Hg.), Walter Dexel. Der Bauhausstil – Ein Mythos, Texte 1921 – 1965, Starnberg 1976, S. 55 – 74

Direktion des Stadttheaters Jena (Hg.); Stadttheater Jena, Umbau 1947 / 48. Zur Erinnerung an den Umbau des Stadttheaters Jena, Sonderdruck der Theaterblätter des Stadttheaters Jena, Jena 1948

Droste, Magdalena; Bauhaus 1919 – 1933, Köln 1998

Ex, Sjarel; De blik naar het oosten: De Stijl in Duitsland en Oost-Europa, in: Blotkamp, Carel (Red.); De vervolgjaren van De Stijl 1922 – 1932, Amsterdam, Antwerpen 1996, S. 67 – 112

Frenzel, Herbert Alfred; Thüringische Schloßtheater. Beiträge zur Typologie des Spielortes vom 16. bis zum 19. Jahrhundert, Berlin 1965

Giedion, Sigfried; Walter Gropius. Mensch und Werk, Stuttgart 1954

Glasser, Barbara; Und niemand lebt vom Brot allein. Zur wechselvollen Geschichte des Jenaer Theaters, Teil 1, in: Thüringische Landeszeitung vom 6. 6. 1998; Das Leben darstellen wie es erlebt wird. Zweite Folge zur wechselvollen Geschichte des Jenaer Theaters, in: Thüringische Landeszeitung vom 13. 6. 1998

Gropius, Walter; Theaterbau, 1934, in: Ders., Apollo in der Demokratie, Mainz, Berlin 1967, S. 115 – 123

Gropius, Walter; Die neue Architektur und das Bauhaus. Grundzüge und Entwicklung einer Konzeption, 1935, Mainz 1965

Gropius, Walter; Architektur. Wege zu einer optischen Kultur, Frankfurt 1982

Hartung, Arnd / Koch, Herbert; Das Karmeliterkloster in Jena. Ein Rekonstruktionsversuch, in: Das Thüringer Fähnlein 4, 1935, S. 721 – 726

Herzogenrath, Wulf; Oskar Schlemmer. Die Wandgestaltung der neuen Architektur, München 1973

Ignasiak, Detlef; Jenaer Theatergeschichte, Teil 1: Das „Spiel von der Susanna" anno 1537, in: Thüringer neueste Nachrichten vom 27. 3. 1987; Teil 2: Ansätze zu einem Hoftheater, in: Thüringer neueste Nachrichten vom 3. 4. 1987; Teil 3: Seit 150 Jahren ein eigenes Theater, in: Thüringer neueste Nachrichten vom 10. 4. 1987; Teil 4 und Schluß: Wiedereröffnung zu Ostern 1948, in: Thüringer neueste Nachrichten vom 16. 4. 1987

Isaacs, Reginald R.; Walter Gropius. Der Mensch und sein Werk, 2 Bde., Berlin 1983 – 1984

Jaeggi, Annemarie; Adolf Meyer, der zweite Mann. Ein Architekt im Schatten von Walter Gropius, Berlin 1994

Koch, Herbert; Zur Geschichte des Theaters in Jena / Geschichte des Jenaer Stadttheaters, Darstellung in 17 Folgen, in: Theaterblätter, hg. vom Stadttheater Jena, Mai (?) 1946 – Mai / Juni 1949

Krause, Annett; Das Jenaer Theater im Umbau 1921 / 22. Ein Umbau als Kristallisationsprozess von neuen Gestaltungsprinzipien während der Erfüllung des ersten öffentlichen Auftrages des Weimarer Bauhauses, MS, Jena 2001

Kühling, Karl; Theater in Osnabrück im Wandel der Jahrhunderte, hg. von der Stadt Osnabrück aus Anlaß des fünfzigjährigen Jubiläums des Theaters am Domhof zu Osnabrück, Osnabrück 1959

Kühne, Ernst; Zum Umbau des Stadttheaters in Jena, in: Direktion des Stadttheaters Jena (Hg.); Stadttheater Jena, Umbau 1947 / 48. Zur Erinnerung an den Umbau des Stadttheaters Jena, Sonderdruck der Theaterblätter des Stadttheaters Jena, Jena 1948, S. 30 – 33

Kutschke, Christine; Bauhausbauten der Dessauer Zeit. Ein Beitrag zu ihrer Dokumentation und Wertung, MS, Weimar 1981

Lonius, Horst-J. (Hg.); Der zornige Engel. Theaterhaus Jena 1991 – 2001, Arbeitsbuch, Theater der Zeit, Berlin 2001

Maur, Karin von; Oskar Schlemmer, Bd. 1 Monographie, Bd. 2 Œuvrekatalog, München 1979

Meyer, Jochen / Goetz-Hardt, Tilla (Hg.); Briefe an Ernst Hardt. Eine Auswahl aus den Jahren 1898 – 1947, Marbach 1975

Nerdinger, Winfried; Theodor Fischer. Architekt und Städtebauer 1862 – 1938, Ausst.-Kat. der Architektursammlung der Technischen Universität München und des Münchner Stadtmuseums in Verbindung mit dem Württembergischen Kunstverein, Berlin 1988

Nerdinger, Winfried (Hg.); The Walter Gropius Archive: An Illustrated Catalogue of the Drawings, Prints, and Photographs in the Walter Gropius Archive at the Busch-Reisinger Museum, Harvard University, 3 Bde., New York, London, Cambridge (Mass.) 1990

Nerdinger, Winfried; Der Architekt Walter Gropius. Zeichnungen, Pläne und Fotos aus dem Busch-Reisinger Museum der Harvard University Art Museums, Cambridge, Mass., und dem Bauhaus-Archiv Berlin. Mit einem kritischen Werkverzeichnis, Berlin 1996

Oud, Jacobus Johannes Pieter; Mein Weg in 'De Stijl', 'S Gravenhage, Rotterdam [1961]

Pehnt, Wolfgang; Die Architektur des Expressionismus, Stuttgart 1981

Pevsner, Nikolaus; A History of Building Types, Princeton 1997

Pfeiffer, Günter; Das Bauhaus – Erzieher der modernen Menschen, in: Jenaer Glaswerk, Schott und Genossen, Mainz, 5 / 1961, S. 10 – 17

Probst, Hartmut / Schädlich, Christian; Walter Gropius. Bd. 1 Der Architekt und Theoretiker, Werkverzeichnis Teil 1, 1986; Bd. 2 Der Architekt und Pädagoge, Werkverzeichnis Teil 2, 1987; Bd. 3 Ausgewählte Schriften, 1988, Berlin 1986 – 1988

Ripprich, Sebastian (Red.); 1851 – 1991. 140 Jahre Theater Görlitz, Görlitz 1991

Rudolf, Bernd; Potenzen des Fragmentes. Ergebnisse eines Workshops der Bauhaus-Universität Weimar zum Theaterhaus Jena, in: Weimar Kultur Journal Nr. 3, 1999, S. 14 – 15

Rupp, Matthias; Das Karmelitenkloster Zum Heiligen Kreuz in der Jenaer Vorstadt Zweifelbach, Jena 2002

Scheper, Dirk; Oskar Schlemmer. Das Triadische Ballett und die Bauhausbühne, Berlin 1988

Schlemmer, Oskar; Oskar Schlemmer. Briefe und Tagebücher, hg. von Tut Schlemmer, München 1958

Schlemmer, Oskar; Idealist der Form. Briefe, Tagebücher, Schriften, 1912 – 1943, Leipzig 1990

Schreyer, Lothar; Erinnerungen an Sturm und Bauhaus, München 1956

Schumacher, Fritz; Strömungen in deutscher Baukunst seit 1800, 1935, Braunschweig, Wiesbaden 1982

Stadttheater Minden (Hg.); Minden – Über 200 Jahre Theatergeschichte, MS, Minden o.J.

Städtische Bühnen Osnabrück (Hg.); Weiterspielen. Osnabrücker Theaterarbeit von 1945 – 1984, Osnabrück 1984

Storck, Gerhard; Probleme des modernen Bauens und die Theaterarchitektur des 20. Jahrhunderts, Bonn 1971

Velde, Henry van de; Geschichte meines Lebens, hg. und übertragen von Hans Curjel, München 1962

Vereinigung der Landesdenkmalpfleger in der Bundesrepublik Deutschland (Hg.); Historische Theaterbauten. Ein Katalog, Teil 1: Westliche Bundesländer, Hannover 1991

Vereinigung der Landesdenkmalpfleger in der Bundesrepublik Deutschland (Hg.); Historische Theaterbauten. Ein Katalog, Teil 2: Östliche Bundesländer, Erfurt 1994

Vitt, Walter (Hg.); Walter Dexel. Der Bauhausstil – Ein Mythos. Texte 1921 – 1965, Starnberg 1976

Vitt, Walter (Hg.); Hommage à Dexel 1890 – 1973, Starnberg 1980

Wahl, Volker; Jena und das Bauhaus. Über Darstellungen, Leistungen und Kontakte des Bauhauses in der thüringischen Universitätsstadt, in: Wissenschaftliche Zeitschrift der Hochschule für Architektur und Bauwesen Weimar 26, 1979, S. 340 – 350

Wahl, Volker; Der Umbau des Jenaer Stadttheaters 1921 / 22 durch Walter Gropius und die Bauhauswerkstätten in Weimar, in: Dessauer Kalender 25, 1981, S. 71 – 74

Wahl, Volker; Jena als Kunststadt 1900 – 1933. Begegnungen mit der modernen Kunst in der thüringischen Universitätsstadt zwischen 1900 und 1933, Leipzig 1988

Wahl, Volker (Hg.); Die Meisterratsprotokolle des Staatlichen Bauhauses Weimar 1919 bis 1925, bearb. von Ute Ackermann, Weimar 2001

Weininger, Andor; Weininger spricht über das Bauhaus, 1982 – 84, hg. von Katherine Jánszky Michaelsen, in: Ausst.-Kat. Andor Weininger. Vom Bauhaus zur konzeptuellen Kunst, Kunstverein für die Rheinlande und Westfalen Düsseldorf, Stuttgart 1990, S. 25 – 50

Wingler, Hans M.; Das Bauhaus. 1919 – 1933 Weimar, Dessau, Berlin und die Nachfolge in Chicago seit 1937, Bramsche 1975

Winkler, Klaus-Jürgen; Die Architektur am Bauhaus in Weimar, Berlin, München 1993

Winkler, Klaus-Jürgen; Moderne in Weimar 1919 – 1933. Bauhaus, Bauhochschule, Neues Bauen, Weimar 1995

Woll, Stefan; Das Totaltheater. Ein Projekt von Walter Gropius und Erwin Piscator, Berlin 1984

Abbildungsnachweis

Bauaktenarchiv der Stadt Jena
Abb. 35, 36, 37, 38, 39, 40, 41, 42, 45, 46, 47, 48, 49, 52, 53, 54, 55, 56, 57, 58, 59, 60, 61, 62, 63, 64, 65, 66, 67, 68, 69, 70, 74, 75, 81, 82, 83, 84, 85, 90, 91

Bauhaus-Archiv Berlin
Abb. 3, 4, 5, 6, 7, 8, 9, 10, 11, 12, 13, 14, 15, 16, 17, 18, 19, 20, 78, 80, 86, 88, 89

© Bühnenarchiv Oskar Schlemmer, Sekretariat: IT 28864 Oggebbio (VB)
Abb. 93

© Harvard University Art Museums, Busch-Reisinger Museum
Abb. 72

Lehrstuhl für Kunstgeschichte mit Kustodie, Friedrich Schiller-Universität Jena
Abb. 21, 22, 23, 24, 25, 26, 27, 28, 29, 73, 76, 100

© Nachlaß Hinnerk Scheper
Abb. 94

© Nederlands Architectuurinstituut, Rotterdam
Abb. 87

Sammlung Frank Döbert, Jena
Abb. 1, 44, 50, 51

Stadtarchiv Jena
Abb. 71, 95, 96, 98

Stadtmuseum Jena, JenaKultur
Abb. 2, 43, 77, 79, 92, 97, 99

Technische Universität München, Architekturmuseum
Abb. 30, 31, 32, 33, 34

© VG Bild-Kunst, Bonn 2006
Abb. 3, 4, 5, 6, 7, 8, 9, 10, 11, 12, 13, 14, 15, 16, 17, 18, 19, 20, 54, 55, 56, 57, 58, 59, 60, 61, 62, 63, 64, 65, 66, 67, 68, 69, 70, 73, 74, 75, 77, 78, 79, 80, 81, 82, 83, 84, 85, 86, 88, 89, 92

Leider war es nicht in allen Fällen möglich, den Inhaber der Rechte zu ermitteln. Es wird daher gegebenenfalls um Mitteilung an die Herausgeber gebeten.

Impressum

Ulrich Müller

Walter Gropius. Das Jenaer Theater

Minerva. Jenaer Schriften zur Kunstgeschichte,
herausgegeben von Franz-Joachim Verspohl
in Zusammenarbeit mit Karl-Michael Platen

Bd 15. Walter Gropius. Das Jenaer Theater

Lehrstuhl für Kunstgeschichte mit Kustodie, Jena
Verlag der Buchhandlung Walther König, Köln
Bandredaktion: Ulrich Müller
Lithographie: Druckhaus Gera
Satz und Druck: Druckhaus Gera
Gedruckt auf PhoeniXmotion
Gesamtherstellung: Druckhaus Gera

Die Deutsche Bibliothek – CIP-Einheitsaufnahme
Ulrich Müller
Walter Gropius. Das Jenaer Theater
hg. von Franz-Joachim Verspohl in Zusammenarbeit mit Karl-Michael Platen
Jena: Lehrstuhl für Kunstgeschichte mit Kustodie / Köln: Verlag der Buchhandlung Walther König, 2006 (Minerva. Bd. 15)

ISBN 978-3-86560-148-3